Narrative

Fest...

Raffaella Romagnolo

Di luce propria

ROMANZO

MAGGIO 2021

CARA SIMONETTA,
   SPERO CHE IL MIO RAGAZZO
"MAGICO" POSSA FARTI BUONA
COMPAGNIA.
   CON GRANDE STIMA
   E TANTA SIMPATIA

Raffaella Romagnolo

MONDADORI

A librimondadori.it

Di luce propria
di Raffaella Romagnolo
Collezione Narrative

ISBN 978-88-04-73602-8

© 2021 Mondadori Libri S.p.A., Milano
Pubblicato in accordo con Grandi & Associati, Milano
I edizione marzo 2021

Di luce propria

A Ro

Forse la vita è davvero
quale la scopri nei giorni giovani:
un soffio eterno che cerca
di cielo in cielo
chissà che altezza.

Ma noi siamo come l'erba dei prati
che sente sopra sé passare il vento
e tutta canta nel vento
e sempre vive nel vento,
eppure non sa così crescere
da fermare quel volo supremo
né balzare su dalla terra
per annegarsi in lui.

ANTONIA POZZI, *Prati*

Tutti questi giovani fotografi che si agitano nel
mondo, consacrandosi alla cattura dell'attualità,
non sanno di essere degli agenti della Morte.

ROLAND BARTHES, *La camera chiara. Nota sulla fotografia*

You press the button, we do the rest.

SLOGAN PUBBLICITARIO DELLA KODAK N. 1 (1889)

Molti anni dopo la mattina di aprile in cui tutto ebbe inizio, trovandosi inaspettatamente, ma per l'ennesima volta, al cospetto della morte, il fotografo Antonio Casagrande pensò che la vita è sempre fuori fuoco.

Era un'alba del tutto simile a quella in cui, ragazzo, il desiderio feroce di essere uomo lo prese per non lasciarlo: aria tersa, luce spiovente tra i rami, boccioli come uova gonfie, pronte alla schiusa.

Sulle prime, il cielo in fiamme lo confuse con la sua cruenta parvenza di tramonto. Al chiarore trionfale del giorno pieno, che subito seguì, Antonio Casagrande fece ciò che non aveva mai smesso di fare da quando il suo padrone gli aveva insegnato i rudimenti dell'arte: misurare ombre, colori, profondità di campo e contrasto. Ma la consueta, esaltante sensazione di controllo sul Creato non sarebbe durata. Quel che ha importanza, disse a se stesso in un fulmineo istante di chiaroveggenza, quel che davvero conta risulta sempre offuscato.

Venerdì 26 aprile 1867, tra Genova e Borgo di Dentro

Ai tempi gloriosi del collodio umido, quando tirare stampe da un negativo su vetro richiedeva la destrezza di un illusionista, i praticoni da quattro soldi si riconoscevano dalle sbavature negli angoli. Ombre spettrali, nebbie cariche di mistero assediavano mezzibusti e figure intere. Montate su cartoncino per prevenire arricciature, le fotografie si riponevano in astucci stampigliati a caratteri d'oro o in pesanti album con la sopraccoperta di cuoio, oppure venivano sistemate in bella vista dentro cornici preziose, come si trattasse di ritratti a olio. La mistura di sale, nitrato d'argento e chiara d'uovo che impregnava la carta fotografica si degradava in fretta, e le immagini acquistavano una sfumatura acquorea, giallastra. Di cui il cliente era comunque soddisfatto, non avendo mai visto il proprio aspetto se non nel fuggevole riflesso dello specchio.

Quei ritratti insidiati dai fantasmi, quei gruppi di famiglia infestati da spiriti come il tavolino di una maga erano una novità di gran moda quando Antonio Casagrande venne al mondo. Presumibilmente nei pressi del porto di Genova, forse tra Sottoripa e porta Soprana. Non è noto il luogo esatto, la strada, il palazzo, il cortile o la cantonata, solo giorno, mese e anno: 13 giugno 1855. Così almeno lo schedario dell'Ospedale Maggiore detto di Pammatone, sezione Esposti.

Non fu possibile indicare alle voci "padre" e "madre" i

lombi che l'avevano generato e il grembo che l'aveva accolto. Al trillare della campanella che annunciava un nuovo arrivo, l'incaricato azionò il meccanismo della ruota e si trovò davanti un neonato grigio di spavento. Notò subito l'occhio fisso sul nulla, la pupilla color latte, poi il cordone legato alla spiccia, indizio di scarsa pratica, e infine la pezza ruvida, sporca di sangue e liquido amniotico, che proteggeva il corpicino dal nudo legno. "Tela di Genova" veniva chiamata comunemente. "Jeans", nelle Americhe. Roba da mozzi, garzoni di macchina o scaricatori. E nient'altro. Non due righe di accompagnamento, non un medaglione, una spilla di brillanti, un nastro con le cifre o un qualunque segno di quelli che, nei romanzi venduti sulle bancarelle sotto i portici dietro il Pammatone, avrebbero assicurato al neonato, seicento pagine dopo, il dispiegarsi di un destino ricco e felice. Neanche una cesta o un trapuntino. E niente perciò rimase ad Antonio Casagrande, se non un'invincibile sensazione di vuoto alle spalle, di leggera vertigine, come chi manchi per un soffio la presa, e la risposta alla domanda più difficile: ma io, chi sono?

Questione che senza dubbio non lo tormenta nell'alba di venerdì 26 aprile 1867. Mancano poche settimane al suo dodicesimo compleanno, e Antonio Casagrande non si perde in riflessioni complicate. Neppure indugia su ciò che di stupefacente la vita gli ha appena regalato. L'avere finalmente imparato a leggere, scrivere e far di conto, per esempio. Oppure il fatto che, da qualche mese, non si corica più con lo stomaco che brontola per la fame. O soprattutto la missione, il motivo esaltante – *storico*! tuona il padrone –, la ragione per cui si sono messi in viaggio.

Nulla di tutto questo occupa la sua mente: solo il fiotto caldo, impetuoso e aromatico che sgorga dai visceri dell'uomo. Gli invade i pensieri, lo turba, gli fa invidia. Se di invidia fosse capace, con quella faccetta puntuta da bestiolina all'erta, le braccia secche di chi ha scampato per un soffio il padiglione dei rachitici, le gambe come stecchi nodosi in calzoni troppo larghi.

Se fosse invidia, il ragazzo svierebbe lo sguardo. Invece si gode lo spettacolo. Registra nella mente lo scroscio che schizza di gocce affilate la pellicola argentea sui sassi che il padrone ha sistemato a corona del fuoco la sera prima, intiepiditi mentre loro due dormivano sul pianale del carro.

È che vorrebbe raggiungerlo, il padrone, eguagliarlo. Tra qualche anno, forse, chissà. Avrà anche lui un getto così robusto? Un flusso inarrestabile? Una pisciata tanto superba? La desidera più di tutti gli altri tesori che l'uomo porta con sé, più del panciotto ricamato ad arabeschi, più della tromba di ottone luccicante. La desidera più della barba imperiale che annuncia il padrone da lontano, cespugliosa come la pelliccia di un animale selvatico: *eccomi, son qui, fate largo.*

E sì che la barba è un chiodo fisso per Antonio, che ci spera sempre ma per ora niente, pelle di pesca. Giusto una crosta di moccio sotto la narice e lo sbrego a forma di L sulla guancia sinistra, sotto la benda che gli protegge l'occhio cieco.

"Vaffanculo Michele" pensa ogni volta che i polpastrelli incontrano la cicatrice incisa dal coltellino a serramanico. Michele Casagrande, classe 1855, come Antonio. Tutti Casagrande, i bastardi del Pammatone. Oppure Dellacasa o Dellacà o Diotallevi. Condividevano lo stesso letto a castello – Michele sopra e lui sotto – finché il compagno non ha trovato un pagliericcio nel covile di un mandriano sulle alture. Usava il coltello come un pittore il lapis, con grazia. Lo teneva sotto il materasso insieme al resto dell'arsenale: una fionda, cinque biglie di ferro, una manciata di sassi a punta e un tirapugni costruito con un palmo di cordame, tutto bozzi. Un capolavoro di crudeltà.

Di Antonio, nel tempo che il ragazzo è rimasto al Pammatone, c'era invece solo lui, arrivato il giorno del santo patrono dei bambini malati e delle prostitute. Mestiere che, con ogni probabilità, svolgeva anche la donna sgravatasi quello stesso 13 giugno 1855 tra Sottoripa e porta Soprana. Giovane, probabilmente, forse addirittura primipara, per via di quel cordone annodato alla bell'e meglio, e che adesso gli forma un ombelico simile a un cece in bilico sul ventre.

13

Giovane e probabilmente sola. Forse orfana, forse passata anche lei dal Pammatone, una riga tra le innumerevoli che nei registri hanno preceduto quella di Antonio Casagrande. Mica tutte le orfanelle sono finite a servizio nell'ala dei sifilitici, mica tutte cambiano bende e cataplasmi, mica tutte hanno preso i voti. Lavandaia? Sartina? Ballerina? Puttana? «Bagascia frusta» assicurava Michele Casagrande.

Immagini tormentose. La barba l'avrebbe protetto dai prepotenti? Antonio Casagrande ne è certo. Ma questa mattina di aprile del 1867, l'aria di primavera che carezza le foglie appena nate, il ricordo di Michele Casagrande svapora come un sogno alla prima luce. E tra l'una e l'altra cosa, una bella faccia da uomo adulto e una pisciata potente come quella che sta allagando il bivacco, Antonio Casagrande sceglierebbe la pisciata.

Vorrebbe essere grande come il padrone, forte come il padrone, vorrebbe essere il padrone. Vorrebbe assorbire la *padronità* come lo straccio assorbe il bagnato. Non immagina che questo sconfinato desiderio, che certe notti gira in incubo e lo sveglia, abbia un legame con il fatto che la sua nota nello schedario del Pammatone, alla voce "padre", esibisce la scritta "ignoto". Desidera solo continuare a studiare l'omone che il destino ha tenuto in serbo per lui.

Lo ha aspettato tanto. Decine di orfani, moltitudini di *esposti*, legioni di bastardi prendevano la via dei monti, ma non lui. Gli altri sarebbero andati a mungere mucche, a macellare capretti, a piantare patate in primavera e a raccoglierle in estate, a zappare in autunno, a tirar via pietre dalla terra, a intrecciare cesti in inverno. E lui no. I contadini scendevano in città tutte le settimane, prima il mercato e poi il Pammatone, sceglievano i migliori e contrattavano il sussidio.

«Con quelle spalle mangerà per due» dicevano al preposto.

«Con quelle spalle lavorerà per due» rispondeva il preposto, i conti nelle sopracciglia aggrottate.

Sceglievano sempre qualcun altro, per via dell'occhio cieco. Poi è arrivato il padrone. Appena in tempo, perché il ragazzo aveva già compiuto undici anni. Anche se non aveva le idee chiare sui numeri, sapeva che undici è uno meno di dodici, compiuti i quali non avrebbero più potuto tenerlo a pensione. L'avrebbero gettato nelle fauci immonde della Vita, che l'avrebbe straziato con le sue grinfie: Superbia, Accidia, Lussuria, Ira, Gola, Invidia, Avarizia. Così il confessore, sbrigando l'impiccio settimanale.

Quando il padrone entrò nella sala dove gli orfani attendevano schierati spalla a spalla, fuori pioveva col vento. Davanti al tavolo del preposto l'acqua gocciolava dai ricci alla barba, alle spalle, alla pancia, alla punta degli scarponi, alla pozza sul marmo. Sembrava un orco.

«I più grandi niente sussidio» disse il preposto.

«Che m'importa del sussidio! Mi serve un assistente, mica la carità, perdio!»

Sembrava Barbablù.

Degli altri due spanne più alto, Antonio teneva gli occhi sulla pozza che si allargava, *ploc, ploc,* gli stivali con il segno del bagnato, *ploc, ploc, ploc.* "Mi toccherà asciugare" pensava. Invece era stato scelto.

«Lui?» domandò il preposto.

Lui. Così è la vita. Far su le sue cose (che cose?) era stato un attimo. E poi via, fuori, nei vicoli, Piccapietra, porta Soprana, la cattedrale di San Lorenzo bianca e nera, dietro a Barbablù. Lo sguardo fisso a terra per non sfidare la Vita in agguato nei bassi, sotto i voltoni, a ogni crocicchio. Piazza Valoria numero 4, portone nero, scale buie, su e ancora su, e ancora su, fino a una soffitta tutta luce. Dentro, una baraonda di vetri, boccette, pozioni, bauli, scansie, fascicoli, libri, luccicori, specchi, candelabri, ventagli, broccati, colonne, palmizi, fondali marini e montani e un sentore come di polvere e speziale. E una ragnatela di fili appesi al soffitto. In un angolo, un paravento, una branda e un vaso da notte. Suoi? Suoi.

«Il cesso è qui fuori. Si mangia al piano di sotto, dalla Giuse. Colazione, pranzo e cena. Qui c'è il banco da lavoro, qui il magazzino e qui l'archivio. Io dormo lì. Le macchine stanno là dietro. L'altana fa parte dello studio. Attento a non sporgerti, manca il parapetto.»

Niente porte o stanze, niente di ciò a cui Antonio era abituato al Pammatone: dormitorio, refettorio, direzione, cappella, cortile, lavatoio, sacrestia, infermeria uomini, infermeria donne, infermeria ragazzi, magazzino, spezieria e poi infilate di letti, panche, tavolacci. Nella soffitta di piazza Valoria lo spazio si dilatava e restringeva solo grazie a un gioco di tende.

«Attento: qui deve stare il cliente. Né più in qua né più in là. Appoggiato alla colonna oppure seduto, basta che stia fermo. La luce è quella del finestrone, dritta sulla faccia. Ombra sul resto del corpo, così pare un papa in trono.» Poi il padrone diede uno strattone a una tenda più scura e più spessa delle altre. «E qui c'è il *sancta sanctorum*.» Comparve un banco gemello al primo, e come il primo ingombro di boccette e bacinelle. Una lampada oscurata da una carta rossa pendeva da una trave. «Ricordati, i miracoli sono come i peccati: si fanno al buio.»

Antonio non aveva capito una parola. Dove diavolo era capitato? Che bottega era mai quella?

Da quel giorno, continua a studiarselo, Barbablù. Vuole *impararlo* come ha imparato la tavola pitagorica e l'alfabeto. Dal padrone, ovviamente. È l'orco che, indicando la cicatrice sullo zigomo, ha riconosciuto la forma di una L. E giù un pizzico, e poi una lezioncina: «L come lana, lena, lingua, luna, lode. A-E-I-U-O. Le vocali. Ripeti».

«Lode?»

«Lode. Quando uno ti dice bravo. Dài, ripeti.»

«Come lode a Dio?»

Il padrone ha sbuffato. Sbuffa se gli si nominano Dio, santi e madonne, ma all'inizio Antonio non lo sapeva. Al Pammatone, Dio era in cielo, in terra e in ogni luogo.

«Lastra, lesto, liscio, lobo, lue. A-E-I-O-U. Ripeti»

«Lue?»

«Lascia perdere, sei troppo piccolo, ah ah ah. A-E-I-O-U. Ripeti.» E giù un altro pizzico.

16

Antonio Casagrande vuole imparare tutto da lui, e tutto *di* lui. Persino come cammina. Lo osserva, fissa tutto nella mente, lo guarda svuotare un fiasco intero senza prendere fiato, sparare rutti che spaventano i piccioni, chirieleison di bestemmie, oscenità da far impallidire i marinai con cui la sera divide un tavolo al porto. Affacciato all'altana che dà sui tetti, nel blu e arancio del tramonto, lo vede gonfiare le gote, socchiudere gli occhi e soffiare dentro la tromba, che pare quella d'oro dei cherubini, un motivo languido e struggente, le lacrime che ruscellano sul barbone. Lo guarda affrontare i vicoli, un generale alla carica: si infila nel casino di vico Falamonica o in quello di piazza dello Amor Perfetto, il passo da re, il petto a tamburo. Il ragazzo siede sui gradini ad aspettarlo. Si gode il via vai di bottegai, mendicanti, imbonitori, straccivendoli. Dalla finestra aperta sente il vocione intonare "Libiamo, libiamo ne' lieti calici / che la bellezza infiora", la puttana che risponde "Godiam, fugace e rapido / è il gaudio dell'amore" e poi tutti e due a ridere. E lo sente rispondere: «Ho fatto i miei conti!» a chi s'azzardi a domandargli se per caso questa volta non s'è ammattito davvero.

«Un'impresa sconsiderata» lo provocano fratelli, sorelle, vicini di casa, curiosi e tiratardi di ogni tipo. «Un sicuro fallimento» incalzano. Il padrone allora butta il fiato come per un Do di petto: «Conti al centesimo, perdio!» e il ruggito spegne ogni disputa.

Quante volte il ragazzo ha assistito a scambi del genere? No, non da quando hanno lasciato la città diretti a Borgo di Dentro: in campagna che ne sanno di cosa abbia in testa un uomo raffinato come lui?

ALESSANDRO PAVIA
FOTOGRAFO
ESEGUISCE RITRATTI GRUPPI DI FAMIGLIA
VEDUTE CARTE DA VISITA
RIPRODUZIONI DA QUALUNQUE OGGETTO

In campagna le donne hanno vestiti neri e fazzoletti che nascondono i capelli, mica crinoline e fili di perle. I vecchi non indossano marsine, non si appoggiano a bastoni con pomoli d'argento, non misurano a passi lenti i lunghi pomeriggi di maccaia passeggiando sulla graniglia colorata dei portici. Qui non ci sono portici né graniglia né mosaici né giganti di marmo che sorreggono balconi né statue di benefattori come quelle del Pammatone. Venticinque lire di lascito garantiscono una lapide, cinquanta bastano a un busto, il doppio per una figura ritta in piedi e una cifra spropositata, che Antonio non riesce ancora a contare, per una statua in maestà. Più materiale, trasporto, montaggio, scultore e scalpellino.

In campagna i bambini hanno la cispa e i piedi color bronzo. Quando vedono il carro con la scritta FOTOGRAFO è come arrivassero i saltimbanchi. Non sanno leggere – Antonio li riconosce al volo, occhi-voragine, labbra socchiuse dalla meraviglia –, non conoscono l'alfabeto eppure capiscono, in quel modo misterioso di afferrare l'essenziale che è stato il suo fino a poco tempo fa.

«Ladro, letto, libro, lupo, Londra. A-E-I-U-O. Ripeti.» E giù un pizzico.

«Londra?»

«La Geografia! La Geografia, perdio! Mazzini sta a Londra, Londra la devi sapere!»

Le discussioni su quel che ha in testa il padrone sono piuttosto un affare di città, tra piazza Fontane Marose, Soziglia e il sestiere di Prè. È lì che cercano di ostacolarlo. Lo fermano con una scusa qualsiasi, lo interrogano, lo *mettono in guardia*, lo *fanno ragionare*. «Testone!» starnazzano. Lui non molla.

Testa dura, sì, e pisciata eterna. Adesso, a fuoco quasi spento, giusto un baluginare di brace sotto la coltre perlacea, finché a un certo punto le pozzette esondano, dilagano tra montagnole di cenere, s'allungano intorno a tizzoni spenti, e un rivolo punta dritto verso la scarpa di Antonio. Dodici lire al mercato di piazza della Nunziata, il migliore della città. Peccato rovinarla, sacrilegio, bestemmia. Mai avuto un paio di scarpe del genere. Mai avuto scarpe, al massimo zoccoli. Fanno male, graffiano i malleoli con raschi fastidiosi come lische in gola, ma Antonio Casagrande accetta di buon grado perché sa che questo è il suo personale rosario. Ai Misteri Dolorosi seguono sempre quelli Gloriosi. Non lo dimentichi se hai recitato preghiere tutte le sere da quando hai imparato a stare in ginocchio a mani giunte. Cinque decine di Avemarie più il Pateravegloria, equivalenti a un quarto d'ora se a guidare era padre Agostino detto "Lampo". Mezz'ora se toccava a fratello Sebastiano, che tartagliava sulle "g", le "p" e le "d". «*Ave Maria, g-g-g-grazia p-p-p-plena, d-d-d-dominus tecum.*» Fratello Sebastiano era detto "Tuono" per le scoregge che accompagnavano lo sforzo di pronuncia. Se non era serata, il concerto durava quaranta minuti. Preghiere e scoregge, scoregge e preghiere. In camicia. L'ammattonato gelido. Le ginocchia in fiamme.

Davanti al banco del calzolaio di piazza della Nunziata il padrone non aveva sprecato parole: «Vuoi fare strada? Ti servono scarpe».

Anche per questo ennesimo, grandioso esempio di *padronità*, il ragazzo si impone di resistere. La sera spalma i piedi di grasso di balena e massaggia la tomaia con quel che ha, palline di cera fusa oppure olio di pesce. La mattina l'odore è ancora nauseabondo, e tra la Maddalena e San Lorenzo i gatti lo tallonano stretto. Lui se ne infischia, far commissioni è il più divertente dei suoi compiti. Acciughe fresche, fritte o sotto sale. Farinata di ceci in cartocci unti. Interiora che la Giuse ripasserà in padella con aglio, aceto e prezzemolo. Candele. Olio d'oliva. Olio per la lampada. Carta da musica e carta da stampa di quella sottile, a grana compatta. Uova a doppie dozzine: il rosso si sbatte, si frigge e si mangia, il bianco si sala generosamente e si monta a neve. Quello che resta sotto la schiuma, il liquido di un bel giallo trasparente, finisce poi in una bacinella. Uno per volta, i fogli di carta vengono adagiati sulla superficie e lasciati a galleggiare come foglie a pelo d'acqua. Un lavoro di fino, di pinzette, di mollette, di pazienza. Al momento giusto si solleva il foglio, si lascia sgrondare e lo si appende ad asciugare, finché la soffitta si riempie di grandi farfalle candide che al primo refolo danzano sui fili. Segue un ultimo bagno nella soluzione di nitrato d'argento, ma di questo si occupa il padrone da solo, chiuso nel buio rosso del *sancta sanctorum*, con un paio di guanti e un grembiulaccio di tela rigida.

E poi sono così belle, le scarpe nuove, con quelle cuciture minute come formiche in marcia, e le bullette luccicanti tutt'intorno al bordo. Per questo il ragazzo si affretta a spostare il piede scansando il getto del padrone. Ma nel farlo perde l'equilibrio, e così scrolla malamente, e il suo leggero zampillo – quel che gli esce è nulla rispetto al torrente che gli galoppa a fianco –, quel poco di pipì, insomma, intercetta la punta dell'altra scarpa. Vergogna.

Il padrone comunque non se ne accorge, altrimenti darebbe in una di quelle sue risate di caverna e, accennando al suo cosino, farebbe partire uno scappellotto tra collo e nuca. La stessa mano con cui tiene il coso. Un coppino di quelli che, se non te lo aspetti, sbatti i denti, e la risata del padrone diventa un boato. Ma il ragazzo ormai sta in campana, e non sbatte più i denti, e comunque il coppino non parte.

Il piscio dei bambini è un'altra cosa. Sa di cavolo e cipolla. Almeno, Antonio potrebbe garantire circa il sapore dell'urina di Michele Casagrande. Immagina che quella di tutti i bastardi del Pammatone abbia lo stesso gusto. Facile capirne il motivo, considerato il menu. Cavoli, cipolle, qualche patata, cavoli, cipolle, una manciata di fagioli o di piselli, cavoli, cipolle, un uovo ogni tanto e dolce di pane secco, ma solo la domenica. Bere piscio è obbligatorio. E, comunque, prima di ingoiarlo – vietato sputare, sennò penitenza –, prima di inghiottirlo d'un fiato come fosse acqua di fonte, al piscio hai già fatto l'abitudine. Si vive nel pisciocavolo. Aleggia mescolato al sudore giallino delle lenzuola di telaccia, al vomito secco, al tanfo di culi mai abbastanza puliti. Ammorba le latrine. Impregna le cantonate. Inzuppa il saccone. D'inverno, con le finestre chiuse alla furia di tramontana. D'estate, quando lo scirocco incendia le murate.

«Pisciare appena svegli è meglio che fottere» dice invece

Barbablù tutte le mattine. Esce dal cesso al piano di piazza Valoria, le braghe mezze aperte, la manona dentro a sistemare la faccenda, la faccia stropicciata della notte. E lo dice anche adesso, mentre gioiosamente inonda il mondo dei suoi umori notturni, gli occhi luccicanti nel verde dei castagni, il pensiero alla giornata di viaggio per raggiungere Borgo di Dentro. «Meglio di un pompino. Ah ah ah!»

La piscia prodigiosa del padrone non è l'unica meraviglia da quando si sono messi in viaggio. Antonio registra le cose più significative nel quaderno degli esercizi, tra le vocali, le consonanti e le quattro operazioni. Ricopia le parole che non ha mai sentito e aggiunge il significato. "Strada ferrata" e "macchinista", per esempio, visto che a Firenze sono andati con il treno. E "anticamera", perché, prima di ricevere il padrone, Sua Maestà Vittorio Emanuele II li ha fatti attendere otto giorni.

«Nell'imminenza dell'incontro, fossi in voi approfitterei dei servigi di un barbiere» aveva suggerito un funzionario con i baffi a manubrio, indugiando sulle "e" apertissime che l'avevano accompagnato dal Piemonte alla nuova capitale insieme a un plotone di conterranei.

Era un tipo secco, il colorito spento delle malattie di fegato. Li aveva accolti in un salotto tutto stucchi e preziosità, li aveva informati che sì, Sua Maestà li avrebbe ricevuti, come da accordi epistolari, ma no, non quel giorno, né il successivo, e in definitiva non si sapeva quando. Dipendeva dalle pernici. Forse anche dai cervi, Sua Maestà adora la caccia grossa. La caccia grossa e la pineta di San Rossore. Non quanto ama l'alta quota, non quanto le abetaie e i nevai alpini, non quanto le albe brumose a Pollenzo e Sommariva Perno. Ma Sua Maestà ha tempra di soldato e ha saputo adattarsi alle circostanze. Circostanze che sarebbero poi la sciagura del trasloco forzato a Firenze.

«Dunque?»

Dunque che fornissero un indirizzo, che aspettassero un cenno.

Otto giorni, appunto. Colazione, pranzo, cena e letto in

una locanda di Borgo San Frediano. Pane sciocco, prosciutto, bistecca, lesso di cappone, fegato di vitella, lingua di manzo guarnita e rosso in fiaschi avevano svuotato le tasche del padrone, tanto che si era dovuto impegnare la catena dell'orologio. «Il fine giustifica i mezzi. Machiavelli. Ripeti. Impara. Scrivilo sul quaderno.»

A colazione gli dicevano: «Macché cervi. Macché pernici e pernici. La pernice, semmai!». Lei era la causa del ritardo, l'amante del re. Nera d'occhi e di capelli. Labbra come un burro. Pigionante senza pagar pigione alla villa medicea della Petraia e attualmente trasferita a San Rossore. Nata Rosa Vercellana, rinata contessa di Mirafiori e Fontanafredda. Anche lì, stucchi e preziosità. Radica, ebano, il parato a disegni floreali. Arazzi. Danae che aspetta Zeus. Zeus che si presenta in forma di pioggia d'oro e la ingravida. «Due volte!» nel caso di specie, una femmina e un maschio.

"Arazzo", "parato", "Zeus". Antonio annotava, il padrone correggeva. Il quaderno, accogliente, faceva spazio anche a parole da ricchi.

A pranzo riattaccavano: «Ma che ci vai a fare dal re, che di certo il fotografo se lo sarà portato da Torino? Come il ministro, il segretario, l'avvocato, il cameriere, il lacchè, lo stalliere, il sarto, il lustrascarpe e lo spazzacamino. Come spazzano i comignoli a Torino non li spazza nessuno. Pure il pittore si sarà portato Sua Maestà: a Firenze, si sa, mancano gli artisti!».

«Lacchè.»

«Stagliere.»

«Non *stagliere*: stalliere. Due elle. Riscrivi.»

A cena ricominciavano: «Ma che ci vai a fare dal re, con quel barbone repubblicano che hai?».

Il padrone si irrigidiva. «Una cosa storica. Da raccontarla ai nipoti» rispondeva.

"Repubblicano": chi vuole la Repubblica, cioè il Popolo che comanda.

«Cioè?»

«Il Popolo Sovrano, al posto del re.»

Antonio spalancava gli occhi.

«Non fare quella faccia. Scrivi "Popolo" maiuscolo. Come "Re". Anzi, tira una riga, "re" scrivilo minuscolo.»

«E voi siete repubblicano?»

«Fin nelle midolla.»

«Ma allora perché volete incontrare il re?»

«Anche Garibaldi l'ha incontrato. Gli è toccato. Per ora ci contentiamo di aver fatto l'Italia, ma poi.»

Ma poi, cosa? Una gran confusione, nella testa del ragazzo. Quando finalmente li mandarono a chiamare, lui venne fermato sulla soglia del casino Annalena, una piccola costruzione nel giardino di Boboli. *Inderogabilmente*. Il solo Alessandro Pavia avrebbe potuto accedere al Gabinetto Particolare di Sua Maestà. Qualcuno indicò al ragazzo una panca di marmo accanto a una siepe di bosso.

Era un luogo magnifico: grotte, tempietti, statue, mosaici, rampicanti, rosai, vasche, colonnati, saliscendi, fontane. Geometrie di sentieri, come in un gioco da bambini ma fatto dai grandi: il casino Annalena e il Gabinetto Particolare di Sua Maestà stavano in un giardino di delizie.

E chissà che meraviglia doveva essere il cesso del bordello in cui il re aspettava il padrone. Pitali d'oro zecchino? Tinozze luccicanti di pietre preziose? Pezze di seta al posto della carta nettaculo? Antonio non smise di fantasticare per tutti e sei i minuti che durò l'udienza, quando Alessandro Pavia uscì con un bel sorrisone monarchico stampato in faccia, che non si spense per l'intera giornata. «Grandi cose! Grandi cose!» ripeteva.

I festeggiamenti diedero fondo agli ultimi risparmi, dato che il padrone offriva da bere a chiunque avesse voglia di scambiare due parole sulla «grande impresa» che oggi poteva dirsi «giunta a un punto di svolta». Rideva, gli altri bevevano e brindavano alla sua salute. Anche Antonio era un po' brillo quando, al tramonto, giunsero finalmente alla locanda. Una notte di sonno, sarebbero partiti l'indomani con il primo treno diretto a Genova. L'oste li aspettava sulla porta, la fronte a goccioline.

«Vi aspettano» disse facendo cenno all'interno. Ritto accanto al banco di mescita, un militare con la giubba attillata e le spalline corrusche di decorazioni reggeva un involto su cui, nel buio fumoso dell'ambiente, scintillava lo stemma della Real Casa. Dallo scuro, si fece avanti un tipo in redingote. «Alessandro Pavia?»

Il padrone non riuscì a spiccicare parola, l'espressione ebete di chi ha bevuto troppo. Il ragazzo annuì. «Da parte di Sua Maestà, con i migliori auspici.» In un attimo erano scomparsi. Pavia rimase con il pacchetto in mano. Un silenzio innaturale ai tavoli, sui pancacci. Non un fiato dalla cucina. Pavia appoggiò allora l'involto al bancone, avvicinò la lampada a olio, si pulì le dita sul panciotto e lo aprì. Ne sortì un astuccio di velluto turchino. Antonio gli toccò un braccio. "Non qui, meglio in camera" disse con lo sguardo. Tutto il mondo è Pammatone.

Il padrone restò interdetto. In quel momento sembrava lui il ragazzo. I bicchieri restituivano un brillio freddo. Nell'oscurità, otto, dieci paia di occhi lo fissavano.

Al dondolio del carro, Borgo di Dentro sembra una nave incagliata in un mare di colline. Una goletta, un brigantino a doppio albero, i campanili gemelli della chiesa maggiore bianchi come vele nel tramonto.

Il padrone accosta in uno slargo al margine dell'abitato. Mentre il ragazzo si occupa del cavallo sfinito dalla giornata di marcia, tira fuori da una tasca un foglio di carta. Antonio ne ricorda a memoria il contenuto, per via di un esercizio di dettato particolarmente arduo:

Leone Domenico, di Pietro - mezzadro
Marchelli Bartolomeo, di Giacomo - prestidigitatore
Buffa Emilio, di Paolo - barbiere
Repetto Domenico, di Giuseppe - bracciante

«Quattro! In questo buco di culo!» dice Pavia.

Il ragazzo aveva penato sull'"h" di Marchelli, sulla doppia "z" di mezzadro e soprattutto su *pre-sti-di-gi-ta-to-re*.

«Ma non si può dire "mago"?»

«La magia non è un mestiere.»

«No?»

«È una virtù.»

Più il ragazzo studia, più la vita si complica. Conosce già a memoria le Tre Virtù Teologali – Fede, Speranza, Carità – e le Quattro Virtù Cardinali: Prudenza, Giustizia, Fortezza, Temperanza. Ha un debole per Fortezza, fa pensare a cavalieri e disfide, un'idea molto vaga sul significato di Temperanza. Dovrà aggiungere Magia? E poi altri dubbi: "Emiglio" o "Emilio"? E cosa vuol dire "mezzadro"? Il profilo sghembo della città incombe su di loro.

«A noi due, Leone!» dice Pavia. Scende da cassetta e risale con un balzo dentro il carro. Antonio lo sente armeggiare, spostare, rovesciare, inciampare, poi un'imprecazione e un grido di giubilo.

«Ragazzo!»

Dal pianale gli passa catino, straccio, specchio, sapone e la botticella con l'acqua.

«Forza, lavarsi, non c'è tempo da perdere.»

Il camicione grigio da viaggio vola all'interno. Il petto è più irsuto della faccia, le ascelle sono abissi neri.

Il padrone si lava come fa tutto: senza misura. Immerge gli avambracci pelosi nell'acqua saponata, solleva gran manate, le lascia cadere come pale sul collo, sul muso, sulle spalle, fino ai polsi grossi come ossa di vitello, mentre nel catino cominciano a galleggiare lunghi peli scuri. Ficca poi il viso nello straccio, dà una passata veloce al busto, infila la camicia pulita, che si chiazza all'istante di bagnato. Poi panciotto, cravattino, giacca. «Come sto?»

Strizzata nel colletto rigido, la testa sembra quella di un grosso cane nero e gocciolante. Gli aloni della camicia hanno invaso la giacca. I calzoni sono ancora grigi di polvere della strada, con grosse patacche di acqua schiumosa.

«Prendo una spazzola?» chiede Antonio accennando agli scarponi chiodati che il padrone indossa sempre quando sta a cassetta. La polvere e l'acqua del catino, mescolandosi, hanno formato una fanghiglia lucida. Pavia scrolla le spalle: «Questa gente ha fatto l'Italia, ragazzo. Secondo te gli interessa lo sporco sul pavimento?».

«Ma non è troppo tardi? Che volete fare a quest'ora?»

«Basta dormire all'aperto» risponde Pavia imboccando la salita che porta in paese. «Aspetta qui. Ripassa le tabelline. Oppure dormi, fai quel che vuoi. Vedi come ti preparo una bella serata.» Antonio lo segue con lo sguardo fino a che la sagoma scura non scompare nel Borgo di Dentro.

Il cavallo bruca sotto il tiglio a cui l'ha assicurato. Dopo la furia igienica del padrone, lo slargo sembra un campo di battaglia. Il ragazzo getta l'acqua saponata nel fosso a bordo strada, piega lo straccio, sistema di nuovo sul carro catino e botticella d'acqua, piena a metà. Bisognerà fare scorta. Per un attimo valuta se occuparsene subito, il torrente è poco distante. Poi pensa che non sia il caso di lasciare il carro. Rimette a posto l'interno. Sistema i vestiti con i vestiti e gli strumenti al loro posto. Impila i torchi da stampa e li incastra in un angolo in modo che non si danneggino durante la marcia. Controlla la cinghia che assicura la prima macchina alla parete interna. Verifica che la seconda macchina, quella per le carte da visita, sia ben chiusa nel suo cofano protettivo, i quattro obbiettivi al riparo da colpi accidentali. Ammassa in un angolo gli arredi: la finta colonna, il finto capitello, la finta balaustra (che fatica portarli su e giù dalla soffitta di piazza Valoria). Passa in rassegna la scorta di carta albuminata e quel che serve per la camera oscura smontabile che il padrone si porta dietro quando fotografa in esterno: alcol, etere, fulmicotone, ioduro di potassio, nitrato d'argento, sale, iposolfito di sodio.

Quando tutto gli sembra in ordine, toglie la benda e se la infila in tasca. Non la indossa mai quando è solo. Apre poi la cassa delle lastre di vetro da riuso. In un angolo trova il suo quaderno e il lapis. Siede sul pianale, schiena contro la parete del carro, piedi sul baule personale del padrone, quaderno sulle cosce. Attacca con la tabellina del quattro, poi con quella del cinque. A quella del sei, comincia a guardarsi intorno.

Al Pammatone, la noia gonfiava bolle grandi come pomeriggi interi. Pensa di lucidare qualche lastra, ma sarebbe complicato organizzare alla svelta un bagno di acidi. Capace che il padrone, di ritorno, voglia mettersi subito in marcia.

Ad appoggiarle sul baule, le scarpe nuove fanno una bellissima impressione: cuoio con cuoio, ottone con ottone. Antonio pensa che il coperchio piatto potrebbe funzionare come tavolino da scrittura. Certo meglio delle cosce, così cambia posizione: in ginocchio, glutei sui talloni, gomiti sul rigido, lapis in mano e quaderno davanti agli occhi.

No, con le scarpe calzate non sta comodo. Se le toglie e le sistema sopra il baule, a portata d'occhi. Che meraviglia di scarpe, la macchia di pipì sulla punta non si vede più.

Torna a sedersi sui talloni, testa sul quaderno. Cosa potrebbe scrivere? Passa in rassegna la giornata, il risveglio all'alba, la pisciata sul fuoco, la colazione con l'avanzo di salsicce della sera precedente, il viaggio sulle colline. Castagni, querce, radure, pecore, vacche, viti, la cascina dove hanno sostato all'ora di pranzo. Minestra di erbe amare, pollo in casseruola, due uova a testa e una forma di formaggio in cambio di un ritratto di famiglia e di una figura intera del primogenito con i calzoni lunghi. Poi altre due cascine e altre quattro pose. Dieci centesimi l'una, Alessandro Pavia è un generoso.

«Alessandro Pavia è un coglione» dicono fratelli, sorelle, vicini di casa, curiosi e tiratardi di ogni tipo.

Poi altre cose notevoli: un gatto a tre zampe, la carcassa di un lupo, uno stagno in festa, ma neanche una parola nuova. La noia monta a ondate. Intorno, neppure un libro o un giornale, altrimenti copierebbe qualcosa. Gli piace soprattutto "La camera oscura. Rivista universale dei progressi della fotografia". Quanti fascicoli nella soffitta di piazza Valoria! La rivista contiene moltissime parole che il ragazzo non conosce, come "dagherrotipo" e "acido pirogallico". Il padrone le sa spiegare quasi tutte. Una volta ha scritto alla redazione proponendo una sua ricetta di bagno d'argento. Hanno risposto che non si trattava di quella gran novità, ma il messaggio cominciava con "Esimio collega" e per un'intera settimana il padrone non ha fatto che ripetere esimio di qua esimio di là. Possibile che non abbia portato con sé l'ultimo numero? Sta sempre a consultare certi manuali, a scartabellare un suo compendio di chimica. Devono essere nel baule, che però è chiuso, e la chiave Pavia se la porta al collo. Di norma. Non se la toglie mai. Quasi mai. Antonio si concentra: l'ha vista durante il gran bagno? Non gli pare. Che il padrone l'avesse tolta? E l'ha poi rimessa? Non gli pare. E dove potrebbe averla lasciata? Qual è il posto più sicuro?

«Allora, ragazzo. Facciamo che lei è sposata» gli aveva detto una volta rientrando in piena notte con la faccia di uno che ha tanto bisogno di dormire. «E facciamo che il marito non c'è. Nel bel mezzo della questione, dico, dove lo appoggi l'orologio?» Parlava e intanto faceva oscillare il cipollone che usa per misurare il tempo di posa. La bocca ora si impastava, ora si spalancava in uno sbadiglio.

«Sul tavolo?» aveva azzardato Antonio dalla sua branda, la voce piena di sonno.

«E bravo merlo!» e giù uno scappellotto, ma leggero. Aveva cominciato a spogliarsi. Giacca, panciotto, camicia, al modo in cui sempre Pavia si libera degli abiti, disseminandoli per la soffitta.

«E bravo scemo! Se lo lasci sul tavolo, e devi scappare di corsa, l'orologio lo dimentichi di sicuro. E sai dove finisce?» La voce arrivava da dentro la camicia da notte, il testone incastrato nel colletto chiuso da una fila di bottoncini.

«Dove?»

«Nel taschino del cornuto!» disse il padrone facendo saltare i bottoni. Poi si lasciò cadere sulla sua branda. «Allora, pensaci bene: dove lo metti l'orologio? Qual è il posto più sicuro?»

Il fotografo si era addormentato prima che Antonio arrivasse alla risposta. Che adesso, solo nel carro, gli sale alle labbra con un sorriso.

«In una scarpa!». Prima di salire al Borgo di Dentro, il padrone non si è cambiato, ha tenuto gli scarponi sporchi.

«In una scarpa, ovvio! Il posto più sicuro!» ripete il ragazzo raggiungendo l'angolo dove poco prima aveva visto gli stivaletti di pelle di Pavia.

Recuperare la chiave, infilarla nella serratura e aprire il baule è tutt'uno. La prima volta che vede l'interno. Vede, e tocca. Si arrabbierà il padrone?

Dentro è un gran guazzabuglio. Biancheria appallottolata, lì da chissà quanto, una fiaschetta, un sacchetto di tabacco, una pipa rotta, una coperta infeltrita, l'astuccio turchino del re – il padrone se lo porta sempre dietro –, un cuscino macchiato, una boccetta di acido borico, la tromba, gli spartiti, un paio di libri e una piletta di fascicoli de "La camera oscura".

«Lo sapevo!» dice il ragazzo. Fa per estrarli quando si accorge che, sotto, c'è una lastra di vetro. Un'immagine in negativo, otto pose dello stesso soggetto, così come vengono fuori dalla macchina per le carte da visita. Una lastra del tutto simile a quelle che di solito il ragazzo lucida con una miscela di acido solforico e bicromato di potassio, in modo che sia possibile riutilizzarle. Che il padrone se la sia dimenticata?

Nella soffitta di piazza Valoria ci sono ben tre cassoni di negative simili. Ma quelle sono immagini speciali, indispensabili per l'impresa: raccogliere in un album le immagini dei mille volontari che, nella notte tra il 5 e il 6 maggio 1860, a Genova Quarto, si imbarcarono sul *Piemonte* e sul *Lombardo* agli ordini del generale Giuseppe Garibaldi.

Il padrone gli ha spiegato tutto tre giorni dopo il suo trasferimento dal Pammatone: «L'11 maggio sono arrivati a Marsala, Regno delle Due Sicilie. Per liberare gli italiani del Sud dal giogo borbonico, capisci? Mille volontari male armati contro un vero esercito, CAPISCI?».

Antonio era sbalordito. Le lastre di vetro ordinatamente sistemate una accanto all'altra. I separatori di legno sottile. I ripiani sovrapposti dotati di sostegni alla giusta distanza. Il registro con nome e posizione nel cassone. Poteva esserci cosa più stupefacente nel caos della soffitta? E chi era, davvero, Alessandro Pavia? Il pasticcione che stipava sulla stessa mensola mutande sporche, polvere d'argento e una mela mezza morsicata o quello che aveva concepito e realizzato un archivio del genere?

«E vinci a Calatafimi – mille contro tremila – e vinci a Palermo: dove arrivava Garibaldi era subito rivoluzione. Cavour s'è cagato addosso, te lo dico io. Finisce che questi in quattro e quattr'otto ti combinano la repubblica, ah ah ah!» Antonio non sapeva nulla di Garibaldi, Palermo o Cavour. Nel 1860 aveva cinque anni e un solo compito: assistere gli inservienti che assistevano i medici che assistevano gli infermi. E un pensiero fisso: scampare agli agguati di Michele Casagrande.

I Mille, quindi. In quella primavera del 1867, non tutti presenti nei cassoni di Pavia. Mille meno i caduti in battaglia, i morti di malattia, gli irraggiungibili per qualche motivo. Al momento, ottocentotré figure in formato carta da visita, gran novità arrivata da Parigi, e nelle pose più diverse: primo piano, mezzobusto, figura intera, in borghese, in divisa, in camicia, con il cappello, il berretto, le mostrine, le medaglie, il mantello, il colletto di astrakan, il paltò, la spada, la canna da passeggio, il papillon, il fazzoletto anarchico. Ottocentotré che diventeranno ottocentosette dopo il passaggio a Borgo di Dentro e la seduta fotografica con Leone Domenico il mezzadro, Marchelli Bartolomeo il prestidigitatore, Buffa Emilio il barbiere e Repetto Domenico il bracciante.

Ma quella che Antonio ha trovato nel baule non è la negativa di un soldato. Davanti agli occhi ha solo un bambino. Tre, quattro anni al massimo. Seduto su una poltrona con i braccioli imbottiti, indossa un camicione, una specie di saio chiaro, che nell'immagine rovesciata risulta naturalmente scuro. Fa pensare a un penitente. Il ragazzo ricorda le tonache che, nelle processioni o ai funerali, i bastardi del Pammatone indossavano per impietosire i ricchi e indurli a purgarsi l'anima versando un obolo.

Le otto pose non sono identiche. "Si è mosso" pensa Antonio immaginando gli otturatori scattare in sequenza. Nella prima immagine il bambino appare seduto composto, forse un po' teso, lo sguardo a terra, tanto che è impossibile vedere gli occhi. Nella seconda posa gli occhi sono chiusi e le dita – scure per effetto del negativo – sembrano artigliare i braccioli. Nella terza e quarta posa il bambino ha il viso voltato ora a destra e ora a sinistra, come se qualcuno l'avesse richiamato. Poi tre pose poco leggibili, forse ha continuato a muoversi furiosamente. L'ultima invece è a fuoco: il bambino si spinge in avanti come per fare un balzo verso l'obbiettivo. Ha il viso stravolto. Fissa l'osservatore con gli occhi spalancati. Una pupilla è scura. L'altra – non c'è dubbio –, l'altra pupilla è bianca.

Antonio sente un brivido alla base della nuca e tutti i capelli che si rizzano in testa. Le dita che reggono la lastra si inumidiscono all'istante. Stringe gli occhi, non vuole guardare *quegli* occhi, non vuole guardare, però vede lo stesso e sono immagini confuse e spaventose. Nubi color fumo, cielo di metallo, onde giganti, mare di piombo fuso, ribollente. Il terrore gli artiglia il petto con le sue dita di ghiaccio. Fa per allontanare da sé la lastra ma è troppo tardi, la tempesta l'ha già travolto. Sente acqua addosso, gelida, acqua intorno, dappertutto. E l'amaro del sale sulle labbra, sulla lingua, in gola. Un conato lo scuote. Vorrebbe urlare ma la voce non esce. L'acqua che ha visto nelle pupille del bambino pesa come pietra e gli schiaccia i polmoni, di più, sempre di più, finché sviene. Quando riapre gli occhi, il padrone è lì, i pugni stretti, la faccia seria come non gli ha mai visto.

San Fiorano Lodigiano, villa Pallavicino Trivulzio, due settimane prima. Il maggiordomo parla sottovoce. Il carro può rimanere nel cortile, nessun disturbo, un domestico penserà al cavallo. Il marchese Giorgio è fuori. Che vengano avanti, il generale qui è di casa. Stucchi e preziosità, certo, ma di campagna. Profumo di fiori e odore di letame. Che vengano tranquilli, che il generale è mattiniero. Entrambi? Entrambi.

Il generale li riceve in cucina. È in veste da camera, inzuppa il pane in una scodella di latte. Sta per compiere sessant'anni e Antonio li vede tutti, anche se il padrone non farà che ripetere, dopo: «Hai visto la figura? Hai visto il portamento?». La cuoca mette una scodella enorme davanti ad Antonio.

In silenzio, il generale si applica alla sua pagnotta, gocce e briciole sulla barba. Alessandro Pavia resta in piedi, sembra un attendente che aspetti ordini. Lui! Il padrone! Antonio non si capacita di quell'ossequio da recluta. Abbassa gli occhi sul latte in una specie di imbarazzo.

Terminata la sua scodella, il generale si pulisce la bocca con il dorso della mano, trattiene un singulto che si trasforma in un rutto, poi comincia a sfogliare l'album appoggiato sul tavolo. Osserva i fregi, la dedica, l'elenco con i nomi, le prime immagini. Antonio lo spia da dietro la tazza. Il padrone, una statua.

Ogni tanto il generale si blocca, tocca una figura, poi riprende a sfogliare. Arrivato a metà, si fa portare l'occorrente e scrive un biglietto:

Mio caro Pavia, grazie del preziosissimo Album contenente i ritratti dei Mille, miei fratelli d'arme.

Il padrone suda. Antonio non l'ha mai visto indifeso. Il biglietto è breve, tempo di scriverlo e il ragazzo finisce il suo latte. La cuoca gliene versa ancora.

Il generale intanto si alza, stringe in vita la vestaglia e porge al padrone prima il biglietto e poi la mano. Pavia asciuga la propria sui calzoni e risponde alla stretta. Il ragazzo ha l'impressione che il generale abbia fretta di chiudere, ma il padrone sembra non accorgersene e anzi balbetta qualcosa.

"Andiamo" vorrebbe dirgli Antonio. "Andiamo, non vedete che ha altro per la testa?" Invece si limita a strizzare gli occhi e affonda il viso nella tazza.

A Pavia, l'idea è venuta lì per lì, con la mano in quella del generale che pensa ad altro. L'impulso del momento.

«La mia mano?»

Antonio smette di mangiare.

«La mano che ha fatto l'Italia, generale».

Il ritratto, non osa. *Padronità* fa rima con umiltà? Ripensandoci, il ragazzo prova una punta di fastidio.

«Antonio!»

Alessandro Pavia è in ginocchio accanto a lui. Gli sfila la lastra dalle dita, la appoggia nel baule, gli mette una mano sulla fronte.

Il ragazzo è confuso. Cerca la benda nella tasca dei calzoni e se la rimette. Vede Pavia allontanarsi e tornare con il fiasco dell'acqua.

«Bevi.»

Non ci prova neanche, non ha voglia di buttare giù nulla. Il padrone lo fissa, sembra preoccupato. «Ho scoperto dove sta di casa questo Leone» dice. «Stanotte ti fai una bella dormita e passa tutto.»

Tutto cosa? Cosa è successo? Il padrone continua a fissarlo. Il ragazzo fa cenno alla lastra. «Chi è quel bambino?»

«E se non passa, cercheremo un dottore.»

«Chi è il bambino?»

«Che bambino? Ah, sì. Non me lo ricordo, come faccio a ricordarmelo.»

«Uno del Pammatone?»

«Ah sì, anni fa.»

Antonio irrigidisce le spalle. «Quanti?» dice.

«Almeno dieci. E comunque non sei tu, questo è sicuro. Adesso bevi.»

«Ma forse…»

«Ma forse cosa? Lo conosci?»

Antonio fa segno di no. Impossibile ricordarli tutti, i più piccoli si confondono nella memoria. Qualche nome, tanti Giuseppe, tanti Giovanni Battista. E qualche dettaglio: un gioco con i legnetti, canzoncine, filastrocche. Non c'era il tempo di diventare amici. Il grosso andava a balia. Gli altri bastava che mettessero su un po' di spalle, che allungassero le gambe, che il viso si asciugasse, e qualcuno se li portava via. "Amici", poi, che parola grossa. Avversari, li definirebbe. Tutti in fila nella stanza del preposto. *Me. Scegli me.* Quando si presentava qualcuno interessato a un bastardo e al corrispondente sussidio, si ritrovavano tutti con lo stesso pensiero in testa. *Ti prego fa' che prenda me.* Vomitavano dalla tensione. Quando ha capito di essere tagliato fuori dalla gara per via dell'occhio cieco, è stato quasi un sollievo. Ha smesso di bagnare il letto e ha cominciato a ragionare su come tener testa ai tanti michelecasagrande che avvelenavano le sue giornate. *Se qui devo restare, tanto vale cercare un modo.* E il modo: non mettersi in luce, non prendere iniziative, farsi piccolo piccolo, sparire. Non fidarsi, di nessuno. Non rispondere alle provocazioni, tirare dritto. E soprattutto: non togliere la benda. Mai, per nessun motivo. Non mostrare debolezze. Non avventurarsi da solo in luoghi isolati. E procurarsi un coltellino. Esercitarsi con il coltellino. Così ogni giorno, tutti i giorni, fino al mattino benedetto in cui Alessandro Pavia ha varcato la soglia della stanza del preposto.

«Lui? Proprio lui? Avete visto l'occhio, sì?» Un venditore che dicesse: "La merce è fallata, io vi ho avvertito, non venite poi a lamentarvi".

«Lui, lui.» Il padrone nel suo primo formidabile esempio di *padronità.*

«Non è solo l'occhio, è anche un po'... selvatico. Le disgrazie cambiano il carattere.» Su "selvatico" e "disgrazie" il preposto aveva abbassato la voce. Ma non abbastanza.

Il padrone l'aveva alzata: «Lui, perdio! Come lo devo dire?». Antonio aveva percepito il brivido di delusione dei bastardi.

Selvatico, sì, eccome. Anni di pratica. La miglior strategia. Anche per questa selvatichezza, per il camminare a testa bassa evitando di incrociare lo sguardo altrui, Antonio fatica a dare un volto ai tanti che sono passati al Pammatone. Ma certo non avrebbe scordato un bambino con una pupilla bianca come la sua.

«Sdraiati, al cavallo penso io» dice il padrone sistemando la trapunta al centro del pianale. «Seguiamo il torrente, poi ne incontriamo un altro, lì si prende il ponte a sinistra e su per due tornanti. Più facile da fare che da spiegare. Tu riposa.»

«Quindi dieci anni fa.»

«Cosa?»

«La foto del bambino.»

«Sì, avevo appena ricevuto la licenza per le carte da visita. Smetti di pensarci, è solo una lastra come le altre. Non so perché è rimasta nel baule. Domani la pulisci. Adesso mettiti giù.»

Dieci anni: Antonio sarebbe stato comunque troppo piccolo per ricordare. Ma possibile che non gli avessero mai parlato di un bambino con un occhio come il suo? E dov'era adesso? L'idea che qualcuno degli altri orfani gli somigli lo inquieta. Si è sempre sentito unico. Un unico, grosso sbaglio, venuto al mondo tra Sottoripa e porta Soprana. Una disgrazia per la quale la risposta giusta è la ruota del Pammatone. Antonio, sua madre, l'ha sempre capita. Perché tenersi un figlio così? Neanche lui si sarebbe tenuto. Ma se fossero stati in due? Se, di colpo, per un'inattesa capriola del destino, non fosse più solo al mondo?

Sente il padrone attaccare il cavallo e poi montare a cassetta. Viaggiare al chiuso non gli piace. Non smette di pensare al bambino cieco, al suo sguardo furibondo, e all'acqua, tutta quella spaventevole acqua che gli ha dato la sensazione di annegare. Che ancora non gli è passata. Aria, gli serve aria. Apre la finestrella che mette in comunicazione con l'esterno. Il torace del padrone a cassetta ingombra la visuale. «Come mai avete deciso di fotografarlo?»

«Per il Pammatone. Immagini degli orfani. Intanto facevo pratica con la macchina nuova. I bambini piacciono a tutti, ho pensato. Con il ricavato si compravano coperte, era un inverno duro, raffiche da scorticare. I bambini in posa avevano le dita blu. Ma non ha funzionato. La gente è cattiva. Adesso fai come ti ho detto e mettiti giù, sei pallido.»

Antonio richiude la finestrella ma rimane in piedi. Forse i bambini ricchi, pensa, i bambini ricchi piacciono a tutti. Riapre la finestrella. «Ma perché avete fotografato anche lui?»

«Basta, Antonio. Sdraiati. Perché non avrei dovuto fotografarlo? Cos'ha di diverso dagli altri?»

Davvero il padrone non capisce? O fa finta? Sarebbe la prima volta: *padronità* fa rima con sincerità. «Almeno mettergli la benda. La gente si volta da un'altra parte se non la metto. Di certo nessuno comprerebbe una foto così.»

Alessandro Pavia dà uno strattone alle redini e ferma il carro.

«Di che cosa stai parlando?»

«Una benda sull'occhio, dico.»

«Ascoltami. Adesso tu ti sdrai. Il bambino non aveva bisogno di una benda. Per questo sono sicuro che non sei tu. Lui ci vedeva benissimo. Era come tutti gli altri: un demonio. Non c'era verso di tenerlo fermo trenta secondi su quella cazzo di poltrona.»

Il ragazzo sente montare una rabbia che neanche davanti a Michele Casagrande. Si slancia verso il baule, recupera la lastra e torna di corsa alla finestrella.

«Ci vedeva benissimo??? Guardate!» fa, schiacciandola contro il vano di comunicazione.

«Così la spacchi» dice il padrone, calmo. «Guarda tu.»

Il ragazzo abbassa gli occhi. Un brivido gli fa di nuovo rizzare i peli sulle braccia. L'idea di osservare ancora quella maledetta lastra gli dà il capogiro.

«Guarda, dài» ripete il padrone, serio.

Antonio deglutisce.

«Dammi retta» insiste Alessandro Pavia. Non è un comando, è solo un consiglio e d'improvviso il ragazzo si fida. Con quell'omone al fianco, sente che non gli capiterà niente di brutto. Ruota la lastra verso di sé e la esamina con attenzione. «Ma» dice. Uguali, le pupille sono uguali. Possibile che si sia sbagliato? Impallidisce ancora di più.

«Adesso ti sdrai, chiudi gli occhi e dormi. Manca poco a cascina Leone.»

Antonio si risveglia qualche ora dopo, in un letto vero. La luce della luna entra da un finestrino incassato nel muro. Nella penombra individua un cassettone e un quadretto della Madonna. I suoi vestiti sono appesi a un chiodo. Ha indosso un camicione non suo. Mentre dormiva deve essere capitato qualcosa al suo basso ventre perché sente bagnato in mezzo alle gambe.

«Finalmente.» Un sussurro nell'oscurità. «Avevo paura che dormissi fino a domani.»

Antonio si alza a sedere e si guarda intorno.

«Sono qui.» La voce viene dall'angolo alle sue spalle. È di un bambino. Lì per lì, Antonio pensa sia del bastardo con l'occhio cieco. D'istinto stringe i pugni. Ma quello seduto sul pavimento a gambe incrociate non è così piccolo. Ha in mano un chiodo e un pezzetto di canna lungo un palmo. «Ti è passata la febbre?» dice.

«Dove sono?» risponde Antonio.

«Nel mio letto» fa il bambino senza smettere di lavorare a un foro nella canna. «Dormivi secco. Io non dormo mai così.»

«Mai?»

«Quasi mai.»

«E cosa fai di notte?»

«Dipende. Adesso costruisco uno zufolo, ma non posso provarlo sennò sveglio tutti. Quando c'è luna esco.»

Antonio guarda fuori dal finestrino: la luna è una focaccia tonda e fragrante. «Stanotte non sei uscito» dice.

«Dovevo farti la guardia.»

«Perché?»

«Il signor Pavia ha detto che ti sei preso un bello spavento e ti era salita la febbre. Sei arrivato qui che dormivi.»

E il bagnato in mezzo alle gambe? Che sia una malattia? Di sicuro non è pipì. La pipì non è così appiccicaticcia. «Lui dov'è?» domanda.

«In cucina. Davvero ci farà delle fotografie?»

«Siamo qui per questo.»

Il bambino ha l'espressione assorta di chi cerca le parole. «E anche tu le sai fare?» domanda.

«Lo aiuto.»

Da fuori arriva un grugnito e poi un borbottio. Rumori notturni del padrone, e forse di qualcun altro. Il bambino ha ripreso a forare il pezzo di canna. "Sborra" pensa Antonio. Ne ha sentito parlare al Pammatone ma non ha le idee chiare. Toccarsi, fornicare, schizzare. Sesto comandamento: non commettere atti impuri. Non ha le idee chiare, ma certo non è roba consentita ai bambini. Dovrà pulire il camicione prima che qualcuno se ne accorga. D'improvviso si sente nudo senza la benda sull'occhio. Individua i vestiti ai piedi del letto, fruga nelle tasche dei calzoni, la trova e se la stringe in capo. «Se vuoi usciamo» dice.

Il bambino alza gli occhi e la faccia gli si schiude come un fiore notturno. Nasconde il chiodo sotto una mattonella smossa, salta in piedi, infila lo zufolo nella tasca dei calzoni corti. Cerca una maglia nel cassettone e se la mette di furia. In testa gli si drizzano tanti serpentelli. «Tieni» dice porgendo un gilet di pelo rossiccio ad Antonio che si sta cambiando. Del camicione ha fatto una palla stretta e l'ha infilata sotto la coperta.

«È pelo di gatto» spiega intanto il bambino. «Il gatto si chiamava Ratafià e una volta l'abbiamo trovato che dormiva su un mucchio di neve. Tiene caldissimo. Gli zoccoli sono sotto il portico.»

Passano dalla cucina. Nel camino le braci fanno un bel tepore. Su una materassa buttata in terra, il corpaccione di Alessandro Pavia ingombra lo spazio tra il tavolo e la parete. La porta cigola, Antonio fa segno di non preoccuparsi: il padrone ha un sonno di sasso.

La luna disegna il cortile: portico, aia, stalla, pollaio, legnaia, letamaio. In alto, le bocche spalancate del pagliaio. A picco sul letame, lo stanzino del cesso. Antonio sceglie un paio di zoccoli da un gran mucchio.

«Ma quanti siete?» domanda.

«Dipende. Io, mamma, papà, a volte i miei cugini, a volte gli zii e i nonni. A volte anche i lavoranti. Anche venti, certi pranzi. Stanotte dodici, con voi due.»

Antonio si volta a guardare la casa. Piano terra, primo piano, sottotetto, quattro finestre e due finestrini in tutto. Gli pare impossibile che possa ospitare tanta gente.

«Ci stringiamo» dice il bambino, poi fa un fischio. Una cagnolina color caffellatte sbuca da un cespuglio di sambuco. «Si chiama Rosmunda, è ancora giovane ma la sto addestrando» dice, serio. La cagnetta si accuccia al piede, adorante, trepidante, spazzolando con la coda tozza la ghiaia del cortile.

«Da caccia?»

«Lei? Impossibile: mangia solo frutta, verdura e croste di formaggio. E tartufi. Il difficile è lì: convincerla a *non* mangiarli. Mio nonno Pietro dice che se insisto, ce la farò. Lui è un cercatore esperto.»

"Tartufi" è una parola nuova. Antonio domanderà al padrone e la scriverà sul quaderno. Siccome quello che ha davanti è un *piccolo*, mentre lui è un *grande*, non si abbasserà a chiedere spiegazioni. Così funziona al Pammatone. «Quanti anni hai?» domanda.

«Nove a maggio. Tu?»

«Dodici a giugno.»

«Vorrei averli io dodici anni» sospira. «Com'è?»

Antonio scrolla le spalle a dire: "Una gran cosa, ma tu non puoi capire". Ancora scuola Pammatone.

«Andiamo?» dice il bambino. Rosmunda dà un'abbaiata di approvazione e punta la macchia scura che risale la collina alle spalle della casa.

Il bambino mette un passo spedito, Antonio subito dietro. In testa gli passano, nell'ordine, lupi, orsi, serpenti, gufi, civette, streghe e spiriti maligni, ma ovviamente non apre bocca, sempre per il motivo che lui è *grande* e l'altro *piccolo* e l'ultima cosa da fare è mostrarsi paurosi.

Il bosco li avvolge in un attimo, il bambino sale seguendo una traccia di sentiero che Antonio fatica a percepire. Scricchiolii, frusciare di foglie, schiocchi. Il respiro della foresta si mescola al loro. Rosmunda si arresta accanto a un tronco, un sasso, una radice, poi riparte di slancio. Nessuno parla. Il cuore ci mette un poco a trovare il ritmo, ma, quando succede, Antonio ha già smesso di temere mostri zannuti e altri spaventi, rapito dalla mezza luce di luna tra i rami.

«Arrivati» dice il bambino dopo una ventina di minuti. «Guarda.» Il bosco si apre su una radura. Al centro, un albero enorme, il tronco spaccato in due come per il colpo d'ascia di un gigante. La solitudine dell'albero, l'alone roseo che la luna gli disegna intorno: posto buono per un incantesimo, per un sabba. La chioma tocca terra, non si vede l'interno. «A ottobre qui è un tappeto di noci» dice il bambino scostando un ramo. Dentro, è come una capanna: il tetto di rami, le pareti di fronde, il pavimento di radici. Il bambino ne indica una grande e si siedono. Rosmunda fuori, di vedetta.

«E così tu non dormi mai» dice Antonio. Il bambino tira fuori lo zufolo dalla tasca. Si guarda intorno cercando qualcosa di appuntito per riprendere lo scavo.

«Un po' dormo. Come mai ieri ti sei spaventato?» Trova un sassetto e prova a infilarlo nel forellino scavato dal chiodo. Troppo grande, non entra.

Antonio non sa cosa rispondere. Ha preso in mano una lastra negativa come ne maneggia tutti i giorni (che è poi, la pulitura, il primo e più delicato dei suoi compiti). Ha visto qualcosa che non c'era. Immagini. Acqua, onde. Difficile spiegare. Poi, nella notte, questa cosa in mezzo alle gambe. Che fastidio. Comunque non gli va di pensarci, figurarsi parlarne. Figurarsi con un *piccolo*.

«Io certe volte ho gli incubi» prosegue il bambino e intanto continua a guardarsi intorno: ci vorrebbe un punteruolo.

"Forse è capitato anche a me" pensa Antonio. Un incubo da sveglio. Possibile?

«Mamma dice che non dormo perché ho paura degli incubi. Ma è solo che non mi va di dormire. Di notte è diverso, è tutto più tranquillo.»

"Forse invece dormivo e ho sognato un bambino uguale a me" rimugina il ragazzo. "Ho sognato *me*." Invece di tranquillizzarlo, il pensiero lo inquieta ancora di più. Tutta quell'acqua. La sensazione di soffocare. Non vuole pensarci, punto e basta.

«Mi piace stare solo» conclude il bambino. Rimette lo zufolo in tasca, non c'è niente che faccia al caso.

A oriente la notte sta per finire. I nidi si svegliano l'un l'altro, la chioma del noce sembra fremere d'impazienza.

«Anche a me piace di notte» dice Antonio.

Al Pammatone, di notte dormono tutti, piccoli e grandi. Il preposto, padre Lampo, fratello Tuono. Anche Michele Casagrande. Nessuno ti comanda, ti fissa, ti sfotte, ti minaccia con un coltellino.

«Cosa ti sei fatto all'occhio?»

Il ragazzo si irrigidisce. «Sono nato così» dice. I *piccoli* sono sempre curiosi.

«Non vedi niente?»

«Niente.»

Non è vero. Quando è sicuro di essere solo, Antonio sposta la benda sull'occhio buono e guarda il mondo trasformarsi in un mare di latte. È un chiarore vivo, pulsante. Il padrone gli ha spiegato che il bianco è la somma di tutti i colori. Forse allora il suo occhio non vede poco: vede troppo. Forse il suo occhio è luce pura. «Vuoi toccare?» dice.

Il bambino allunga una mano ma si capisce che è sulle spine. Con tre dita, solleva delicatamente la benda. Antonio tiene la palpebra chiusa, poi, quando è sicuro che il *piccolo* non se lo aspetti, la spalanca di colpo. Il bambino si ritrae, poi torna a osservare da vicino. I *piccoli* sono sempre incoscienti. Alla prima luce, la pupilla cieca di Antonio ha uno splendore azzurrino.

«Sembra una perla» dice il bambino. «Neanche la marchesa ne avrà di così meravigliose. Ti fa male?»

I *piccoli* fanno sempre domande che nessuno ha mai fatto prima.

No che non fa male. È un pezzo di te, vorrebbe dire Antonio. Come una gamba, una mano, un braccio. Tu sei il tuo braccio destro *e* quello sinistro, il tuo occhio buono *e* il tuo occhio cieco. Negativo *e* positivo. Difficile da capire, impossibile da spiegare, e poi il ragazzo non è abituato a farlo. Sa solo difendersi, tutta la vita che sta in guardia. Ma stavolta ha l'impressione che non ce ne sia bisogno. Strana sensazione. Ripensa alla storia di Atlante, gliel'ha raccontata qualcuno al Pammatone, e all'improvviso si sente leggero come fosse lui quello che si è appena sbarazzato del mondo che reggeva sulle spalle. Di riflesso raddrizza la schiena e solleva il mento. Cinguettii, gridi, frullar d'ali: la chioma sembra sul punto di spiccare il volo.

No che non fa male, e non è neanche ciò che gli altri pensano che sia: marmo, ferro, *disgrazia*. Vorrebbe dirlo ai michelecasagrande, al preposto, ai contadini che preferivano bastardi con occhi identici: "Vi sbagliate! È luce pura. È una perla!". Gli piace questa idea, tanto che sente una lacrima pungere. Ma ci manca solo mettersi a frignare davanti a un *piccolo*. Rimette a posto la benda e si alza di scatto. «Torniamo?» dice.

Rosmunda smette di rosicchiare un mozzicone di corteccia e sbuca dentro la chioma, più viva che mai. Anche il bambino si alza. «Mamma avrà messo il latte sul fuoco. Posso chiederti ancora una cosa?» dice.

Fame, pensa lo stomaco di Antonio. «Va bene, poi però andiamo.»

«Giura che non mi prendi in giro.»

«Non ti prendo in giro.»

«Che cosa vuol dire "fotografie"?»

Antonio ride.

«Hai giurato.»

«Non ho giurato.»

«Non è giusto.».

«Non ti prendo in giro» dice Antonio.

«Giura.»

«Giuro.»

Il bambino gli pianta addosso uno sguardo indagatore, poi decide di fidarsi. «Allora, cosa vuol dire?»

Rosmunda li richiama con un mugolio: non s'era detto di tornare a casa? *Fame, fame, fame.*

Antonio assume l'espressione che ha il padrone quando spiega qualcosa di nuovo e difficile come "viraggio all'oro" oppure "soluzione al 2%". «La cosa importante è la luce» attacca.

Il bambino è tutto occhi.

«La luce *illumina*, capisci? Cioè, senza luce non si vede

niente. Se c'è luce, la macchina cattura quello che si vede e lo imprigiona su una lastra di vetro.»

Il bambino ha la faccia di uno che non ha capito. Antonio si gratta la testa. Bisognerebbe avere tra le mani almeno una fotografia. Possibile che il bambino non ne abbia mai vista una? Questo posto è davvero un *buco di culo*. E poi servirebbero una lastra negativa e la bottiglia del collodio e il nitrato d'argento e la carta albuminata e il torchio da stampa e anche la macchina con gli obbiettivi e tutto il resto. Mentre ricapitola tra sé le cose che il padrone gli ha insegnato, si sente decisamente *grande*. Rosmunda capisce che, per ora, nessuno si mette in marcia. Recupera il suo mozzicone di corteccia e ricomincia l'opera di demolizione.

«Te lo spiego di nuovo. Stai attento. Una fotografia è una figura.»

«Un disegno?»

«No. Un'immagine di qualcosa o di qualcuno.»

«Un quadro?»

«No. Niente colori, tela, pennelli.»

«Non capisco.»

«Hai presente quando ti guardi allo specchio? La fotografia è come la figura che vedi. Però senza colori. Stampata sulla carta. Piccola così. La puoi mettere in un album e guardare ogni tanto.»

«L'immagine dello specchio.»

«Eh. La tua, o quella di tua madre. Tutto si può fotografare: questo albero, questa foglia, Rosmunda, il bosco, casa tua. Tutto.» Il bambino ha tirato fuori di nuovo lo zufolo, con il dito gratta l'incavo del foro. «Persino la tua mano, se ti va.»

Silenzio gigantesco nella testa del bambino. I passeri fanno un pandemonio ma lui non ci fa caso. Non è sicuro di aver capito. Vede un mondo in cui tutto si lascia catturare, imprigionare, come le foglie morte nell'erbario che il nonno ha costruito per insegnargli le piante da tartufi. Leccio, faggio, tiglio, nocciolo. Una volta catturato, niente potrebbe più scomparire. La sua mano che stringe la canna. La sua mano da grande, calli giallastri come quella del padre. La sua mano da vecchio, macchie scure, pelle sottile, vene in rilievo. Tutte vicine, nell'album, come se il tempo non fosse passato, come se il tempo *smettesse* di passare. «Non mi prendi in giro?» ripete.

«No. Ti piacerà. Piace a tutti.»

Il bambino non sembra convinto. «No, perché a volte mi prendono in giro» aggiunge.

«Chi?»

«Dipende. Certi. In paese. Anche a scuola. Ci sono andato per due inverni. Dicono che sono strano perché esco di notte.»

Il ragazzo si fa serio. Le lezioni al Pammatone erano uno strazio, per questo non imparava. «Io non ti prendo in giro» risponde. Il Popolo è Sovrano, ma la gente è cattiva. La chioma è tutta un gorgheggio, un bisticcio, un pigolio impetuoso. *Fame, fame, fame!*

Escono dal riparo del noce. Della luna è rimasto solo un velo. Antonio scioglie la benda, la infila in tasca e lascia vagare lo sguardo. I verdi, i blu, i marroni e tutti i colori del mondo scintillano al sole. «Senti, com'è che ti chiami?» domanda.

«Primo Leone. E tu?»

Pazza di gioia, Rosmunda li precede a balzelloni.

«Antonio.»

«Antonio e poi?»

"Antonio e basta" pensa il ragazzo ma non lo dice. Troppo complicato. «E senti, Primo Leone. Che cosa sono i tartufi?»

Alle undici del mattino nel cortile di cascina Leone sembra festa grande. Antonio conta ventisette tra adulti e bambini, in parte sulle poche sedie a disposizione, in parte seduti su un paio di tronchi. Indossano cappelli di feltro, cravattini, colletti inamidati, abiti rinfrescati con un vezzo di perline o un giro di pizzo. E scarpe o stivaletti al posto degli zoccoli. E guanti di filo. I bambini siedono per terra davanti alla pedana tre metri per tre simile a quella che i saltimbanchi montano alla fiera. L'attesa riempie l'aria di un cicaleccio allegro.

«Ventisette diviso tre?» domanda il padrone.

Antonio stringe gli occhi e conta a mente. «Nove?»

«Giusto. Nove. Cioè troppi.»

Il ragazzo osserva sconsolato la piccola folla. Conta ancora una volta, è sempre ventisette.

Se ci fosse il sipario, la pedana sembrerebbe un teatro in miniatura. Fa da fondale un lenzuolo teso su un'impalcatura a pali incrociati. Altre due pezze più piccole, montate su rudimentali cornici, riflettono la luce del sole su una colonna di cartapesta marmorizzata sistemata al centro. Un tendone a canne spesse, rifinito con passamaneria preziosa, è appeso al fondale, e in parte lo copre con un effetto che i presenti qualificherebbero come "signorile eleganza". In un angolo della pedana sono invece ammassate alla rinfusa una finta balconata, una sedia vestita, un trono, un tavolino con una tovaglia di broccato, un vaso cinese, un busto di gesso che ricorda il re e un ritratto in cornice di Giuseppe Mazzini.

«Allora facciamo gruppi da cinque» dice Pavia.

«Non è divisibile.»

«L'avanzo, come viene viene.»

«Cinque in una carta da visita? Non sono troppo stretti?»

«Va bene. Allora facciamo quattro. Due adulti e due bambini. Grandi dietro e piccoli davanti. Sennò qui non si finisce più.» Antonio annuisce e comincia a studiare i possibili raggruppamenti.

Davanti alla pedana, c'è una macchina fotografica montata sul treppiede, con il sole alle spalle e i quattro obbiettivi di ottone lucido puntati sulla finta colonna. Poco distante si trova anche la camera oscura portatile, un bugigattolo che ricorda un confessionale: davanti, una tenda pesante, a battente sovrapposto; sul retro, invece della grata che divide il peccatore dal prete, un riquadro di vetro rosso attraverso il quale si indovinano boccette, pennelli, stracci, vetri e vaschette.

Alessandro Pavia controlla per l'ennesima volta l'inquadratura, il testone ficcato dentro la capote – il saccone nero – dell'apparecchio. Poi si tira fuori e si guarda intorno. Le lastre da impressionare sono pronte per il collodio, Antonio ha già la bottiglia in mano. Primo, nominato sul campo aiutante dell'assistente, regge un imbuto. La madre di Primo, Luigina, è seduta su un ceppo vicino alla legnaia. Accanto a lei c'è un bambino con i piedi scalzi, le unghie sporche, le croste al naso e quattro anni da compiere. Le stringe l'orlo del vestito, frastornato dal trambusto. Si chiama Paolo – Paolino –, è figlio di un bracciante a giornata, e sono più le volte che mangia a cascina Leone che quelle in cui lo fa a casa propria, un fondo di due stanze senza finestre nel cuore nero del Borgo di Dentro.

E poi ci sono zii, nipoti, nonni, cugini, un barbiere, un calzolaio, un bottaio, un sarto, una lavandaia, una maglierista e persino una balia con il bimbo al seno. Tutti Leone, accidenti a loro. Mezz'ora solo per le presentazioni. Manca però il padrone di casa, cioè il motivo per cui hanno trasportato a braccia l'attrezzatura giù dalla soffitta di piazza Valoria, hanno caricato il carro all'inverosimile, hanno lasciato le puttane di vico Falamonica e di piazza dello Amor Perfetto, hanno scavalcato l'Appennino, hanno dormito per strada, hanno pisciato e cagato *en plein air* per due giorni e hanno mangiato da schifo.

«Avanti, Leone! La luce è quella giusta» urla Pavia rivolto alle finestre del primo piano.

Leone Domenico, di Pietro, da Borgo di Dentro, classe 1835, mezzadro, volontario, decorato a Calatafimi, medaglia d'oro del municipio di Palermo: cosa diavolo sta aspettando? Non vuole il posto che gli spetta nell'album?

"Album dei Mille", così lo chiama Pavia. La sera precedente, a tavola, ha spiegato come è fatto: le foto formato carta da visita, più l'elenco completo dei partecipanti, più l'immagine acquerellata del generale medesimo; il tutto montato in una struttura solidissima, con legature indistruttibili e finiture di qualità. Le prime copie sono venute una meraviglia. Il re ha già ricevuto la sua (Pavia non si è soffermato troppo su questo aspetto, parendogli Leone un repubblicano fatto e finito). Garibaldi ne ha ricevuta una riccamente decorata, con bustine cartonate disposte in modo che le poche figure mancanti si possano aggiungere via via che il fotografo se le procura. Ciò significa che l'immagine di Leone Domenico da Borgo di Dentro verrà spedita al generale in persona. Significa che la faccia di Leone Domenico finirà tra quelle dei "fratelli d'arme" partiti dallo scoglio di Quarto. Se ne rende conto, Leone? Riesce a immaginarsi il generale che sfoglia l'album e si sofferma sul suo viso?

E la sua faccia avrà un posto in ogni comune d'Italia perché ogni comune d'Italia ne vorrà una copia. «Centinaia, migliaia di copie!» assicurava il padrone a quanti tra porta Soprana e Sottoripa gli vaticinavano certissima bancarotta. Ma Leone può starne sicuro. Perché l'Album è meglio di un busto, di una statua, di una lapide, di una tela commemorativa. Come potrebbero stare tutti i mille volontari dentro un quadro? I municipi faranno a gara per accaparrarsi questo miracolo della tecnica moderna, questa magia di chiara d'uovo e sali d'argento. Verrà esposto nella sala del consiglio comunale, certo in una teca o forse su un leggio come quello che sul pulpito regge la Bibbia. I maestri porteranno le scolaresche in pellegrinaggio. I padri: i figli. I nonni: i nipoti. *Onorate il volto di chi ha onorato la Patria.* Pavia ha già in testa una lettera da spedire a ogni comune, compreso quello di Borgo di Dentro: *Egregio Signor Sindaco, Illustrissimo Bibliotecario, mi pregio* eccetera eccetera… *460 lire, prezzo mitissimo* (e che sarà mai! Sei mesi di pigione per la soffitta di piazza Valoria!) oppure *una sottoscrizione periodica: 12 ritratti ogni 15 giorni per 7,75 lire* oppure *24 ritratti ogni 15 giorni per 15 lire* eccetera eccetera.

Volendo, *6 ritratti per 3 lire.*

Volendo, *copia del singolo a 60 centesimi cadauna.*

In omaggio: l'immagine della mano destra del generale Giuseppe Garibaldi, *così come impressa dal suddetto Alessandro Pavia a San Fiorano presso la villa Pallavicino Trivulzio il giorno 12 aprile 1867.*

Si faticherà a star dietro alle richieste, Pavia ne è certo come del sole che sorge e poi tramonta, delle ombre che vanno accorciandosi in prossimità dello zenit, del fatto che il fulmicotone si scioglie in etere e alcol sviluppando collodio. L'ha spiegato a Leone davanti alla frittata di cipolle. Leone che pareva interessato, che faceva domande, che gli ha chiesto di questo e quest'altro. Leone che ancora non si presenta. Cosa aspetta, perdio?!

«Mica possiamo stare qui tutta la mattina!»

Antonio inganna l'attesa mostrando a Primo il contenuto della camera oscura. Usa le parole giuste. Sviluppo, ioduro, fissaggio. "Il ragazzo si farà" pensa Pavia. Questo Leone invece comincia a farlo innervosire. Ma lo sa, il mezzadro Leone Domenico, che persino Napoleone III si è fatto ritrarre in formato carta da visita? Paris, Boulevard des Italiens, atelier di André-Adolphe-Eugène Disdéri, l'inventore del metodo: l'imperatore si è presentato con imperiale codazzo e ha preteso seduta stante di essere immortalato. L'imperatore! Con fior di pittori pronti a fargli il ritratto! D'altronde dicono che la sua amante, la contessa di Castiglione, si faccia fotografare in continuazione, e mica solo vestita da contessa. Svestita, meglio dire. Ricoperta di fiori. In pompa magna. In maschera. Regina di cuori. Persino monaca in penitenza. Bizzarrie, certo: ma così va il gran mondo. I ricchi a banchetto e briciole ai poveracci. Ma – perdio! – oggi un po' di bellezza tocca anche ai Leone! E Leone è fortunato: non sono molti i professionisti dotati di regolare licenza. Pavia è tra questi. Non come certi cialtroni che rubano le idee e non riconoscono il giusto merito a chi per primo ha aperto una nuova strada per l'umanità.

E poi a Leone non costerà un centesimo. Un po' di cibo e una materassa per qualche giorno, il tempo di fotografare anche gli altri tre volontari partiti per Marsala da questo posto dimenticato da Dio. Grazie a loro, Borgo di Dentro ha un posto nella Storia. Se ne rende conto, Leone? Se ne rendono conto tutti quelli che stamattina si sono presentati in ghingheri come fosse la festa del santo patrono? Pavia ha promesso fotografie gratis per tutta la famiglia. Certo non immaginava una famiglia tanto numerosa. Ventisette diviso tre farebbe nove pose. Pavia è un generoso. Ventisette diviso quattro fa sei pose con il resto di tre, cioè sette pose al massimo. Pavia è un coglione? Comunque non gliene importa un fico secco di cosa pensano gli altri. Basta che adesso Leone si presenti sulla pedana e abbia la compiacenza di stare immobile, a occhi aperti, per un tempo ragionevole ma comunque brevissimo. La luce è perfetta, la macchina è veloce e precisa, ha montato lui stesso gli obbiettivi secondo le istruzioni fornite con la licenza.

«Leone! Qui si fa notte!»

Capita. Eccome se capita. Soprattutto alla truppa. Soldati semplici, gente pratica, zaino in spalla e marciare. Quanti ne ha trascinati, letteralmente, davanti all'obbiettivo. Manovali, carrettieri, caffettieri, liquoristi, marinai, tipografi, fuochisti, parrucchieri, calzolai, camalli. Centocinquantasei solo in Liguria.

Capita a chi ha smesso di combattere, cioè quasi tutti. Congedati e tanti saluti. *Scànsati che tocca a noi.* E *noi* vuol dire esercito regolare, mostrine, mestiere, carriera e tutta la gerarchia che di gradino in gradino sale dal tamburino a Sua Maestà. Al pensiero di quel che è stato, i volontari di Quarto abbassano gli occhi. "Cosa ci sarà mai da fotografare?" pensano. Volevano cambiare l'Italia e l'Italia ha risposto «grazie, ben fatto, adesso però fuori dai piedi». La festa è finita, si torna a casa. Zappa, bottega, officina. Ufficetto, nella migliore delle ipotesi. Volevano la repubblica e hanno ottenuto un Savoia re d'Italia, *in saecula saeculorum*. Chi poteva immaginarlo, nel tempo feroce della sciabola, nella gloria della carica a cavallo?

La ferita sanguina, non a tutti va di mettersi in posa. La medaglia non basta, la pensione – misera – non basta. Nella capitale, poi, non ne parliamo. Se solo potessero, quelli con la camicia rossa li metterebbero ai ferri. Invece di ringraziare per la poltrona che hanno sotto il culo. «Mazziniani di merda» mormorano nelle segrete stanze del Governo. «Repubblicani di 'sto cazzo.»

«Signora Leone, salite voi a convincerlo?»

E quante mogli arrabbiate. "Lasciateci in pace" hanno scritto in faccia. Certo, le donne di politica non capiscono niente. Ma vale anche per Luigina Leone? Pavia la vede china sul piccoletto. Gli parla nell'orecchio, poi gli soffia il naso con una cura che neanche l'avesse partorito. Anche lei, durante la cena, interveniva, faceva domande. Le guarda il volto, il petto, le mani: trent'anni, calcola, forse qualcosa meno, poi guarda Primo e il conto è presto fatto: la donna di Leone Domenico, mentre Leone Domenico si presentava al quartier generale pronto a imbarcarsi senza aver mai visto il mare, era una ragazza con un figlio piccolo. Ha tirato avanti la campagna da sola? Ha tremato ogni volta che il portalettere saliva a cascina Leone? Stamattina ha il vestito buono e un'aria di festa, ma in cuor suo chissà. Magari lo prenderebbe a bastonate, il volontario Leone Domenico e i suoi novecentonovantanove "fratelli d'arme". A badilate sulla schiena, altro che medaglie. Valeva davvero la pena? E a cosa è servito tutto lo spavento?

Nel cortile cominciano a rumoreggiare. Hanno perso mezza giornata di lavoro e si domandano quanto dovranno ancora aspettare. Antonio guarda il padrone come dire "che si fa?". Primo ha la faccia di chi si annoia. Pavia sale sul carro e ne esce con la tromba in mano. Al centro della pedana, attacca a tutto fiato *Fratelli d'Italia*. Se davvero Leone è un repubblicano fatto e finito, dovrebbe funzionare. *Padronità* fa rima con genialità. Primo chiude gli occhi, tiene il tempo con la punta del piede, sorride immaginando un trombone, un flicorno, un flauto: dalla prima volta che ha visto la banda in piazza, gli strumenti a fiato sono la sua grande passione. Dopo la cerca, naturalmente.

A metà dell'esecuzione Pavia s'interrompe: «LEONE! Devo farti tutta la serenata?». Fa un cenno ad Antonio, «Vai dentro, insisti», e intanto riattacca con la *Marcia Reale*. Delle volte si fosse sbagliato e Leone fosse invece un codino fedele a Sua Maestà.

Antonio guarda Primo. Mollano la bottiglia del collodio e l'imbuto sulla pedana, e sono davanti alla soglia quando la porta della cucina si spalanca di botto. La figura massiccia di Domenico Leone occupa tutto il vano. Pantaloni scuri, fascia in vita, sciabola al fianco, giubba rossa come il fazzoletto al collo.

Come una raffica di vento rovescia ogni cosa, di colpo nella corte cala il silenzio. Sarà che Domenico Leone è l'unico vestito di rosso in un mare di grigi, verdi e neri. Sarà che la divisa gli va ancora a pennello e lui dimostra di nuovo vent'anni. Sarà che di colpo tutto appare vicino, reale, concreto: l'imbarco, lo sbarco, la battaglia, il sangue, la morte.

Luigina si alza in piedi. Alessandro Pavia abbassa la tromba. Uno dopo l'altro si alzano tutti. I bambini si guardano straniti. Antonio e Primo si fanno da parte. Mano sull'elsa, Domenico Leone si dirige alla pedana. Paolino ricomincia a tirare il vestito di Luigina ma lei non stacca gli occhi dalla camicia rossa. Ha impiegato una buona mezz'ora per stirarla con il ferro a brace. È contenta: il risultato è all'altezza del fremito che attraversa la corte.

«Qui» dice Pavia accompagnandolo alla colonna. Ha smesso l'aria da buffone e parla sottovoce. Gli mostra dove appoggiare il gomito, come tenere braccia e gambe, poi s'infila ancora sotto la capote e regola la messa a fuoco.

«Rimanete immobile, ci vorrà poco.»

Raggiunge Antonio, già pronto con la bottiglia del collodio. Il liquido cola a filo sulla lastra di vetro. Pavia la inclina facendo in modo che sulla superficie si formi una pellicola uniforme. Primo raccoglie l'eccesso con l'imbuto e trattiene il respiro: quell'impiastro trasparente è nauseabondo.

Una manciata di secondi e Pavia scompare nella camera oscura. Infila la lastra in una vaschetta verticale che contiene una soluzione di nitrato d'argento. Mentre i componenti reagiscono, il fotografo torna fuori, passa l'orologio ad Antonio, «Quattro» gli sussurra. Allo scadere di ogni minuto, Antonio stende un dito della mano. Intanto il padrone controlla ancora una volta l'inquadratura. Il silenzio, intorno, è perfetto.

Al quarto minuto, Antonio alza una mano, il padrone intasca l'orologio, rientra nella camera oscura, estrae dalla vaschetta verticale la lastra. Il film di collodio adesso è giallino, opalescente, sensibilissimo ai raggi solari. Pavia chiude la lastra nella custodia di legno, esce alla svelta, infila tutto nell'apparecchio fotografico e attiva il meccanismo. I quattro obbiettivi scattano in sequenza. La luce colpisce la lastra impressionandola. Non una voce.

«Potete muovervi» dice il fotografo alla fine. Domenico Leone cerca Luigina con gli occhi. Pavia estrae la custodia e guadagna di nuovo la camera oscura. Alla luce rossastra, immerge la lastra nel bagno di sviluppo. Passano i secondi e dentro il liquido appaiono otto riquadri identici, otto colonne di finto marmo, otto paia di calzoni, otto macchie corrispondenti alla giubba, otto sciabole e otto volte l'espressione sgomenta di Domenico Leone. Quando anche lo svolazzo del fazzoletto al collo gli pare definito, Pavia sciacqua e poi immerge la lastra nella vaschetta di fissaggio.

«Ragazzo!» urla, e suona come lo sciogliersi di un incantesimo, tanto che nella corte il brusio ricomincia.

In una zona soleggiata dietro il carro, Antonio ha già preparato l'occorrente per la stampa. Quando si tratta di garibaldini, il padrone supervisiona ogni passaggio: che la carta albuminata sia ben stesa, che la lastra aderisca, che i morsetti del telaio siano stretti al punto giusto, che la luce solare colpisca ogni punto con uguale intensità.

Il resto è routine. Sulla pedana, al posto della finta colonna, il tavolino con la tovaglia di broccato e la sedia vestita. Luigina Leone prende posto. Paolino la guarda incantato mentre lei siede con le ginocchia strette e le dita intrecciate in grembo. Alle sue spalle, Domenico Leone le appoggia una mano sulla spalla, poi cerca il figlio con gli occhi. Primo brandisce l'imbuto e fa cenno di no, che lui adesso deve lavorare. Sguardo serio a dire lavoro serio, da grandi, mica come spannocchiare o pulire la stia.

«Un bel sorriso» fa Pavia, poi ricomincia l'andirivieni dalla camera oscura, collodio, nitrato d'argento, messa a fuoco, scatti, sviluppo, fissaggio, stampa.

«Sotto con gli altri. Quattro per volta, dài» dice rivolto ad Antonio. Il ragazzo si occupa di allestire la scena, controlla il tempo, smista il traffico, tiene in fila quelli in fila, e si procede così un paio d'ore, finché Primo si abitua al tanfo del collodio e i parenti dei Leone hanno avuto la fotografia promessa. Il sarto con un cappello a cilindro, la lavandaia con uno scialle da gran dama ma tutti pallidi e silenziosi davanti al mistero del trabiccolo di vetro, ottone e legno lucido come le panche in chiesa. Rigidi, neanche fossero sull'altare. Pavia intanto gronda sudore. «*Ite missa est!*» urla alla fine rivolto alla piccola folla. Le donne spignattano già da un po', dalla cucina arriva profumo di cipolla soffritta.

«Voi no» dice ai due aiutanti. «E anche Paolino» aggiunge.

Quei tre sono già così un bel vedere: Antonio con il collodio in mano e la benda da pirata, Primo con l'imbuto che spunta dalla tasca e il piccoletto che gli trotterella dietro con gli occhi accesi. Pavia se li vede in posa, poi ci ripensa.

«Tu. Dammi l'imbuto. Scegli una cosa che ti piace.» Primo lo guarda interrogativo. «Sì, una cosa che ti piace. Per la foto.»

Primo si illumina, allora anche lui avrà la sua immagine, e da solo! Non come gli altri bambini che hanno dovuto condividere la pedana con i genitori. Solo come papà! Ma cosa scegliere? Ricapitola mentalmente le cose veramente importanti della sua vita: Rosmunda (ma non starebbe ferma), il bosco (mica si può spostare), la notte (ci vuole la luce), la sua collezione di zufoli. Ne ha almeno dieci, potrebbe metterli in fila sul tavolino, ma a pensarci gli pare poca cosa. Però gli viene un'idea. «Mi prestate la tromba?» dice.

Pavia lo trafigge con lo sguardo. Come talvolta capita ai grandi, lo vede grande. «Ottima scelta» dice. Il piccoletto batte le mani. «Io, io» ripete ridendo.

Antonio recupera lo strumento sul carro e lo porge a Primo, poi si mette in attesa con la bottiglia di collodio in mano.

«Passamela» dice il padrone. Lui rimane interdetto.

«Che aspetti? Vai, vai, vai.»

Dove? Dove deve andare?

«Controlla l'inquadratura.»

«Io?»

«E chi sennò? Paolino?»

«Io, io, io» ripete Paolino.

Antonio non si muove. «Non ho capito» dice.

«Vuoi che te lo metta per iscritto?»

«Io, io» batte le mani Paolino.

Antonio sente qualcosa all'altezza dello stomaco, un calore che viene fuori in un sorriso, e vorrebbe trattenerlo, mai farsi vedere deboli, mai troppo contenti, ma l'emozione è un fiume in piena, il tempo di arrivare all'apparecchio fotografico e si scioglie in una risata. *Padronità* fa rima con generosità. Primo è in piedi al centro della pedana sgombra, solo lui e la tromba di Alessandro Pavia su fondo bianco. La impugna a due mani come ha visto fare e gonfia le gote fingendo di suonare. «Va bene così?» domanda mangiandosi le parole.

«Non soffiare, resta immobile» risponde Pavia. Antonio ha smesso di ridere. Si toglie la benda e la mette in tasca. È la sua prima volta e vuole esserci tutto intero. Si infila sotto la capote e manovra sulle ottiche finché l'immagine di Primo non gli pare a fuoco. Poi prende un bel respiro e si butta fuori. Il padrone lo aspetta con il collodio e una lastra pulita. Antonio la regge come ha visto fare mille volte. Il padrone versa a filo, il ragazzo lavora di polso.

«Basta così. Aspetta che raddensi. Appena appena.»

Raggiunge poi la camera oscura e completa tutti i passaggi, e in un attimo – così gli pare – ha di nuovo la testa dentro l'apparecchio per l'ultimo controllo. Non respira. Otto scatti in sequenza, otto frazioni di secondo che la luce impiega a incidere il collodio. Alla svelta trasporta la lastra impressionata nell'antro rosso della camera oscura. Immagini di Primo affiorano lentamente nel bagno di sviluppo. Antonio si pizzica il labbro, cerca un dettaglio, così gli ha spiegato il padrone. L'orlo della giacchetta? La punta dello scarpone? Meglio i tasti della tromba. Quando risultano chiari nella loro forma a T, sposta la lastra nel bagno di fissaggio. Poi la consegna al padrone. Pavia impiega un tempo che al ragazzo pare lunghissimo prima di dire: «Adesso vedi di non rovinare tutto con la stampa».

«Io, io, io» pigola il piccoletto a bordo pedana.

«Paolino, santa madonna! Lascialo finire che poi ti fa la foto» sbotta Pavia, e Antonio in quel momento capisce due cose. La prima: che gli toccherà riprovare con il piccoletto. La seconda: che la lastra che il padrone gli ha appena restituito è *buona*, se Pavia gli concede una seconda posa.

Ma Paolino è una bella sfida. Paolino che ha scelto il trono, poi la colonna, poi la sedia vestita e poi di nuovo il trono. E il padrone che se la ride con il suo riso di bombarda. «La bella vita del fotografo, ah ah ah!» Paolino che sul trono si muove come sull'altalena. Paolino che vuole anche la tromba e intanto le ombre cambiano e bisogna spostare le pezze riflettenti. Paolino che si gratta, starnutisce, sbadiglia, che dice «Mi scappa la pipì», Paolino che fa la pipì e poi, finalmente, capisce che, se vuole la fotografia – qualunque cosa sia la fotografia –, deve guardare verso la macchina e stare fermo.

«Fermissimo, Paolino» dice il padrone.

Antonio ficca allora la testa dentro la capote per la messa a fuoco. «Guardami, Paolino, guardami, guardami» sussurra. E quasi avesse sentito, Paolino gira allora il volto verso la macchina, e il suo sguardo colmo di curiosità e divertimento, il suo sguardo ch'è tutta vita, attraversa la lente di uno degli obbiettivi e arriva dritto nell'occhio cieco di Antonio.

Dura un attimo, ma in quell'attimo il ragazzo vede coperte sudice e febbre e vomito e sete e labbra spaccate e blu che si spalancano a inghiottirlo e dentro è fuoco e sangue e lingua arsa e aria, aria che manca.

Si sfila dalla capote, il cuore a mille. Quel che gli è capitato il giorno prima sul carro è niente rispetto a quel che ha visto incrociando lo sguardo di Paolino attraverso l'obiettivo. Una tempesta di immagini, rumori, odori. Lamenti. Catarro. Merda, piscio, marcio. Orrore. Orrore che gli ricorda altro orrore. Dietro una porta, era piccolo, spiava di nascosto, dagli infettivi non si poteva entrare ma lui aveva infranto il divieto.

«Ragazzo!»

Un dolore appuntito, uno spillo incandescente gli trapassa le tempie mentre davanti agli occhi danzano immagini di sangue e pus, come un carnevale osceno. La voce del padrone è un tambureggiare lontano, quella di Primo uno stridio fastidioso. Antonio invece non ha voce, né fiato, stringe gli occhi fino a sentir male. Cerca la benda, non vuole vedere, non vuole più vedere nulla.

Genova, marzo 1872

Vuota, la soffitta di Alessandro Pavia sembra una piazza d'armi. Sono giorni che, nei pochi momenti liberi, Antonio impacchetta, carica sulle spalle e ammassa roba quattro piani più sotto, nell'androne scuro e impregnato di odori non solo umani. Muffa, pesce, piscio di topo. Poi imbocca uno dei vicoli, ora di qua, ora di là, consegna i pacchi e intasca quanto pattuito. Per sé ha tenuto l'indispensabile. Le due brande, per esempio, che, nello spazio sgombro, sembrano spaesate quanto lui. Due, perché potrebbe trovarsi nella necessità di subaffittare un posto letto. Anche se, nel basso dove abiterà dalla notte successiva, non c'è molto spazio. Vico Indoratori, tre minuti a piedi dalla soffitta di piazza Valoria, una stanza tre metri per tre e un retro minuscolo, umido, buio. Con quello che guadagna al momento, non può permettersi ambienti luminosi. Anche se non erano questi gli accordi. Le due brande, quindi, più le due materasse, le due coperte, i due cuscini, una sedia, il catino con la brocca, qualche abito smesso, l'orologio, un tavolo da lavoro, una cassetta di lastre di vetro e la macchina da piede, buona per fotografare anche all'aperto. *Ruménta* secondo il nuovo padrone che, a tu per tu, parla solo genovese. E *'a ruménta* – la spazzatura – Antonio ha deciso di non buttarla.

La luce meridiana incendia i vetri, la tenda bianca si muove appena. Dietro, Antonio indovina l'altana a picco sui tetti della città. Gli mancherà. Il muro è segnato dal profilo grigio degli scaffali smontati e rimontati altrove. Chi poteva immaginare tutto questo spazio? Dieci giorni, tanto ci è voluto per far fuori quel che era rimasto dopo che il nuovo padrone aveva portato via l'intera dotazione di acidi e polveri, la scorta di collodio, i pacchi di carta albuminata, la camera oscura portatile, le bacinelle, le ottiche e quasi tutte le lastre di vetro. Nei giorni dello sgombero, Antonio volava su e giù dalle scale, carico come un mulo. «*Gondón! Merdaieu! Galùscio!*» brontolava intanto l'uomo. Ce l'aveva con Pavia che, a suo dire, gli aveva rifilato una fregatura epocale. Ma ce l'aveva un po' anche con il giovane apprendista. Si era mai visto un fotografo orbo?

Il nuovo padrone non ha mai preso in considerazione l'idea di trasferirsi quassù. Il suo studio figura sì in piazza Valoria 4, e al censimento l'uomo risulta "subentrante" al fotografo Alessandro Pavia, ma in realtà la bottega dove Antonio ha preso servizio è dalle parti di strada Nuova, in un palazzo di lusso. Il subentrante non dice "bottega", dice "atelié", dice: «Prego, vogliate favorire il mio biglietto. Sul retro, trovate l'indicazione dell'atelié» e si scappella come mai Pavia si sarebbe sognato. Più girano le perle al collo della signora, più s'inchina. Davanti al cugino di secondo grado di un marchese, Antonio l'ha visto sfiorare il ginocchio con la fronte.

Anche l'atelié si trova in una soffitta affacciata a un'altana del tutto paragonabile a quella che riempie lo sguardo di Antonio. Stessi tetti, stessa baruffa di gabbiani, stesso blu. Della luce non si può fare a meno, campando di fotografie. Ma a differenza della soffitta di piazza Valoria, l'atelié si raggiunge salendo quattro rampe con affaccio lato mare. Marmo, corrimano, un busto o un vaso decorato a ogni giro di piano. «Non potete sbagliare, è la porta in cima allo *scalone monumentale*» dice lui alle clienti. Con il sole, il bianco del marmo assume venature azzurrine *en pendant* con la passatoia che termina sotto l'insegna ATELIER DE PHOTOGRAPHIE.

Insomma, rispetto alla soffitta, l'atelié ha tutt'altra faccia. La sala d'attesa con il divano capitonné, il pavimento lucido, la camera di posa con le attrezzature e i fondali, il profumo di cera, la domestica con guanti e crestina, la porcellana fine, il bricco per la cioccolata, il portabonbon. Domestica, ma anche cuoca, lavandaia, stiratrice e *scâdìn*, scaldaletto. Brutta come il peccato, ma golosamente diciottenne, al censimento sarebbe Floriana; in atelié, *madmuasel Floran*. I fondali sono tanti, dipinti a colori vivaci e montati su cavalletti mobili che è compito di Antonio tenere in ordine e mostrare alle clienti.

«*Messié Antuan* vi illustrerà le alternative.»

Mostrare: non commentare o consigliare.

«Una veduta della corte di Versailles darebbe la giusta luce all'incarnato» suggerisce intanto il subentrante. Oppure: «Il palmizio vi conferirebbe un'originale aura esotica».

Messié Antuan lavora in divisa: redingote, sottogola, guanti bianchi come quelli di *madmuasel Floran*, benda di seta nera all'occhio e scarpe lucide. Beccamorto di prima classe.

«Le rovine romane richiederebbero una *mise* stile Impero, temo.»

La divisa è dell'atelié, non di *Messié Antuan*. *Messié Antuan* è tenuto a cambiarsi nello spogliatoio – *u lêugo*, il cesso – ogni sera prima di lasciare l'atelié.

«Lo scorcio marino si abbinerebbe meglio alla vostra deliziosa toilette.»

Ci cascano tutte, poi tornano con mariti, amanti, prole e gli affari vanno alla grande.

A quest'ora, una ventina di minuti al tocco di mezzogiorno, e senza la gran massa di roba che Antonio ha sgombrato, la soffitta di piazza Valoria è gonfia di luce. La macchina da piede non è poi così malconcia. Pavia la usava raramente, solo quando il cliente desiderava un formato diverso dalle carte da visita. Antonio ha rimesso in sesto il blocco che regge l'obiettivo. Le lastre rimaste in suo possesso sono poche ma sono perfette. E poi con il collodio se la cava meglio del subentrante che, Antonio se n'è accorto subito, ne spreca in quantità.

«Bello scherzo del cazzo!» dice a voce alta il ragazzo.

È atteso altrove ed è già in ritardo ma non riesce a lasciare la soffitta. La voce rimbalza tra i muri spogli.

«Mi sentite? Andate a fare in culo!»

Non ha mai parlato in questo modo a Pavia. Chiude gli occhi, prova a visualizzarne i lineamenti – il barbone come un cespuglio, gli occhi fiammeggianti – ma fa fatica. «Non potevate portarmi con voi?» piagnucola.

Settembre dell'anno precedente. Pavia rientrò al tramonto, liberò una sedia dall'eterno ingombro, sedette, scagliò via gli stivali, poi le calze, poi prese a massaggiarsi i piedi e finì con l'incrociare i talloni sul bordo della branda più vicina, le braccia conserte sul pancione che, negli anni, si era imbottito come un cuscino. «La baracca l'avrei lasciata a te» disse fissando il muro, la finestra sull'altana, il cielo arancio, le ombre lunghe. «Il problema è che mi servono soldi, e tanti, per cambiare aria.»

Antonio stava rifilando carta da stampa. Indeciso se accendere la lampada a petrolio, alzò lo sguardo con il taglierino in mano.

«Non ti piacerà, il subentrante. Tutto il giorno che mi trascina in giro a firmare scartoffie. Poi avevo qualche conticino da chiudere. Comunque ti ho fatto una lista di botteghe da evitare. Non vorrei che se la prendessero con te. Pidocchi. Sanguisughe. Il droghiere di Sottoripa più di tutti gli altri. Stanne alla larga. Il caffè tostato a tre lire. Il pacco da un chilo, mica il sacco intero. E il vinaio di piazza Banchi, quel ladro figlio di troia. Stanne alla larga, capito? Cazzo, non mi sento più i piedi. Non fare quella faccia. Te l'ho detto: mi servono soldi.»

Antonio rimase così, l'espressione di chi capisce e non capisce, sul punto di dire qualcosa e il taglierino a mezz'aria.

«E metti via il coltello, vorrai mica affettare un poveruomo braccato.» Rideva Pavia, ma non rideva sul serio.

Antonio posò la lama come scottasse. Sentì un odore che credeva dimenticato e fu un colpo, dovette reggersi al banco da lavoro. Il Pammatone, qui, nella soffitta di piazza Valoria. Meglio: l'odore della stanza del preposto, la fila, l'attesa, il responso. Delusione. Abbandono. «Dove andate?» riuscì a dire, ma dentro pensava: "Mi lasciate?". Dentro urlava: "E io? E IO?".

Pavia continuava a non guardarlo. Si alzò e cominciò a muoversi per la stanza, scalzo. Faceva uno strano effetto così grosso sui piedi nudi, un birillo malfermo pronto a rotolare via. Si mise a frugare in giro finché trovò quel che cercava, una sacca chiusa da un cordone che scorreva dentro anelli metallici. Prese a riempirla di biancheria. Infilò anche la tromba e un paio di spartiti. Sparì dietro il tendone della camera oscura e Antonio lo sentì armeggiare in quello che chiamava "il posto segreto", cioè un cassetto che tendeva a incastrarsi. Ne uscì con l'astuccio turchino in una mano e nell'altra la spilla che il re gli aveva fatto recapitare alla bettola di Borgo San Frediano.

«Quasi quasi me la metto sul risvolto. S'è mai visto un repubblicano, no, aspetta, com'è che scrivono i giornali? S'è mai visto un AGITATORE, un RIVOLUZIONARIO Cristo santo, s'è mai visto un TERRORISTA con indosso lo stemma di Sua Maestà? Se me lo metto sul bavero della giacca, magari mi lasciano in pace» disse posando l'astuccio e appuntandosi la spilla al petto. «Magari chiudono qualcun altro in cella a Sant'Andrea.»

"Ti mando a Sant'Andrea" diceva il preposto quando non bastavano le bacchettate sulle dita.

Nella penombra, il magnifico gioiello sparava intorno i suoi carati. Il padrone continuava a parlare. Antonio, frastornato, coglieva solo in parte. «Ma te lo immagini fuori di qui? Te lo immagini a spasso nei carruggi? Te lo immagini entrare nell'osteria di vico Palla così conciato? Ah ah ah.» Rideva ma non rideva. «Ti aspetterebbero fuori in dieci. Qua la spilla e qua la gola» diceva passandosi il pollice di taglio sotto il mento. Poi sganciò il fermaglio dalla giubba. Rimase un po' sopra pensiero, come valutando che farne. Nella manona, le gemme brillavano come fiori tra i sas-

61

si. «Ho pensato anche di venderla, così la bottega la lascio a te, ma a chi la vendo? Penserebbero che l'ho rubata.» Parlava sottovoce, giocherellava con il monile, continuava a non guardare il ragazzo. «E poi sedici anni sono pochi per avere una bottega in testa» concluse chiudendo la spilla nell'astuccio e l'astuccio nella sacca.

Antonio accese la lampada a petrolio, prese in mano il taglierino e ricominciò a rifilare la carta. «Mi capisci, vero?» La voce del padrone suonava stridula.

Capiva, Antonio?

Capiva che erano giorni tesi. Che, là fuori, i repubblicani non erano più semplici repubblicani, con la storiella del Popolo Sovrano e via discorrendo. A Parigi era successo un finimondo. "Comune", si chiamava, e i fatti di Parigi – bandiere rosse, sangue sui boulevard – avevano allungato la loro ombra fino ai carruggi. Capiva che i fantasmi dei morti ammazzati sulle barricate erano lì, in quel momento, mentre la carta cedeva di netto al filo della lama. Capiva che questa faccenda della Comune – il Popolo *davvero* Sovrano – non riguardava solo i parigini. Che i ricchi avevano paura. Che i giornali dei ricchi soffiavano sul fuoco.

E capiva che la paura era come una notte improvvisa, che non si distingue più il bianco dal nero, il grano dal loglio, i repubblicani dai socialisti, i socialisti dagli anarchici, i democratici dai sovversivi. Tutti i gatti sono grigi, al buio, e tutti i poveri sono violenti, assassini e senzadio. E capiva che la situazione era pericolosa, perché, dal molo di Boccadasse alle alture di Castelletto, lo sapevano tutti che Alessandro Pavia, il Fotografo dei Mille, era un repubblicano. Repubblicano e per di più garibaldino. E Garibaldi? Invece di starsene quieto a pescare ombrine e cacciare cinghiali a Caprera, Garibaldi era a Marsiglia a difendere la nuova repubblica francese. Il ragazzo lo immaginava indomito e decrepito.

Capiva, Antonio? Il coltello sulla carta spessa di chiara d'uovo faceva un rumore sordo, raschiante. "A Sant'Andrea te la insegnano loro l'educazione" sentiva in testa, come se il preposto fosse lì a soffiargli nelle orecchie. Capiva che il padrone doveva sparire. Per un po', almeno, finché le acque si fossero calmate. Capiva che il padrone se ne sarebbe andato. Ma perché non lo portava con sé?

«Ricominciare è già difficile, in due sarebbe peggio.» Antonio spinse a fondo e il taglierino gli sfuggì di mano, ferendolo.

«Cazzo» disse tra sé portandosi il pollice alle labbra. Una goccia di sangue macchiò il foglio.

«Fammi vedere.» Il padrone tirò fuori un fazzoletto. Antonio sedette sulla branda e si lasciò fasciare il dito. «L'affitto è pagato per sei mesi. Anche la Giuse. Ma a fine marzo dovrai trovarti un altro posto e un'altra cuoca.»

Il ragazzo non diceva nulla. Benediva dentro di sé il dolore della ferita. Una buona scusa per versar lacrime, casomai non fosse riuscito a ricacciarle in gola come aveva imparato a fare al Pammatone.

«Il subentrante ti pagherà otto lire a settimana escluso vitto e alloggio. Gli farai da assistente. Otto lire, ricordati. Appena sarò sistemato, di manderò l'indirizzo e dei soldi, così mi spedirai i cassoni con le lastre dei Mille.»

La lampada a petrolio mandava un chiarore vacillante. L'oscurità che aveva inghiottito gli angoli stava guadagnando il centro della stanza, presto li avrebbe sommersi. Il sangue impregnava il fazzoletto.

Il padrone aveva ricominciato il su e giù, trapassando l'alone di luce, non smetteva di parlare ma Antonio non ascoltava più. Fece passare l'altra mano sotto il materasso e trovò la benda. La piazzò sull'occhio bianco e la strinse dietro alla testa. Puzzava di polvere.

«Non ti piacerà, il subentrante» ripeteva Pavia.

Le lacrime non scesero, il mondo tornò ad avere l'aspetto opaco che aveva al Pammatone.

Da quel momento, aveva tolto la benda solo per dormire. O per sostituirla con quella, *très chic*, che faceva parte della divisa. Anche adesso, nella soffitta quasi vuota, ne indossa una simile. Seguendo le istruzioni arrivate per posta, tre settima-

ne dopo la partenza di Pavia ha spedito a Ginevra i cassoni con le lastre dei Mille. "Tanti saluti dalla Svizzera, patria
degli esuli e dei perseguitati" aveva scritto il padrone fir-
mandosi Alberto Paglia. Antonio si occuperà di quel che resta domani pomeriggio. Spostare le brande oggi sarebbe impossibile, c'è troppa confusione in città. Si prevede una folla
mai vista, ma domani dopo pranzo tutto tornerà alla nor-
malità. E domani notte dormirà in vico Indoratori. È passato dalla soffitta solo per ritirare le ultime fotografie che Pavia gli ha lasciato in eredità. Stanno in una grossa scatola.
Il primo involto contiene dodici *Mano di Garibaldi* con autografo di pugno del generale. Il padrone ha aggiunto un foglio con una notazione:

*Il ricavato vada a famiglie garibaldine in difficoltà (vedi elen-
co). Da vendersi a lire 1 cad.*

Antonio straccia la lista dei bisognosi, Pavia è un generoso ma la beneficienza adesso serve a lui, visto che, alla ri-
chiesta di otto lire dopo i primi sette giorni di lavoro, il subentrante ha risposto richiamando il pollice sul palmo della
mano destra e ruotando indice, medio, anulare e mignolo:
«*Unn-a, dôe, trae, quàttro*. Quattro lire e camminare».
Secondo involto: tredici *Giuseppe Mazzini a Londra* mezzobusto formato carta da visita. Una lira e cinquanta tratta-
bili. Dentro di sé, Antonio raddoppia il prezzo seduta stante. Quando gli ricapita un'occasione simile? I treni arrivano
stracolmi. Gli alberghi traboccano. Davanti alla stazione,
sembra la messa in duomo. E le immagini sono perfette, e
Mazzini decisamente mazzinico: nerovestito, a significare
il lutto per l'Italia oppressa dallo Straniero; e serio, magro,
la fronte pulsante di pensieri altissimi.
Dal mucchio di vestiti che Pavia gli ha lasciato, sceglie una
vecchia giacca con le tasche profonde: nella destra mette le
Mano di Garibaldi e nella sinistra i ritratti di Mazzini. Sul fondo della scatola è rimasto qualche avanzo: sei copie di una
bambina con un gran fiocco in testa (la madre non ha mai

ritirato le stampe); tre copie sovraesposte di un marinaio di ritorno da Capo Horn; una copia sottoesposta di un dolce a tre piani che era stato difficilissimo trasportare senza danni fino all'altana; una stampa dell'orfano del Pammatone che a Borgo di Dentro gli aveva fatto salire la febbre. Tornato a Genova, Antonio aveva sviluppato la lastra da solo. Aveva miscelato i solventi, variato le proporzioni, sperimentato bagni diversi e i viraggi all'oro e al platino consigliati dalla rivista "La camera oscura". Ma il risultato era stato sempre lo stesso: pupille identiche, normalissime. A distanza di quasi cinque anni, gli dà ancora i brividi.

Il tempo corre. Fa per rimettere l'immagine nella scatola, poi ci ripensa e la infila nel taschino interno alla giacca. Un'idea comincia a frullargli in testa. La foto sarà anche inquietante, però è nitida. Contorni definiti, ombre calibrate, soggetto a fuoco. Possibile che non ci abbia pensato prima?

Lascia la soffitta, fa i gradini due alla volta, sta per slanciarsi fuori dal portone quando in terra vede una busta indirizzata a *Alessandro Pavia Fotografo*. Il bollo in partenza è del giorno prima, da Borgo di Dentro. Sul retro qualcuno ha aggiunto: *Subito, di grazia*. Ma Antonio non ha tempo, deve spicciarsi, la mette nel taschino accanto alla foto dell'orfano e si butta nei vicoli.

È mezzogiorno in punto quando varca la soglia del casino di vico Falamonica. Ignora il cartello OGGI SI RIAPRE ALLE 16, attraversa la saletta con le panche, la cassa e la rastrelliera piena di saponette e asciugamani, resiste alla tentazione di mettersi in tasca un paio di marchette a forma di àncora ammucchiate in un cesto. Odore di soffritto, tabacco, violetta di Parma. Supera una porta a battente e s'infila nel budello che in un paio di svolte lo conduce in cucina, poi si blocca sulla porta. Scalze, struccate, stropicciate, le sette ragazze tolgono il fiato.

«E ti presenti a quest'ora?» dice un donnone.

Le ragazze ammutoliscono. Antonio si guarda i piedi. Poteva darsi una pulita alle scarpe, pensa.

«Sei in ritardo» prosegue il donnone. Senza trucco, non

sembra lei. «Non mi piacciono i ritardatari.» Grembiule, ciabatte sfondate, in mano un cucchiaio di legno sporco di sugo rosso: che fine ha fatto madama Carmen? «Mi hai sentito? Io e te avevamo fatto un patto. Non mi piacciono quelli che non rispettano i patti. Fuori dai piedi.»

Antonio si riscuote. «Ma è solo mezz'ora!» sbotta.

«Mezz'ora qui dentro sono cinque lire, perciò regolati» dice lei. Le unghie laccate sembrano artigli.

«Sono passato a prendervi un regalo» dice il ragazzo.

Il donnone scrolla il cucchiaio sul pentolino al centro della stufa. Lo fissa seria. «E allora vediamolo, 'sto regalo.» Le ragazze non perdono una sillaba. Antonio sente i loro occhi addosso. Le camicie stazzonate e i segni del cuscino in faccia lo imbarazzano più dei pizzi e del belletto. Mette la mano nella tasca sinistra, poi ci ripensa e decide per quella di destra. *Giuseppe Mazzini a Londra* non può giocarselo così, non oggi, non con la folla che ci sarà in città. Estrae una *Mano di Garibaldi* e gliela porge. «Sarebbero due lire, ma per voi faccio un'eccezione e ve la lascio per la metà.»

Il donnone stringe gli occhi sull'autografo. Quando capisce di cosa si tratta, fa un mezzo sorriso. «Sei più furbo del tuo padrone. Ma ci vuol poco. Qualcuna desidera la mano del generale Garibaldi? Cinque dita, cinque bei ditoni patriottici. Il ragazzino qui la dà via al prezzo di una *semplice*» dice.

Le ragazze ridono, Antonio sente il volto in fiamme. Lei, però, è di nuovo seria. «Se l'appuntamento è alle undici e mezzo, ti presenti alle undici e mezzo, chiaro? Per questa volta passi. Ma che non succeda più. Adesso cercati una sedia.»

Il ragazzo deglutisce, si guarda intorno, c'è solo uno sgabello sbilenco, lo accosta al tavolo e siede con cautela. Non è mai stato insieme a tante femmine. Parlottano tra loro mentre il donnone scola la pasta, la tuffa in un catino e porta in tavola.

Antonio mangia in silenzio, la testa sul piatto che qualcuno gli ha messo davanti. Di sottecchi spia le mani bianche, i polsi sottili, la pelle trasparente come i veli che tra poco le ragazze indosseranno. Parlano di abiti, cappellini, acconciature, dicono "mussolina", "taffetà", "chignon", e Antonio davvero non saprebbe spiegare cosa stiano dicendo ma gli piace quel cinguettio sorridente. L'emozione del gran giorno scorre sulla tavola come un venticello. Che strada farà il corteo? A che ora è sensato mettersi in marcia? Dove conviene sistemarsi per godersi la sfilata?

Senza sollevare lo sguardo dai maccheroni al sugo, Antonio percorre mentalmente l'itinerario che dalla stazione di piazza Principe scende a piazza della Nunziata, risale al sestiere di Portoria, guadagna porta Pila e il torrente Bisagno e monta in collina fino al cimitero di Staglieno. Quale rialzo, affaccio o terrazzino potrebbe ospitarle tutte insieme, come pasticcini su un'alzata di cristallo?

«Alle quattro meno un quarto scompari. Ci siamo capiti?» dice il donnone ficcandogli nel piatto un secondo mestolo di maccheroni. «E mangia, cazzo, sembri un'acciuga.»

Il casino ha sette stanze e una ragazza per stanza. Le ragazze non si chiamano Anna, Maria o Margherita. «Il tuo nome è roba tua, non sei obbligata a usarlo» dice madama Carmen a ogni nuova arrivata, poi la battezza con il nome della stanza in cui eserciterà. Ogni porta ha un'etichetta, così il cliente non sbaglia. Se non sa leggere, madama Carmen sfila il gran fondoschiena dal seggiolino accanto alla cassa e gli fa strada ondeggiando il velame vedovile che è la sua uniforme. Se il cliente è un habitué, o se si tratta di un impiegato o uno studente, insomma uno che sa leggere, madama Carmen incassa la marchetta e gli porge sapone e asciugamano. «Vi aspettano a Giaffa» dice. Oppure: «Potete salire a Galata». «Per Famagosta, terza porta a sinistra.»

Il vero nome di madama Carmen è Rosetta. Trent'anni prima, in collina, guardava le capre e sette tra fratelli e sorelle. Aveva un innamorato, il comandante Pietro Migliavacca, che sul brigantino *Giovinezza* trasportava legno e spezie tra il mar di Marmara e Gibilterra. In ogni porto, affidava al servizio postale biglietti stracciacuore che Rosetta riceveva settimane, mesi dopo. Li leggeva di nascosto, aveva imparato da sola, con un abbecedario e i santini che distribuiva il prete. Leggeva e guardava le capre, i geloni alle dita, la madre sformata, lo sporco di letame. Di notte, sognava datteri, pepe, cinnamomo.

«Siviglia è al primo piano, subito dopo Galata.»

«Trebisonda è l'ultima porta in fondo.»

Quando il comandante Migliavacca smise di scrivere, Rosetta mollò il gregge, mollò madre, padre, fratelli e sorelle, a piedi raggiunse Genova, poi il porto, poi l'ufficio dell'armatore. Il *Giovinezza* era tornato in porto regolarmente. L'unico Migliavacca a contratto era marinaio semplice. Le note del nostromo dicevano che era stato arrestato per furto nel porto del Pireo e lo definivano "sfaticato", "dedito al vizio" e perfino "poeta".

Rosetta guardò il mare e pensò di affogarsi. Guardò la montagna e pensò di schiantarsi in un dirupo. Le rimasero i vicoli. Si mise in gramaglie, si pittò gli occhi e le unghie e cominciò a fare la vita.

Molti trovavano eccitante una vedova neanche ventenne, con un girovita che stringevi tutto a due mani e un culo che sembrava un pallone frenato. Rosetta la Vedova non aveva mai visto tanti soldi. Imparò a contare da un usuraio di piazza delle Oche che le faceva pagare le lezioni in natura. Imparò a scrivere da un professore di Lettere che la spogliava recitando Petrarca. Molti trovavano eccitante, nel nero dei vicoli, scoparsi una che sapeva leggere, scrivere e far di conto.

Qualche anno dopo, prossima alla trentina, Rosetta la Vedova si misurò il girovita e si accorse che non era più quello di una ragazza cresciuta a erbe amare e castagne. "Merda" pensò. La vecchiaia era sul punto di travolgerla. Allora svuotò il vaso che teneva sulla scansia più alta, contò i risparmi, affittò un quadrilocale in vico Luna, lo arredò come si conviene a un bordello di terza classe e divenne madama Amaranta. Orario continuato dalle due del pomeriggio a mezzanotte. Prezzi popolari. Settanta centesimi per i cinque minuti di una *semplice*, una lira per la *doppia*. Un terzo dell'incasso a madama Amaranta e due terzi alle *signorine*. I clienti non mancarono: cinquanta, anche sessanta al giorno, per ogni ragazza, naturalmente. Nei periodi di maggior afflusso, all'attracco di bastimenti che avevano alle spalle molto mare, anche madama Amaranta aiutava a smaltire il traffico. Tra una marchetta e l'altra, prese l'abitudine di mangiucchiare mandorle candite e uva passa. Il vaso non bastò più a conservare i risparmi e lei cominciò a investire in titoli emessi da tre diverse compagnie di navigazione transoceanica, tutte con base a Genova.

Per il suo quarantesimo compleanno, il girovita era cresciuto, ma lei aveva smesso di misurarselo. Grazie all'incremento del traffico passeggeri verso le Americhe, anche le sue rendite potevano definirsi floride. Trasferì allora il casino nei locali di vico Falamonica, scelse arredi adatti a un bordello di seconda classe, raddoppiò il personale e si fece chiamare madama Carmen. Ormai si concede solo in casi eccezionali, a qualche cliente affezionato che, invecchiato come lei, penetrandola una sola volta alla fine di una costosissima *mezz'ora*, gode più dell'illusione di gioventù che dell'atto in sé.

Se una ragazza decide di andarsene o, peggio, se qualcuno la impesta, e l'ufficiale sanitario che si presenta ogni due settimane la spedisce al Pammatone; se quel porco schifoso dell'ufficiale sanitario, invece di fidarsi dell'esperienza di madama Carmen e dei decotti di sassofrasso e degli unguenti a base di argento vivo che per il malfrancese sono una mano santa; se quella pittima senza cervello dell'ufficiale sanitario fa rinchiudere la ragazza in uno stanzone dove sono tutte impestate peggio di lei, madama Carmen si fa un pianterello, poi ne assume un'altra e cambia l'etichetta sulla porta. Panama, Caraibi, Paraná. Il brigantino *Giovinezza* non temeva le tempeste al largo delle Azzorre e al poeta Pietro Migliavacca non mancava l'estro, quando paragonava i suoi occhi da bestia selvatica a fave di cacao.

«Se facessimo solo Trebisonda, per oggi?» propone Antonio con la bocca piena. I maccheroni sono caldi e gustosi. Peccato ingoiarli in fretta ma, per tutto quello che deve fare, le quattro meno un quarto vuol dire una corsa indiavolata.

Trebisonda è una ragazza mora, con gli zigomi larghi delle orientali e lunghi ricci scuri che profumano di miele. È anche quella che, se potesse permetterselo, Antonio sceglierebbe per sé.

Madama Carmen gli pianta addosso uno sguardo affilato. «Pensaci bene. Quale preferisci?»

Per la seconda volta Antonio sente il volto in fiamme. Questa faccenda si sta rivelando più complicata di quello che aveva immaginato.

«In piedi, ragazze. Scegli. Giaffa, con quelle belle tette a meloncino? Le cosce lunghe di Galata? Oppure Malaga? Tocca, tocca: pelle di seta. O forse Tabarca e il suo culetto sodo?» Le ragazze gli si mostrano ridacchiando. Madama Carmen magnifica la merce come un ambulante al mercato. «Preferisci forse Siviglia? Dicono abbia mani d'oro. Le labbra morbide di Famagosta? O Trebisonda, sottile come te, acciughetta? Una sua tettina ti starebbe tutta in bocca.»

Antonio smette di masticare. «Mi piacciono tutte» dice sputacchiando goccioline di sugo.

«Balle! La tua preferita.»

Antonio abbassa di nuovo lo sguardo e bisbiglia.

«Più forte! Non ho sentito!»

«Trebisonda» dice lui.

«Lo sapevo. Adesso dimmi chi *non* ti piace.»

«Ma mi piacciono tutte!» risponde il ragazzo, affannato.

«Basta cazzate. Avanti: chi vuoi scartare?»

Antonio comincia a sudare. Almeno la smettessero di guardarlo a quel modo, belle e pericolose come gatte. «Galata» butta fuori. Non c'è un vero motivo. Ma è così alta che, accanto a lei, si sentirebbe ancora più piccolo.

«Allora cominceremo con Galata. Tu finisci la pasta e pulisciti la bocca. Galata, vai a prepararti. Anche le altre. Tra dieci minuti nel salottino.»

L'idea, neanche a dirlo, era stata di madama Carmen. Antonio si era presentato tre settimane prima, durante l'orario di chiusura, con una lettera di Alessandro Pavia da Southampton, Gran Bretagna, indirizzata alla donna. Lei l'aveva letta e l'aveva messa nel cassetto. Poi gli aveva riservato una lunga occhiata. «Il tuo padrone salpa per l'America e tu sei troppo magro.»

Antonio era rimasto in silenzio.

«Vieni con me.» Il salottino era due piani sopra. «Può andare bene per farci delle fotografie?»

«Si può avere più luce?» aveva domandato lui. Madama Carmen aveva afferrato l'orlo della prima tenda e l'aveva tirata. Erano le due del pomeriggio di una bella giornata tersa e i raggi del sole inondarono il tappeto a disegni floreali. La stanza era rivolta a sud, con le finestre su due lati, e via via che la donna faceva scorrere i tendoni apparvero le poltroncine, il tavolino con i liquori, la tappezzeria a tralci di rose.

«Vorrei che la ragazza si mettesse lì» proseguì madama Carmen indicando un triclinio di velluto rosso addossato alla parete. Antonio calcolò la posizione della macchina da piede e annuì. «Allora, ragazzo, sentimi bene. Tu hai bisogno di soldi, io ho bisogno di soldi. Tu devi mangiare, io ho passato i quaranta, per i cinquanta voglio un bordello di prima classe. Basta viaggiatori di commercio e ufficiali in seconda. Voglio gente con i soldi veri. Feste. Musica. Ragazze di lusso. Anche una negra e una con gli occhi a mandorla. Tre quarti a me e un quarto a lei. Funziona così. Ho già trovato i locali. Ma è un grosso investimento. Allora sentimi: tu fai le fotografie, io copro le spese e piazzo le foto. Il prezzo lo faccio io. Dipende dalla ragazza, dalla foto e dal cliente. A te pagherò cinque lire per ogni posa.» Non chiese: "Ci stai?". Non faceva domande, dava ordini.

Cinque lire a foto, per Antonio, erano la Provvidenza che, alla fine del velocissimo rosario serale, invocava sempre padre Lampo sul gregge del Pammatone. Lì per lì, gli sembrò tutto facile. Facile ed eccitante: che ci vuole a fotografare ragazze nude? Essere pagato, tanto, per fotografare bellissime ragazze nude. Ma adesso che il momento era arrivato, adesso che tutto era pronto, e la macchina da piede sistemata, e il banchetto con il collodio lì a fianco, e dietro una porticina nascosta nella tappezzeria uno stanzino era stato allestito come camera oscura; adesso che Galata, sulla porta, stava dicendo a madama Carmen «Va bene così? O meglio il reggipetto macramè?», adesso Antonio sente il fortissimo impulso a darsela a gambe.

Madama Carmen studia l'abbigliamento scelto dalla ragazza: camiciola senza maniche, corsetto che stringe la vita in un incrocio di nastri color perla, mutandoni orlati di pizzo, calze bianche con l'elastico sopra il ginocchio, pantofole di raso, con un tacco delizioso, sottile come uno stiletto. I capelli sono raccolti in una lunga treccia nera. La fa sedere sul triclinio, il busto di tre quarti, le sistema lo scollo in modo che s'intraveda la linea tra i seni, le fa sollevare il mento.

«Non ci siamo. Tirati su» dice. Con una spilla da balia cavata dalla tasca del grembiule, le appunta la camiciola sulla schiena. Le mammelle affiorano come scogli candidi, levigati dal mare, l'areola scura sul bianco del pizzo. Madama Carmen osserva ancora, le infila una mano sotto il seno sinistro e tira fuori il capezzolo color terra, «così» dice. Fa di nuovo sedere Galata, «tienila bene in vista». Adagia la treccia nell'incavo, un serpente che scivola tra le rocce, poi si volta verso Antonio. «Che aspetti?»

Il ragazzo è immobile accanto alla macchina, incantato.

«Non dirmi che non hai mai visto una tetta.»

Lui vorrebbe prendere le scale e scappare. Lui, e l'erezione che sente imperiosa, incontenibile.

Madama Carmen scuote la testa. «Qua fuori trovi quel che ti serve. Seconda porta a sinistra» dice accennando ai calzoni tesi sul cavallo. «Fai quello che devi fare alla svelta. Non possiamo aspettarti tutto il pomeriggio.»

Antonio si fa largo tra le ragazze assiepate dietro la macchina. Odore di femmina, cipria, verbena. Vorrebbe scomparire, dissolversi, evaporare.

Lo stanzino è pieno di cose da donne, che Antonio non ha mai visto e non ha tempo di indagare. Ci sono anche una brocca, una conca e un asciugamano che gli dispiace sporcare, ma che alternative ha? In un attimo ha finito, si sciacqua e svuota la conca dal finestrino che dà nel cavedio. Spera che sotto non stia passando nessuno ma, di nuovo, che alternative ha? L'idea di lasciare acqua e sperma nel catino dove le sette ragazze di madama Carmen si lavano lo imbarazza a morte.

Quando torna in salotto ha la mente sgombra. Schiva le occhiate e s'infila dentro la capote per controllare la messa a fuoco. «Guarda l'obiettivo» dice rivolto a Galata. Poi raggiunge il banchetto del collodio. Alle sue spalle le ragazze osservano in silenzio. Le mani lavorano svelte alla preparazione della lastra. Appena tutto è pronto, «Ferma così» dice, fa scattare l'otturatore, tiene il tempo con l'orologio di Pavia, poi scompare nella camera oscura. Il negativo è sviluppato e montato dentro il telaio di stampa che non sono neanche le tre.

«C'è tempo per un altro scatto» dice a madama Carmen. Ha smesso di sudare, anche la voce viene fuori sicura. Osserva le ragazze concentrandosi sui contrasti e sui colori: la pelle rosea sul nitore della biancheria, il rosso fiamma di una chioma, un paio di occhi ardesia. È tutto nel lavoro, anima e corpo. Il negativo di Galata è perfetto. La stampa che ne ricaverà, altrettanto. Fotografare è la cosa più importante che gli è capitata nella vita.

«Famagosta, tocca a te» dice madama Carmen. Antonio impiega un paio di minuti a preparare la lastra, poi si avvia alla macchina. La ragazza è sdraiata sul triclinio, la testa su un braccio reclinato, una gamba mollemente appoggiata allo schienale e l'altra al tappeto. È nuda dalla vita in su, le tettine piccole e sode, i capezzoli come chicchi d'uva nera. Madama Carmen estrae dalle profondità del grembiule un fallo di gomma, la ragazza lo spinge verso le labbra atteggiate a un bacio esagerato. Sembra una bambina con un grosso bastoncino di zucchero.

«Che si veda bene la bocca» dice madama Carmen. Antonio annuisce e fa per infilarsi nella capote quando sente la ragazza sussurrare: «Per favore, mi fa impressione». La donna sbuffa e alza gli occhi al soffitto: «Chiede se puoi toglierti quell'affare».

Antonio scioglie il nodo e infila la benda in tasca. L'occhio cieco con la pupilla bianco perla fa sussultare la ragazza ma Antonio non ci fa caso e si chiude sotto la capote. «Guardami» ordina.

Famagosta tenta un'espressione maliziosa ma quel che dietro il vetro raggiunge Antonio è un lampo. E poi, in quello stesso lampo, il ragazzo vede la pelle squamarsi, la vulva ulcerarsi e suppurare, le croste invaderle gambe e braccia, e il male entrarle dentro e farsi bolle, prima solide, poi molli e bianchicce, e le bolle scoppiare, e la testa scoppiare di dolore, e il fegato grosso e i reni sfiancati e i polmoni senz'aria e le ossa di cristallo. E vede il languore, la prostrazione, la febbre e vede la fine, e la fine è nelle stanze del Pammatone, non c'è dubbio, è proprio il Pammatone, il padiglione dei sifilitici. Esce fuori dalla capote ansimando. Madama Carmen lo guarda seria, la ragazza lascia cadere il fallo di gomma.

Antonio chiude gli occhi e respira a fondo. Una, due, tre volte. «Un capogiro» dice poi.

Fotografare è il suo mestiere. Da quella prima volta a Borgo di Dentro non ha mai smesso. Pavia gli faceva far pratica con oggetti e bambini, teiere e comunicandi, composizioni di frutta e neonati, al chiuso e all'aperto. Lo metteva alla prova in condizioni di luce estreme, alba, tramonto, controsole. I clienti non si fidavano di un ragazzino? Dopo le pose con Antonio, Pavia fingeva di fotografarli a sua volta. Chiuso nella camera oscura attendeva un tempo ragionevole ma non sviluppava le lastre. Risparmiava sul nitrato d'argento e consegnava le stampe di Antonio. Nessuno si è mai lamentato.

«Sto bene. Rimettiti in posa.»

Qualunque cosa gli stia succedendo, non vuole interrompere la seduta. Questo incarico è una mano santa. Stare appresso al subentrante vuol dire morir di fame. E poi fotografare è il suo lavoro, cazzo. Da anni. E non ci sono stati altri "incidenti". La lastra del bambino del Pammatone trovata per caso nel baule di Pavia, poi la foto di Paolino a cascina Leone e adesso, quasi cinque anni dopo, Famagosta. Che lo fissa interdetta.

«Trebisonda, porta un bicchiere d'acqua» dice madama Carmen.

Antonio si asciuga la fronte con il fazzoletto. Un dolore gli invade le tempie. Lo stesso che, dopo aver inquadrato Paolino, è cresciuto fino a costringerlo a letto, al buio, per un pomeriggio intero. Non vuole interrompere, ma sa che deve sbrigarsi. «Niente acqua. Tu guarda in macchina» fa rivolto a Famagosta. La voce gli trema. Sente qualche risatina alle spalle. Le ragazze equivocano. Lui pensa che sia meglio così. Meglio se lo immaginano eccitato anziché terrorizzato.

La ragazza è di nuovo in posa. Venere che si umetta le labbra turgide e poi le stringe intorno al fallo di gomma. Il sole sta calando, Antonio sposta la tenda perché un raggio obliquo non faccia riflesso sulla fronte della ragazza. Il dolore alle tempie gli strappa un singulto. Chiude gli occhi, si porta due dita alla base del naso, finge di concentrarsi, scaccia le immagini orribili che ha visto. Fotografare è la sua passione, si ripete. Poi spinge la testa nel sacco nero. Chiude la palpebra sull'occhio cieco e, quando è sicuro che sia ben protetto e lo sguardo di Famagosta non possa penetrarvi e invaderlo, regola la messa a fuoco. Venere che fa l'amore con la bocca. «Così, ferma così» dice. La voce trema ancora un po'. Le ragazze, inconsapevoli, continuano a ridacchiare.

Alle quattro e mezzo è davanti all'ingresso dell'ospedale di Pammatone. Il dolore alle tempie è sempre lì, pronto a esplodere. Le dieci lire che ha guadagnato con le due immagini di Galata e Famagosta bruciano nella tasca dei calzoni. Le rigira tra le dita, quasi non ci crede. Con questo piccolo tesoro – «solo l'inizio» ha detto madama Carmen –, con questa promessa di felicità addosso, si sente pronto a varcare la soglia.

È la prima volta che torna al Pammatone da quando Alessandro Pavia ha deciso che gli serviva un assistente e l'ha trascinato via. L'atrio maestoso, la scalinata di marmo, il cortile con le palme alte tre piani, il cielo un rettangolo color del mare. Poi la torre con l'orologio e il portico a colonne. Ventotto, di marmo scuro, reggono bianche volte a crociera. Sotto, nella frescura, l'infilata di reggibusti e la selva di statue dei benefattori.

Molti anni prima, misurando la corte a grandi passi, invece del vespro padre Lampo recitava la sequenza di duchi, marchesi, conti, nobiluomini e gentildonne che dai loro scranni lapidei vegliavano sugli esposti e le orfanelle, sui rognosi, i tisici, le epilettiche, i rabbiosi, gli scrofolosi, le gestanti emorragiche e le puerpere vergognose, senza marito né famiglia. Antonio bambino gli trotterellava accanto, intento in qualche commissione. Avvertiva tutto il peso dei cognomi doppi e tripli, delle vesti di marmo, dei mantelli orlati di pelliccia rigida, del panneggio immobile, delle palandrane.

Cresceva. Due medici, un chirurgo e un flebotomo avevano sentenziato che per l'occhio cieco non si poteva fare nulla. E più cresceva, più correva su e giù per l'ospedale. Schivava gli agguati di Michele Casagrande e intanto volava dove mancava un aiuto, dove era urgente consegnare un medicamento o necessario raccogliere una bracciata di biancheria sporca. Dall'infermeria all'amministrazione, ai magazzini sotterranei, al teatro anatomico, al lavatoio. Si rendeva utile. «Utilissimo» diceva padre Lampo interrompendo la litania dei granduomini di marmo. «Indispensabile!», eppure nessuno si presentava a ritirarlo. Non un contadino, un pastore o un bottegaio qualunque: a nessuno serviva un bambino orbo.

Si figurava allora che fossero quei colossi a trattenerlo, con i loro cappelli da ammiraglio, le berrette da magistrato, le parrucche a boccoli scolpiti. Tutti con la fronte al firmamento e lo sguardo fiero di chi non avrebbe ceduto facilmente un orfano tanto *utile*. Le gran dame poi, così composte, in atto di umiltà. Così indifferenti, così sorde alle sue preghiere. "Lasciatemi andare!" pensava. Ma loro niente, braccia conserte, trine e cuore di pietra. A cominciare da Bartolomeo Bosco, il fondatore, *anno domini* 1423, sempre sia lodato. E poi i Durazzo, i Saluzzo, i Serra, gli Spinola, i Doria, i Raggio, i Cambiaso. Le Pallavicino, sia lode all'Altissimo. Carcerieri, ecco cos'erano.

E adesso, mentre si dirige all'ala degli esposti con le tasche piene di monete, quegli sguardi spenti lo rallegrano. «Vi ho fregato» bisbiglia. Cammina spedito, testa alta e mani in tasca, nessuna traccia della selvatichezza che da bambino si trascinava appresso come una chiocciola il guscio. Attraversa il cortile che credeva di non poter lasciare, dimentica la trafittura alle tempie che la vista di Famagosta gli ha inflitto, si lascia avvolgere dallo spettacolo: il via vai di inservienti, la spezieria, gli odori, il farmacista chino sul bancone, le scansie con le boccette di laudano, i vasi di ceramica decorata con la segale cornuta, l'arnica, l'estratto di belladonna, il giusquiamo in grani, poi l'orto botanico, l'infermeria, la teoria di letti che si intravede dai finestroni aperti, lo sfarfallare delle monache, l'andirivieni di chi cerca requie. Chissà se qualcuno, qui dentro, è in grado di guarirlo da quelle strane visioni. Ne dubita. E poi sarebbe un attimo finire nel padiglione degli alienati. Dio ne scampi. E comunque non è qui per questo. Insomma, non proprio. È assorto nella questione quando una voce lo sorprende alle spalle: «Antonio?».

Fatica a riconoscere l'omino che gli sta parlando e che, dopo averlo squadrato da capo a piedi, batte le mani in segno di festa. «Antonio! Che sorpresa! Vieni con me» dice facendo strada.

Anche dentro è tutto diverso. No, è tutto com'era, magari un po' usurato: la sala con il tavolo di noce, le poltrone per gli ospiti di riguardo, l'archivio con le schede degli esposti. Però niente è come il ragazzo ricorda: la sala non è una sala, è una stanzetta in cui gli pare impossibile stessero allineati gli orfani; il tavolo è più piccolo del banco da lavoro che ha ereditato da Pavia; le poltrone sono tre sedie scompagnate e il grande archivio è uno schedario a cassetti mezzo scassato. Ma la vera sorpresa è lui, il preposto. Antonio ricorda un pezzo d'uomo, elegantissimo, l'espressione arcigna, le sopracciglia aggrottate, le mani pronte allo scappellotto. Invece il funzionario che gli mette davanti una poltrona e dice «Siedi-ti, siediti, raccontami» è più basso di lui. La redingote è luci-da sui gomiti, la cravatta è gialla per i troppi lavaggi. Il naso a becco e i capelli, radi, tirati indietro, lo fanno somigliare a un uccello appollaiato sul sedile al di là del tavolo di noce.

«Ti trovo bene. Un po' magro, ma bene. E anche la barba, non si vede più la cicatrice, sembri un uomo, quanti anni hai adesso? Sedici, giusto?»

«Diciassette a giugno.»

«E stai sempre con il garibaldino? Lui sì che aveva un gran barbone!»

Antonio sorride. Non ricorda di averlo mai fatto in quel-la stanza. «Il mio padrone è partito l'anno scorso. Sono as-sistente di un altro fotografo» risponde.

«Un mestiere moderno, pieno di opportunità.»

Antonio porta la mano alla tasca interna della giacca, scar-ta la lettera arrivata da Borgo di Dentro e tira fuori la stam-pa del bambino. «Questa l'ha fatta Pavia molti anni fa, ma l'ho sviluppata io» risponde porgendola al preposto. «Ho anche imparato a leggere e a scrivere. Ho riempito un qua-derno di parole» aggiunge arrossendo.

Sotto il naso adunco, il preposto fa un gran sorrisone. «Bravo! Bravissimo!» dice. Un uccello marino, di quelli ca-paci di inghiottire un pesce intero. Poi prende la fotografia e la osserva. «È dei nostri, vero?»

«Lo riconoscete?»

L'uomo sposta il cartoncino ora più vicino, ora più distan-te. Stringe gli occhi e le sopracciglia s'incurvano. È questa l'e-spressione che tanto spaventava Antonio bambino? Lo sguar-do intento di un presbite che non si rassegna al pince-nez?

«La foto è stata fatta in sacrestia. Si capisce dai pannelli di legno» spiega Antonio.

«Mi ricordo, era stata un'idea del garibaldino» dice il pre-posto. Poi si alza, si dirige allo schedario, scartabella qual-che secondo, estrae un fascicolo. «Infatti» dice tra sé. Poi, al ragazzo: «Adottato che aveva appena compiuto tre anni».

«Sapete dove posso trovarlo?»

Il preposto lo guarda incuriosito. «Come mai ti interessa?»

Antonio vorrebbe poter dire la verità, cioè: "Credo che abbia un occhio come il mio, anche se il padrone diceva il contrario. E se ha un occhio come il mio, allora forse è mio fratello. E se è mio fratello, lo voglio cercare. E se lo trovo, magari trovo anche mio padre e mia madre".

Detta così di fila, occhio-fratello-famiglia, la verità suona benissimo nella testa di Antonio. Ma sa che, pronunciandola ad alta voce, la verità smetterebbe di essere tonda e luccicante com'è nei suoi pensieri, e si sfalderebbe, e non reggerebbe, e non convincerebbe nessuno, men che meno il preposto. Così dice solo: «Alessandro Pavia vorrebbe fargli avere la fotografia».

«Temo sarà impossibile» risponde il preposto. Poi ci ripensa. «La famiglia, magari» aggiunge. Controlla ancora il fascicolo. «Lo ha adottato un marinaio. Una coppia con una figlia femmina. La madre non poteva averne altri.»

«Hanno preso un bambino orbo?»

«Non era orbo.»

«Siete sicuro?»

Il preposto scorre il fascicolo da capo. «Non aveva menomazioni.»

Antonio si guarda le mani. "Allora aveva ragione il padrone" pensa. E pensa che deve rassegnarsi: quel giorno, sul carro alle porte del Borgo di Dentro, ha immaginato tutto. Evidentemente non stava bene, infatti poi gli è salita la febbre.

«Noi l'avevamo chiamato Marco. A quanto ne so, il marinaio non gli ha cambiato nome. Qui c'è l'indirizzo della famiglia, se vuoi te lo scrivo.»

No, non vuole, non gli interessa questo Marco senza menomazioni, questo bambino dagli occhi normalissimi. D'improvviso desidera solo andarsene. Che idea stupida tornare al Pammatone, non è mica casa sua. Lui non ha una casa. Quel Marco non è suo fratello. Lui non ha fratelli, non ha nessuno, anche Pavia l'ha abbandonato, è solo, deve cavarsela da solo, deve ficcarselo in testa. Le tempie riprendono a pulsare come tamburi.

«La famiglia sarà contenta di riceverla. Sono rare le fotografie degli orfani» aggiunge il preposto.

Un inserviente bussa alla porta e si affaccia. «Un'altra» annuncia.

«A che ora?»

«Dieci minuti fa.»

Il preposto dà uno sguardo alla pendola dirimpetto. «Senza carte?»

«Senza» risponde l'inserviente ritirandosi.

«Terza neonata in quattro giorni. La ruota gira, Antonio. Devo lasciarti» dice il preposto restituendogli la foto. «Povero Marco. Noi si fa il possibile, poi... Però tu stai bene, sono proprio contento.»

Antonio si alza, non sa come salutare, non può andarsene accennando un inchino come faceva a otto anni. Impacciato, porge la mano all'uomo, che restituisce la stretta con vigore. «Torna a trovarmi, voglio che mi racconti ancora di te. Il tuo successo è la nostra ricompensa.»

Successo? Ma quale successo? Il ragazzo resta lì impalato mentre il preposto apre il cassetto del tavolo, estrae un foglio del tutto simile a quelli presenti nello schedario e comincia a scrivere. Poi si accorge che Antonio è ancora lì. «Volevi chiedermi altro?» domanda.

Antonio scuote la testa e guadagna la porta. La stanza comincia a stargli stretta, ha bisogno di buttarsi di nuovo nei vicoli, ha un lavoro da fare, non ha tempo di trastullarsi con queste sciocchezze del passato, è solo, non ha nessuno e deve farsene una ragione, la vita continua, "il successo sarà la mia ricompensa" pensa, ha tredici *Giuseppe Mazzini a Londra* da vendere, se non riesce a piazzarle tra oggi e domani è proprio un merlo, come diceva il padrone. Ha già la mano sulla maniglia, quando un pensiero improvviso lo blocca. «Che gli è capitato?» domanda.

Il preposto non alza gli occhi dalla scheda. *Data di ingresso: sabato 16 marzo 1872. Santi Martiri Ilario e Taziano.* Ha una scrittura morbida, l'inchiostro disegna volute graziose sulla "m", sulla "z" e la "r".

«A questo Marco, dico. Cosa gli è capitato?»

L'uomo non risponde, tutto preso dalla compilazione. Con il mento fa segno come dire: "Aspetta, dammi un attimo". Nel silenzio dell'ufficio, si sente solo il rumore del pennino sul foglio. *Ora di ingresso: cinque post meridiem. Nome: Ilaria. Cognome: Casagrande.* Tutte Casagrande, le esposte del Pammatone. Poi finalmente solleva lo sguardo. «Marco? È diventato marinaio anche lui.»

Antonio trattiene il fiato. Nel carro alle porte di Borgo di Dentro, prima di sentirsi male, ha visto acqua di mare e onde giganti. Si accorge di impallidire. Sente un brivido, poi la fronte inumidirsi. «Perché avete detto "povero Marco"?»

Il preposto lo guarda perplesso. «Stai bene? Hai bisogno di sederti un attimo?»

Antonio scuote il capo. «Perché "povero"?»

Il preposto intinge il pennino, lo picchietta sul bordo del calamaio. «Perché è annegato sei mesi fa» risponde. Poi attacca la "i" di "ignota" alla voce "madre".

Antonio esce richiudendosi la porta alle spalle. Che significa? Cosa diavolo ha visto il suo occhio cieco dentro la lastra di Pavia?

Gli ultimi raggi del sole illuminano un angolo del cortile. Non riesce a fare un passo. Osserva di nuovo la stampa dell'orfano e vede un bambino impaziente di finirla con l'immobilità della posa e il puzzo di collodio. Solo un bambino. Niente acqua, niente onde. Scosta la benda, stringe la palpebra dell'occhio buono, prova a guardare l'immagine con l'occhio cieco ma è il solito lucore latteo.

Le parole del preposto gli ronzano in testa come insetti fastidiosi. *Nessuna menomazione. Marinaio. Affogato.* I pensieri si arruffano e il picchiare alle tempie non aiuta a ragionare. La stampa non gli dice più nulla, neanche l'emozione che ha provato questa mattina ritrovandola nella scatola insieme a *Giuseppe Mazzini a Londra* e alla *Mano di Garibaldi.* L'idea di buttarla però gli pare insostenibile, così la infila di nuovo nel taschino interno. Sfiora di nuovo la lettera da Borgo di Dentro.

Di solito si regola così: imbusta la corrispondenza indirizzata a Pavia senza aprirla e la spedisce all'ultimo recapito che il padrone gli ha comunicato. La scritta "Subito, di grazia" lo mette però in sospetto. Che fare? Se anche la consegnasse immediatamente alla posta, la lettera impiegherebbe un sacco di tempo a raggiungere Southampton. E se Pavia, a quel punto, fosse già partito per l'America? Non sarebbe meglio aspettare di avere un indirizzo oltreoceano? Ma il mittente sembra avere fretta, molta fretta. Antonio cerca con gli occhi una panca libera e vi si dirige, poi apre la busta, scorre la grafia stenta, richiude, guarda l'orologio sulla torre e si mette in cammino. Non c'è tempo per rimuginare sulle stranezze del suo occhio cieco. Ha meno di un quarto d'ora per raggiungere la stazione di piazza Principe.

Sei giorni prima, domenica 10 marzo 1872, intorno all'una e mezzo del pomeriggio, mentre Antonio era intento a lucidare una delle quattro macchine fotografiche del subentrante, moriva Giuseppe Mazzini.

Si dice fosse arrivato a Pisa all'inizio di febbraio con il nome di Giorgio Brown, nazionalità inglese, professione negoziante, e che avesse trovato ospitalità in casa degli amici Rosselli Nathan, al numero 38 di via della Maddalena.

Le voci si contraddicono. Alcuni affermano che la polizia avesse scoperto la vera identità di Giorgio Brown, che fosse sul punto di arrestarlo e che solo la morte abbia salvato Mazzini dal carcere. Altri sostengono che si tratta di una notizia diffusa dalla polizia stessa, beffata fino all'ultimo dal vecchio cospiratore moribondo.

E i pettegolezzi si sprecano. C'è chi dice che, inseguito dalla sbirraglia governativa, abbia cercato riparo a Genova dalla sorella Antonietta, e che lei, su consiglio del confessore, gli abbia sbarrato la porta di casa. Altri giurano invece che, dalla Svizzera, Mazzini-Brown si sia diretto subito a Pisa, forse già febbricitante, per morire tra le braccia di Sara Levi Rosselli, coniugata Nathan, madre di dodici figli, undici concepiti con Moses Nathan e uno, Ernesto, con Mazzini medesimo. Ma anche quest'ultima potrebbe essere una falsità messa in circolazione dai monarchici per screditare il Grande Repubblicano.

Pare comunque che, nelle settimane precedenti la morte, il Maestro abbia sofferto di insonnia, dispepsia, vomito ostinatissimo e di una bronchite che di notte lo molestava con il suo rantolo a cantar di tortora. Sembra poi che, sul finire, alla dispepsia si aggiungesse una fastidiosa disfagia, e il paziente non potesse deglutire alcunché, solido o liquido. E, alla disfagia, subentrasse da ultimo una polmonite con febbre altissima. E si tentò di tutto, dicono, ma a nulla sarebbero valsi i numerosi rimedi pagati denaro sonante dalla borsa Rosselli Nathan. Tanto i più comuni, come mignatte e senapizzazioni, quanto i più arrischiati: radice di polìgala, estratto di ipecacuana, sciroppo di viole addizionato di kermes.

Alcuni assicurano poi che, in punto di morte, Sara Levi Rosselli Nathan l'abbia avvolto nello scialle a quadri bianchi e neri che tre anni prima aveva riscaldato il corpo agonizzante del patriota Carlo Cattaneo, e che in questo sudario carico di memorie l'abbiano poi trovato i più stretti seguaci richiamati d'urgenza al capezzale. Altri affermano invece che quella dello scialle a quadri è un'idea dei famosi fotografi fiorentini Alinari, convocati in casa Rosselli Nathan per ritrarre la salma e preoccupati che il volto del Maestro contrastasse adeguatamente il monocolore guanciale-lenzuolo.

Certo è che, davanti al cadavere, e in tutto questo montar di chiacchiere, lo stato maggiore mazziniano doveva essere ammutolito. Gente che aveva combattuto gli austriaci a Milano, i Borboni a Napoli e il papa-re a Roma; gente che alle spalle aveva anni di adunanze segrete e fughe avventurose, di passaporti falsi, messaggi cifrati, pugnali al fianco e carcere e torture, dovette sentire come un botto, e un rovinare di macerie. "E adesso?" avranno pensato, senza dirselo, lo scialle bicolore che illuminava come un faro il giallo cera della carne morta. Impossibile distogliere lo sguardo, impossibile non sentire il morso della giovinezza perduta, il rotolare della vita che – bastarda, indifferente – correva più veloce del loro scomposto affannarsi.

Lo sconcerto durò solo un attimo perché i pisani si presentarono in massa e toccò organizzare alla svelta una camera ardente a piano terreno. Dalle finestre al primo piano si vedeva la processione: funzionari che avevano lasciato l'ufficio anzitempo, negozianti, commessi, professori, maestrine con sbuffi di gesso sulla gonna a ruota. I regi carabinieri vigilavano, i poliziotti in borghese, mescolati alla ressa, trasmettevano resoconti in Prefettura.

E così, distogliendo gli occhi dal cadavere e volgendoli alla folla, doveva essere sbocciata l'idea. E dall'idea al progetto, e dal progetto alla realizzazione, per quegli uomini non privi di fegato e senso pratico – carbonari, massoni, garibaldini, cospiratori al pari del Maestro –, per quegli uomini abituati ai proclami, ai memorandum e alla polvere da sparo, il passo fu breve.

Punto primo: esequie a Genova, la città più repubblicana d'Italia e luogo di nascita del Maestro.

Punto secondo: trasferimento in treno. Mezzo adatto ai tempi moderni, come modernissimo resta, anche dal sepolcro, il messaggio del Maestro. Fare come i democratici americani hanno fatto sette anni prima con Abramo Lincoln: corteo funebre ferroviario da Washington a Springfield, Illinois, passando per Baltimora, Filadelfia, New York, Buffalo, Cleveland, Cincinnati, Indianapolis e Chicago. Ogni tappa un cordoglio, un pianto, una festa. Fare come s'è fatto l'anno prima con la salma del grande Ugo Foscolo, poeta e padre della Patria, morto in esilio mezzo secolo prima: da Londra alla Francia, al Belgio, alla Germania, alla Svizzera e poi a Firenze. Sepolto infine in Santa Croce insieme a Michelangelo, Machiavelli e Galileo.

Punto terzo: giro lungo, anche se si potrebbe tagliare per La Spezia e arrivare a Genova in un pugno di ore. Invece no: da Pisa a Lucca, Pescia, Pistoia, Bologna, Modena, Reggio, Parma, Piacenza, Alessandria e alla fine Genova, stazione di piazza Principe. Mezza Italia, di quella intera e unita che era il grande sogno del Maestro. Che il Popolo Sovrano possa omaggiarlo. Ogni tappa un lamento, una banda di fiati, uno sventolio di tricolore. Allertare quindi i comitati, le società di mutuo soccorso, i fratelli massoni. Che preparino adeguata accoglienza nelle stazioni e lungo i binari. A Bologna si avverta il poeta Giosuè Carducci (buoni contatti con i giornali democratici). Che un dispaccio raggiunga il generale Garibaldi, ovunque si sia cacciato. Se partecipasse, sarebbe un trionfo. E soprattutto: che la polizia governativa si rassegni. Mazzini sarà anche morto, ma i mazziniani sono più vivi che mai.

Punto quarto: evitare con ogni mezzo l'arrivo a Genova il giorno 14, genetliaco del re che ha costretto il Maestro a ramingare per mezza Europa. Che la festa sia tutta per il Grande Repubblicano. Dunque calcolare bene i tempi. La Consociazione operaia genovese provveda all'accoglienza, all'esposizione del feretro e all'accompagno al cimitero di Staglieno nella giornata di domenica 17 marzo.

Il punto quinto era il più arduo: che il Popolo Sovrano possa vedere il Maestro così come l'hanno visto i pisani accorsi a frotte. Che la folla possa riconoscerne i tratti, il volto austero, lo sguardo limpido, la *vivezza* di pensiero nella maestà della morte. Che il Maestro si mostri *intatto*, insomma, come intatto è il suo messaggio eccetera eccetera… Martedì 12 marzo la salma mostrava però i primi segni di putrefazione.

La soluzione venne in mente al più risoluto tra i mazziniani accorsi al letto di morte: il dottor Agostino Bertani, medico curante del Maestro, repubblicano, deputato dell'Estrema, fondatore e redattore della "Gazzetta medica di Milano", già chirurgo al seguito di Garibaldi, esperto di colera e ferite da taglio.

Ed è una soluzione così stupefacente che, davanti alla stazione di piazza Principe, la folla sembra ondeggiare di aspettazione e meraviglia quando, alle cinque e mezzo di sabato 16 marzo 1872, trafelato per la corsa dal Pammatone, Antonio Casagrande raggiunge finalmente il luogo dell'appuntamento.

Si fa largo a spintoni, lo sguardo a terra. Se incrocia qualcuno decentemente calzato, tira fuori un *Giuseppe Mazzini a Londra* e bisbiglia «Tre lire, prezzo speciale solo per oggi», ma nessuno sembra prenderlo sul serio. Prova con «Una lira e venti centesimi» e il risultato non cambia. Sono tutti qui per vedere il Maestro *intatto*, che se ne fanno di una fotografia? La lettera che Domenico Leone, il garibaldino che avevano fotografato a Borgo di Dentro, ha scritto ad Alessandro Pavia, e che il ragazzo ha letto di volata sulla panca del Pammatone, era piena di maiuscole e sottolineature:

Aspetto davanti all'Ingresso Principale. Se per le Cinque e Mezzo non vi presentate significa che non avete ricevuto il Messaggio o siete Impossibilitato e allora trovo una sistemazione diversa per la notte e ci vedremo al corteo. Viva l'Italia!

Arrivato all'ingresso principale, il ragazzo si guarda intorno ma non riconosce nessuno. Una vecchia lo spintona malamente, un tizio in marsina gli schiaccia un piede, una bambina cerca la madre, due lacrimoni appesi alle ciglia, un ragazzino gli si aggrappa alla manica. Antonio si ritrae con un movimento brusco ma poi si blocca sorpreso. «Primo?» dice. Il figlio di Domenico Leone si è allungato come un giunco.

«Ma tu sei diventato un uomo!» gli risponde il ragazzino. Poi, al padre: «Ha mandato Antonio!».

Il resto sono abbracci e spiegazioni frettolose. Tentano di entrare nella camera ardente, ma c'è troppa confusione, e poi qualcuno va dicendo che l'esposizione è stata sospesa, che c'è stato qualche problema, che forse Mazzini sarà visibile domani, così il ragazzo fa strada fino alla soffitta di piazza Valoria.

All'idea di cucinare per uno dei Mille, la Giuse sfodera il suo miglior sorriso. Sette denti tra sopra e sotto, distribuiti con curiosa simmetria, che sembrano risplendere di soddisfazione e saliva quando Antonio le mette in mano tre delle dieci lire guadagnate da madama Carmen. «Mostratemi quello che sapete fare» dice come diceva Pavia quando voleva che lei facesse buona spesa. Primo lo guarda impressionato.

Un'ora più tardi, la Giuse torna carica di roba, comincia a spignattare e non smette di dire Garibaldi di qui e Garibaldi di lì mentre serve polpo con patate, seppie in zimino e stoccafisso accomodato. Satolli, ubriachi di parole, i tre salgono in soffitta e si addormentano al volo, Domenico Leone sulla branda che era stata di Pavia e i due ragazzi a dividere l'altra, piedi contro testa.

Qualche ora dopo, Antonio si sveglia solo. Il mal di capo è passato. Domenico respira pesante. Nessuna traccia di Primo. Dalla finestra aperta sull'altana entra una bava di vento. Il ragazzo infila una maglia ed esce fuori. È buio, le stelle come grani di zucchero. A oriente, oltre il profilo sonnolento della collina, una grinza di luce sottile come una lisca di pesce. Primo è seduto sul cornicione, le gambe a penzoloni nel vuoto.

«Che fai? Scendi, è pericoloso!» sussurra Antonio. Quante volte glielo ha raccomandato Pavia? «Manca il parapetto, perdio!» sbraitava se solo il ragazzo accennava a salire sul primo dei tre gradini che separano il piano dal bordo.

Primo si gira e lo guarda come se non lo riconoscesse, poi gli volta di nuovo le spalle.

Antonio rabbrividisce, e non è solo per l'umido della notte. «Vieni qui, cazzo, sono quattro piani!»

Primo non risponde.

Antonio non sa che fare. Rientrare e svegliare Domenico oppure salire i tre gradini, raggiungere Primo e tirarlo dentro? «Dài, scendi» urla sottovoce.

Primo continua a ignorarlo. Tiene le braccia lungo il corpo, il palmi delle mani schiacciati sul bordo. Antonio mette il piede sul primo gradino. «Scendi subito o vengo a prenderti» bisbiglia. Primo neppure si volta.

Pavia sbraitava contro il padrone di casa: «Almeno una ringhierina, cazzo, almeno due assi, perdio!». Antonio era appena arrivato dal Pammatone e guardava il cornicione come fosse la soglia dell'Inferno. Adesso sale ancora un gradino. Un gatto miagola dal fondo del vicolo, un carretto arranca sul selciato, un gabbiano strepita, un altro risponde. Rumori della notte che finisce. Sale l'ultimo gradino. Quattro piani sotto qualcuno si affretta, i tacchi schioccano nell'oscurità.

Primo si volta, l'indice teso davanti alle labbra. Picchietta poi il cornicione con la mano come dicesse "siediti accanto a me".

La voce di Pavia deve essersi persa da qualche parte perché Antonio non la sente più. Piega le ginocchia e, appoggiando una mano sulla spalla del ragazzino, siede sul bordo, gambe nel vuoto. Intorno sono coppi, comignoli, fili tesi, nuvole bianche di luna.

Senza una parola, Primo indica l'oriente: la lisca di luce sta gonfiando al centro. Il gatto tace, il gabbiano plana senza un lamento, il cielo lentamente esplode in un bagliore silenzioso. Primo sorride come avesse estratto dal mazzo una carta segreta e vincente.

Antonio chiude gli occhi e li riapre. Ancora coppi, comignoli, gabbiani, altane. Un lenzuolo dimenticato al buio vibra alla prima luce. L'increspatura del mare, in lontananza, ha un improvviso brillio di specchio. "L'ultima notte" pensa. "L'ultima notte nella soffitta del padrone è la più bella."

La mattina presto Antonio, Domenico e Primo raggiungono la stazione di piazza Principe per le vie dei signori: strada Nuova, Nuovissima e Balbi. Donne in nero, uomini con il lutto al braccio, vecchi, bambini: tutti si muovono nella medesima direzione, formando qua e là capannelli di amici e conoscenti. La camicia rossa del garibaldino apre ogni varco come la spada in fiamme dell'arcangelo.

Davanti alla stazione la ressa è impressionante. Tricolori, gonfaloni delle società operaie di mutuo soccorso, labari dei reduci di Mentana e Porta Pia, insegne da tutto il genovesato oscillano instabili sopra centinaia di teste. Primo conta almeno tre bande musicali, tutte impegnate ad accordare gli strumenti o provare il repertorio. Impossibile capire dove sia la bara, figurarsi raggiungerla e vedere, finalmente, il corpo del Maestro.

Domenico individua un gruppo di camicie rosse raccolte sotto un tricolore malconcio e vi si dirige spedito. Antonio fa per seguirlo ma Primo lo trattiene. «Dobbiamo proprio?» gli domanda.

In mezzo ai commilitoni, Domenico sembra un ragazzo. Sorrisi, abbracci, pacche sulle spalle.

«Ma davvero il generale non aveva paura delle pallottole?» dice Primo imitando la cadenza strascicata della Giuse.

Antonio ride, anche lui comincia ad averne abbastanza di cariche a cavallo e imprese memorabili. «Però il morto voglio vederlo» risponde.

Primo annuisce. «Aspettami qui.» Antonio lo vede raggiungere il padre, poi tornare indietro con gli occhi allegri. «Siamo liberi» gli legge sulle labbra.

«Come hai fatto a convincerlo?»

«Gli ho detto che durante il corteo ti aiuterò a portare le brande nella nuova casa. Per ripagare il disturbo» dice con l'espressione furba di uno che non ha nessuna intenzione di impiegare la domenica a spostare mobili. «Appuntamento qui alle quattro. Abbiamo un bel po' di tempo» conclude soddisfatto.

«Tutto il tempo che serve per il trasloco» dice Antonio puntando un vicolo scuro che scende a mare. Primo gli si affianca con le mani in tasca. «Guarda che era una scusa.»

«Quindi mi devo arrangiare?»

«Mmm» fa Primo guardandosi intorno. «Non possiamo fare un giro?»

«Io voglio vederlo, il morto.»

«Niente corteo, però. Il morto e basta» risponde l'altro, gli occhi alla cimasa che squadra l'azzurro.

Antonio si volta cercando Domenico. «Invece dovremmo andare con lui. Ma guardalo, non sei orgoglioso?»

«Senti. A te forse ti manca tuo padre. Io ne ho anche troppo» dice mettendosi in marcia. «Tu fai come credi, io vado.»

Il vicolo è pieno di gente che risale in senso contrario. Antonio è spiazzato. Alza la mano per salutare Domenico, troppo preso per accorgersene. Misura le monete rimaste in tasca dal giorno precedente, raggiunge Primo e lo sorpassa. «Allora prova a starmi dietro, ragazzino» dice scansando un gruppo di studenti con il nastro tricolore all'occhiello.

I due raggiungono in un attimo la commenda di Prè e subito dopo piazza Caricamento. Primo s'incanta. La palazzata in piena luce, l'infilata di botteghe, il profumo di legno, pece, salsedine. Antonio invece si guarda intorno perplesso. Non c'è la consueta confusione, niente carri con i cavalli in attesa, niente botti in equilibrio su barrocci a due ruote, niente carriole a braccia, niente sacchi di juta gonfi di granaglie, caffè, tabacco e qualunque merce sia possibile trasportare da qualunque parte del mondo ai lunghi moli che, oltre il portico a mare, artigliano il Mediterraneo. Ponte Spinola, ponte Reale, ponte della Mercanzia.

In piazza circola giusto qualche sfaccendato, un gruppo di carbonai riconoscibili dalle unghie nere e lo stendardo, un paio di famigliole che si affrettano verso il corteo. Per il resto, tutto fermo, tutto chiuso, anche i chioschi dei venditori di acqua e anice – avrebbe voluto offrirla a Primo –, anche i banchetti di frutti di mare – gli avrebbe fatto assaggiare i ricci vivi –, anche le friggitorie e gli scanni degli spedizionieri. Nessuna traccia del carretto coperto che trasporta i blocchi di ghiaccio. Il cubicolo dei cessi pubblici se ne sta lì abbandonato, inutile. Sulla passeggiata panoramica che corre sul porticato a mare non si vede nessuno. E questa, per essere una bella domenica di marzo, è la cosa più strana.

«Saliamo» dice Antonio imboccando i portici e la scala che conduce al piano rialzato. Il sole abbaglia, Primo si fa schermo con le mani. I velieri alla fonda. Le navi da carico. L'inchino lieve e continuo degli alberi, degli argani, dei verricelli, delle carrucole. Un vento leggero attraversa quel bosco di legno e metallo lucidando ogni cosa: le vele ammainate, il sartiame, le plance già lustre, le cerate a proteggere il carico, le bandiere. E il mare è dappertutto, dentro, fuori, oltre, una riserva di luce che si sprigiona intorno ai due ragazzi. «E tu che volevi andare al corteo» dice Primo, ammaliato.

«Voglio solo vedere il morto.»

«Uffa. Sei fissato. Perché ti interessa tanto?»

Antonio non lo sa, gli interessa e basta. «Ne parlano tutti. Al Pammatone ne ho visti tanti ma forse questo è speciale» butta lì.

E siccome Primo non ha idea di cosa sia il Pammatone, è lì che Antonio decide di tornare per la seconda volta in due giorni, dopo anni che se ne teneva alla larga.

Risalgono allora certi vicoli stretti da toccare con le braccia tese una parte e quell'altra, certi slarghi putridi e fetenti, certi scorci mozzafiato su palazzi sontuosi, le facciate a bugnato, i portali riccamente decorati. Di tanto in tanto Primo si ferma a naso in su, contempla un architrave lavorato a sbalzo, un mascherone di pietra, una madonna alloggiata in uno spigolo, uno stemma dai colori vividi, un san Giorgio con il drago, un san Sebastiano infilzato dalle frecce, una finestrata a colonnine tortili. «Cazzo» dice allora. «Cazzo, cazzo, cazzo.» Non ha mai visto niente di simile, non tutto insieme, puzza e splendore, merda e bellezza.

Il silenzio è irreale. «Ma dove sono finiti tutti?» si domanda Antonio conoscendo già la risposta. Ai piedi di porta Soprana, l'impressione è che un terremoto abbia squassato la città, scrollandola con forza e rovesciando qui tutti i suoi abitanti.

«Di là» dice Antonio.

Il servizio d'ordine organizzato dalla Consociazione operaia ligure tiene sgombro il passaggio in piazza San Domenico e lungo via Giulia, dove sfilerà il corteo. Non dovrebbe mancare molto, considerato il rumore. Sgomitando, i ragazzi guadagnano il bordo strada, aspettano che l'incaricato guardi altrove, attraversano di corsa e si ritrovano dalla parte del Pammatone. Qualche minuto dopo, sono davanti all'ingresso.

«Aspettami» dice Antonio. Si dirige a un botteghino d'angolo. Primo studia il portone, poi la piazzetta intorno. Su un pilone, vede la statua di un ragazzino che tira una pietra. Fa un sorrisone, la raggiunge e si accomoda alla base. Dopo qualche minuto, Antonio torna con un involto enorme. «Mi piace questo posto» dice Primo accennando alla statua. Antonio finge di lanciare il pacchetto come fosse un sasso. All'espressione preoccupata di Primo, scoppia a ridere. «Mangiamo, va'.» Il cartoccio profuma di olio e sale. Fritto di pesce, verdure in pastella, farinata di ceci. Pasto da re. «Allora non sei povero» dice Primo con la bocca piena e le dita unte.

L'altro risponde con un rutto. Il ragazzino lo imita, ma viene fuori un rumore strozzato. Antonio rilancia con un rutto più lungo e modulato. Primo ride. «Non me lo immaginavo proprio che eri così ricco» dice asciugandosi le mani sui calzoni.

«Ricco sfondato. Vieni, ti faccio vedere il mio palazzo.»

Il Pammatone sembra più silenzioso del solito. Che anche i malati siano andati al corteo? Antonio sorride al pensiero. Certo il preposto avrà intruppato i bastardi. Tutti in fila, anche le bambine, le faccette ben lavate, le unghie tagliate, i capelli pettinati con cura, sperando di smuovere cuori e portafogli.

«Allora sei nato qui. È un bel posto» dice Primo guardando il cortile, le palme, le statue.

Antonio non risponde. Osserva uno dei carcerieri di pietra, un Brignole o uno Spinola, ha dimenticato la litania di padre Lampo. Sguardo cieco, panneggio, pizzetto, gorgiera. Somiglia al corpo di Giuseppe Mazzini?

La pietrificazione era stata infatti la soluzione proposta dal dottor Agostino Bertani ai sodali accorsi al capezzale del Maestro. Non semplice imbalsamazione, con svuotamento di visceri e impiego di unguenti e sostanze aromatiche e altri simili impiastri. Non tecniche sorpassate che consentono l'esibizione della mummia solo per qualche giorno. La scienza moderna ha fatto enormi passi avanti! È possibile lavorare sui tessuti, indurire ciò che è morbido e succulento, rinforzare scheletri e cartilagini al modo in cui agenti fisici e chimici, fin dal più remoto passato, hanno trasformato piante e animali, conservandoli intatti. Pietrificate, appunto. Felci, conchiglie, lucertoline. Pietrificare Mazzini, dunque. Eternare la sua figura. E, attraverso il corpo, eternare il pensiero, il progetto, il messaggio eccetera eccetera.

L'uomo chiamato a fare il miracolo è il professor Paolo Gorini, lodigiano, accademico, geologo, biologo, fisiologo, matematico e grande esperto di conservazione, imbalsamazione e indurimento di sostanze animali per intarsiatori, impiallacciatori e tornitori.

Della sua dedizione alla causa repubblicana e democratica non mancano prove. Della sua perizia, danno testimonianza insigni accademici di Francia e d'Italia nonché esperimenti di stupefacente efficacia, che l'amico Bertani elenca ai compagni:

- Un eccellente brodo ottenuto lessando manzo macellato otto mesi prima e conservato con una tecnica innovativa ideata dal Gorini medesimo.
- Una tabacchiera di mammella di vacca lavorata al tornio e altri gradevoli soprammobili ricavati da fegato e tendini dell'animale. Un tavolino con piedi umani. Cuori di fanciulla e glandi di giovinetti duri come il marmo.
- Svariati animaletti pietrificati, tra cui alcuni, deliziosi, presentati due anni prima all'Esposizione di Lodi: un maialino, un grosso rospo, un pesce, una biscia e tre gattini.

«Pippo sarà il suo capolavoro» aveva concluso.

Gorini si era messo all'opera già la mattina di martedì 12 marzo, neanche quarantotto ore dopo la morte. Via gli occhi perché raggrinzano, meglio due bulbi vitrei. Via anche il cervello che, secondo l'esperienza del Gorini, il più delle volte si spappola. Poi ore e ore a iniettare nei tessuti una soluzione segreta, e Bertani a fare da assistente. Nella cassa di piombo usata per il trasporto, disinfettante in quantità. Ma essendo la stessa malamente stagnata, al capolinea il liquido se ne uscì diffondendo uno sgradevole sentore di cancrena.

D'altronde, quello della pietrificazione è un lavoro lungo, di settimane, di mesi. Bertani non aveva mentito, Gorini non aveva nascosto le difficoltà. Al primo miasma maleolente, lo stato maggiore mazziniano aveva quindi deciso che l'esposizione andava rimandata al primo anniversario della morte del Maestro. Il Popolo Sovrano, per ora, si sarebbe accontentato di intravederne le spoglie attraverso lo sportello di cristallo appositamente montato sulla bara.

Questo Antonio non può saperlo, nel momento in cui riesce finalmente a trascinare Primo fuori dal Pammatone per inseguire il corpo di Giuseppe Mazzini.

Non volendo accodarsi al corteo, l'unica è precederlo. La strettoia di porta Pila, poco distante, potrebbe essere il posto ideale per dare una sbirciatina alla cassa. Il basamento delle colonne che sorreggono l'arco è molto alto e da lì, forse, con un po' di fortuna... Ma quando i due ragazzi arrivano in prossimità della porta, l'idea sembra un po' meno buona. Come raggiungere la colonna? Un mare di gente ingombra il passaggio e intorno al monumento il servizio d'ordine è strettissimo.

«Proviamo» dice Primo. A spintoni raggiungono il basamento, stretti tra un doganiere in divisa e una signorina con un cappellino di paglia.

Chiacchiere, galanterie e gridolini si spengono non appena il corteo si avvicina e la musica invade la strada. Quando la banda varca la soglia di porta Pila, Primo trattiene il fiato. Nessuno parla, nessuno spinge, anche gli uomini del servizio d'ordine si ritraggono in un canto, a capo chino. Il doganiere toglie il cappello, la signorina porta un fazzoletto ricamato alla bocca.

Il maestro della banda indossa una divisa nera e luccicante. Cammina con passo lento e regolare. I musicisti in file da sei non lo perdono di vista. È evidente a tutti che quella melodia solenne e struggente, quella marcia lenta che ammutolisce e inumidisce gli occhi, e fa sì che tutti i cuori battano all'unisono, e che tutti i pensieri siano un solo pensiero; è chiaro come il sole che quella musica, insomma, è una cosa sola con lui, il maestro, con il suo avanzare cadenzato, con il modo in cui tiene dritte le spalle e alto il mento.

La bara è subito dietro. Antonio dà una gomitata a Primo, che si riscuote dall'incanto, intreccia le mani, si china e fa scaletta perché l'amico possa salire sul basamento. Troppo veloci perché gli uomini del servizio d'ordine intervengano, Antonio si trova in alto proprio mentre la bara scorre sotto di lui. Ha un brivido. Sotto la benda, l'occhio cieco prende a pulsare. D'istinto la scosta e il terrore lo invade. Di nuovo. Come per Famagosta. Di nuovo, cazzo.

A Primo la bara non interessa. Si volta verso la banda che si allontana, segue l'incedere ritmato dei musicisti in ultima fila. Uguale, perfettamente uguale a quello del maestro. In quel momento cancella il padre, cancella Garibaldi e i garibaldini, Mazzini e i mazziniani, cancella tutto quel che lui dovrebbe essere e, per quanto si sforzi, non è.

Un tizio del servizio d'ordine afferra Antonio per l'orlo dei calzoni, lo obbliga a scendere e gli rifila un manrovescio. La signorina con il cappello di paglia soffoca un urlo, il doganiere si scosta indignato.

Antonio non reagisce. "Di nuovo" continua a pensare. Primo lo prende per un braccio e lo trascina fuori dall'assembramento. «Ho capito tutto» sta dicendo. Stropiccia le mani una con l'altra, non riesce a star fermo. «Tutto, tutto, tutto ho capito.»

Antonio non ascolta. Sotto la benda, l'occhio cieco non smette di pungere. Quel che ha visto attraverso il cristallo non somiglia a un Brignole o uno Spinola, non somiglia neanche a *Giuseppe Mazzini a Londra* che porta in tasca, e che ha dimenticato di smerciare. "Non è un occhio cieco" pensa. "È un occhio *pazzo.*"

«La musica!» dice Primo.

Antonio lo guarda ma non lo ascolta. «Che fine ha fatto Paolino?» domanda.

Primo non capisce.

«Il bambino che era con noi a cascina Leone» insiste Antonio.

«Difterite. L'anno scorso. Ma cosa…? Senti. Ho deciso una cosa importantissima, voglio dirlo solo a te.»

Antonio non ascolta. Lo spavento viene fuori nel tremito delle mani, nel rivolo di sudore che gli bagna la schiena. Quel che ha visto guardando Mazzini pietrificato è la stessa cosa che ha visto inquadrando Paolino e Famagosta. La stessa che ha visto la prima volta, nel carro del padrone, fissando la lastra dell'orfano del Pammatone.

«Musica! Imparerò la musica!» dice Primo battendo le mani.

Quel che Antonio ha visto, quel che vede con l'occhio pazzo attraverso l'obbiettivo della macchina fotografica, è la Morte.

Domenica 13 giugno 1880, giorno di sant'Antonio patrono dei bambini malati e delle prostitute, con sorprendente anticipo rispetto all'obiettivo che si era prefissata, madama Carmen inaugurò il suo bordello di prima classe.

Occupava una palazzina elegante sulle alture di Genova, lontana dai pettegolezzi del centro città e comoda da raggiungere in carrozza chiusa. Al piano terra, nel salone rischiarato giorno e notte da applique di cristallo, un maggiordomo in livrea e due camerieri addestrati alla virtù del riserbo si aggiravano tra divani, tavolini da whist, poltrone in tinta con i tendoni alle finestre. Un angolo della sala era occupato da un palco dove, sei sere su sette, un'orchestrina si esibiva di fronte alla mezzaluna tirata a cera di una minuscola pista da ballo. In piedi con un calice spumeggiante tra le dita, o mollemente sedute sui sofà, le ragazze sembravano bellissime ragazze qualunque in un locale chic di Parigi o Biarritz. Solo l'orlo era un po' più corto e lo scollo appena più profondo di quanto il decoro imponesse.

Al primo piano, madama Carmen aveva previsto camere per tutti i gusti: *boudoir* dalle pareti damascate dove pellicce e tappeti assorbivano gemiti, vocalizzi e parole proibite nel talamo coniugale; stanze tutte pizzi e veli, innocenti come bomboniere, ideali per iniziazioni vere o presunte; locali luccicanti di specchi come il brillante al dito di una legittima consorte; quartierini immersi nella penombra di invisibili bruciaprofumi, incenso e spezie da mille e una notte di meraviglie. Al secondo piano, lo spazio si complicava di passaggi segreti, finestrini da cui si poteva guardare ed essere guardati, salette per incontri riservati tra gentiluomini, cui si accedeva attraverso labirinti di porte e bussole. Dietro un uscio con tanto di chiavistello c'era anche un locale austero come una cella, le pareti tinteggiate di rosso scuro, con tavolaccio, catene e frustini di varie misure, per gli appassionati del genere. Solo l'ultimo piano aveva un rassicurante aspetto borghese: da una parte del pianerottolo, l'appartamento della tenutaria; dalla parte opposta, protetta da un cancelletto, l'infilata di stanze private delle ragazze.

Erano tutte nuove ma madama Carmen continuava a chiamarle Giaffa, Trebisonda, Biscaglia o Gibilterra. E così le stanze. Accanto all'etichetta sulla porta, fregi di ottone riproducevano pesci, alghe, coralli, timoni e ancore. Persino il portoncino d'ingresso aveva cardini di ferro battuto a forma di stella marina, forgiati appositamente da un artigiano francese. L'insegna era piccola, seminascosta dalla cascata di glicine che adornava la facciata: Nettuno stuzzica con il tridente una sirena in posa languida e sotto la scritta L.V., ossia lady Violet: quarta metamorfosi di Rosetta la Vedova-madama Amaranta-madama Carmen.

La vera festa era stata organizzata in realtà il giorno prima: frutti di mare, filoncini di *pan brioche* spalmati di burro fresco, mignon ripieni di panna montata. Borgogna e champagne senza risparmio. Solo le ragazze, la padrona di casa e Antonio Casagrande, che brindò così, con un giorno di anticipo, al suo venticinquesimo compleanno. E fu una festa d'addio: la pornografia a buon mercato non si addiceva al salotto esclusivo di lady Violet.

Sazie, appena brille, alla fine della serata le ragazze affiancarono due divani e condivisero un'ultima posa collettiva, Antonio unico vestito. Accese tutte le luci della stanza, sperando che fossero sufficienti a impressionare la lastra, prese posto al centro della composizione, una mano che stringeva il comando a distanza dell'otturatore, l'altra sul ginocchio appuntito dell'ultima arrivata, un'abissina che aveva avvinghiato la gamba di gazzella intorno alla sua coscia. Non era più un ragazzo, e tantomeno un'acciughetta, benché madama Carmen si ostinasse a chiamarlo così.

Mentre la luce incideva sul collodio mammelle e capezzoli, Antonio rifece per l'ennesima volta i conti: dalla prima immagine di Galata in *déshabillé*, erano almeno settantacinque le prostitute passate davanti all'obbiettivo della macchina da piede che Pavia gli aveva lasciato. Settantacinque, in pose diverse, per un totale di circa milletrecentocinquanta stampe che, al prezzo di cinque lire cadauna, gli avevano permesso di mangiare tre volte al giorno per otto anni, dire addio al subentrante, rinnovare l'attrezzatura, affittare una soffitta con altana vista porto e affiggere un'insegna molto più vistosa di quella di lady Violet.

ANTONIO CASAGRANDE
FOTOGRAFO
ESEGUISCE RITRATTI GRUPPI DI FAMIGLIA
VEDUTE CARTE DA VISITA
RIPRODUZIONI DA QUALUNQUE OGGETTO

Lavoro, lavoro, lavoro: era diventato ben presto un pensiero fisso. Lasciato il subentrante, aveva smesso la benda. Al mondo non piaceva la sua faccia? Pazienza. Infilando la testa nel sacco nero dell'apparecchio fotografico, serrava la palpebra sulla pupilla bianca. Dimenticava di farlo? Pazienza. Che l'occhio pazzo vedesse ciò che voleva, e intanto Antonio si concentrava sull'essenziale: avere in tasca denaro sufficiente per la legna nella stufa e il conto del fornaio.

Fotografava uomini e donne, giovani e vecchi, bambini in fasce e ottuagenarie in ghingheri. A volte il suo occhio pazzo ne indovinava la fine, altre no. Passavano mesi senza che capitasse, e poi, d'improvviso, due o tre episodi in un giorno. Non c'era logica o, perlomeno, Antonio non riusciva a individuarne una. E non si trattava mai di una visione chiara: le immagini turbinavano fuori fuoco, poteva capitare che gli dessero la nausea, oppure avvertiva odori fastidiosi (laudano, polvere da sparo, vomito) o suoni (singhiozzi, raspare di catarro). Dopo, un gran mal di testa e un umor nero che stentava a passare.

Il mistero di quelle visioni gli lasciava comunque una gran confusione. Qualche volta fingeva un impegno e congedava alla svelta il cliente. Oppure buttava fuori un'imprecazione che lasciava il cliente esterrefatto, ed era lui a piantare in asso il fotografo. Sennò arrischiava un consiglio: «Attento agli strapiombi», «Tenetevi alla larga dai muli», «Evitate la trattoria in salita Santa Caterina, potrebbe esservi fatale». E la fama di bizzarria del fotografo *orbo* crebbe al crescere della clientela.

Difficile convivere con queste apparizioni spettrali. Qualche anno prima – lady Violet si chiamava ancora madama Carmen e l'affare della pornografia cominciava a rendere bene – Antonio aveva deciso di rivolgersi a un certo dottor Koch, celebre nei vicoli per l'assiduo commercio con la Morte e, nella fattispecie, per la capacità di fotografare fantasmi.

Lo studio era in vico Casana. Amanti senza pace e vedove inconsolabili vi si recavano sperando di cogliere lo spirito del trapassato. Antonio si appostò nelle vicinanze: le vide entrare vergognose e uscire furtive, un pacco sotto il braccio che aveva tutta l'aria di essere una foto con tanto di cornice. Dal via vai di gramaglie, si convinse che quel Koch sapeva il fatto suo; che probabilmente aveva anche lui il "dono", o la maledizione, di vedere ciò che altri non vedono; che quel dono lo sapeva controllare; che ne aveva fatto un mestiere.

Il dottor Koch riceveva al terzo piano. Antonio si presentò di prima mattina. Lo accolse un assistente gigantesco, con un caffetano color crema, babbucce ai piedi e un turbante in testa. Un lieve sentore di incenso gli rammentò la camera Samarcanda.

Il medium, invece, vestiva all'occidentale. Era un ometto basso e ben nutrito. Tondo il ventre inguainato nel panciotto, tondo il collo costretto dal solino, tonde le dita grasse, tozze come salsicce, e tondi gli occhialini simili a quelli dei medici che Antonio aveva conosciuto al Pammatone.

Lo fece accomodare nel suo ufficio. E davanti al tavolo scuro, a un cranio completo di dentatura, a un modellino di cuore in bachelite e al diploma sotto vetro dell'Università di Basilea, Antonio dimenticò all'istante il discorsetto che si era preparato e che avrebbe dovuto suonare grossomodo così: "Buongiorno collega, anch'io vedo fantasmi, puoi spiegarmi come fissarli sulla lastra?".

Intimidito, frastornato dal suo stesso disagio, infastidito dall'assistente che stazionava enorme e immobile alle sue spalle, Antonio disse la prima cosa che gli venne in mente, e cioè che aveva perso il fratello, un giovane marinaio, in un naufragio; che lo sentiva accanto ogni giorno, che il suo spirito lo tormentava parlandogli all'orecchio. «Antonio! Antonio! Salvami!» diceva. Aggiunse che nessuno gli credeva, che persino sua madre lo prendeva per pazzo. Il dottor Koch poteva aiutarlo?

«Siete nel posto giusto» rispose l'uomo. Aveva una vocetta che contrastava singolarmente con il suo aspetto ben pasciuto. Antonio pensò a uno di quei grassi insetti ronzanti, un moscone, un bombo. Il dottor Koch tolse gli occhialini, strinse le palpebre, si massaggiò con due dita l'attaccatura del naso. Per essere uno svizzero di Basilea, aveva uno spiccato accento ligure. «Qui applichiamo la tecnica sperimentata dal professor Gutenberg a Lipsia. Se il fantasma c'è, lo catturiamo e lo imprigioniamo in un'immagine. Vi consegnerò una stampa che potrete mostrare alla vostra incredula madre.» Prese fiato, infilò di nuovo gli occhiali. «Se con la tecnica del dottor Gutenberg non ne veniamo a capo significa che il fantasma non c'è, e quindi voi siete pazzo. In tal caso, Amir vi fornirà un rimedio in gocce da assumere tre volte al giorno, un ritrovato eccellente del dottor Sokolov di Mosca, medico personale dello zar e mio corrispondente da tre lustri.»

Antonio non si aspettava tante complicazioni. E però la faccenda si faceva interessante. Con un movimento repentino, il dottor Kock spinse indietro la sedia e a passetti concitati si diresse all'attaccapanni. Amir lo aiutò a indossare il camice. Scivolando silenzioso sulle babbucce, l'uomo col turbante riprese poi il suo posto alle spalle del cliente e gli appoggiò le manone sulle clavicole, spingendo verso il basso. Premeva, pesava. Antonio deglutì.

Il dottor Koch si avvicinò con in mano un metro da sarta, sbucato fuori da una tasca del camice. Gli misurò la testa come se Antonio fosse venuto a scegliere un cappello. Con la rapidità di un borseggiatore, fece sparire il metro, tirò fuori un bastoncino piatto, gli afferrò la mandibola, lo obbligò ad aprire la bocca e glielo ficcò in gola. Amir premeva più che mai. «Siete per caso dedito all'alcol?» domandò il medico.

Antonio beveva solo da madama Carmen. Un paio di bicchieri una volta alla settimana non gli parve abbastanza per definirsi alcolista. Appena il dottor Koch ritirò il bastoncino, rispose quindi di no, ma ebbe l'impressione che il medico non ascoltasse. Con gli occhietti serrati, gli palpava le ossa del cranio. Fronte, tempie, nuca. Intanto faceva cenni ad Amir, che aumentava o diminuiva la pressione.

«Ma...» tentò Antonio

«Shh!» lo zittì il dottor Koch. Gli aveva piantato i pollici sotto la cavità orbitale e pareva tutto concentrato a esaminare la congiuntiva. Ordinò infine ad Amir di lasciare la presa.

«Cresta sfenoidale a posto» disse. Da vicino, ricordava davvero un insetto con gli occhiali. La peluria chiarissima sul labbro superiore vibrava di soddisfazione.

«Nessun segno di dolicocefalia o, Dio ne guardi, di brachicefalia.» Si bloccò per un pensiero improvviso e gli piazzò di nuovo i polpastrelli sotto la nuca.

«Articolazione atlante-epistrofeo in asse Un buon bilanciamento è una grande fortuna.»

«Bene» rispose Antonio. Non aveva idea di cosa stesse dicendo il dottor Koch. «E il fantasma?» buttò lì.

L'uomo lo ignorò. Sfilò il camice, lo passò ad Amir, lisciò i risvolti della giacca, risistemò gli occhiali, gli piantò addosso uno sguardo puntuto. «Dall'esame che ho appena condotto, non siete pazzo.» Pronunciò la parola "pazzo" con un mezzo sospiro, quasi fosse dispiaciuto. «Ma la prova inoppugnabile l'avremo solo catturando l'immagine di vostro fratello. Aspetterete in anticamera. Il tempo di mettere in funzione l'attrezzatura. Copia esatta di quella del professor Gutenberg di Lipsia, con un elemento di mia invenzione che accelera il processo. Un sistema di cui forse avrete sentito parlare, premiato al Concorso Internazionale di Strasburgo.»

«Era su tutti i giornali» aggiunse Amir. Che l'italiano lui l'avesse imparato nei vicoli tra Pré e Annunziata era evidente.

«Vi costerà dieci lire. Avete dieci lire, sì?» concluse il dottor Koch con un colpo secco al ponte degli occhiali.

L'anticamera confinava con quello che, attraverso la porta spalancata, ad Antonio sembrò un comunissimo gabinetto di posa, con una macchina da piede e un fondale di tela ingiallita. Il dottor Koch e Amir si chiusero dentro. Sentì armeggiare e s'incuriosì. Il rumore di una lastra che scorre dentro la macchina, il *clac* dell'otturatore che si apre lasciando entrare la luce, poi l'otturatore che si chiude. Troppo presto. "Sottoesposta" pensò Antonio. Ancora maneggi, un'altra lastra, *clac-clac*. Di nuovo sottoesposta, concluse tra sé. Dopo qualche minuto, Amir uscì a chiamarlo. Ai piedi portava un paio di zoccoli.

Del dottor Koch nessuna traccia. La tenda pesante di una camera oscura ondeggiava in un angolo. Un armadio alto fino al soffitto occupava due pareti. Dai finestroni affacciati su vico Casana la luce del mattino inondava una pedana, il fondale e una poltrona dai braccioli usurati. Dirimpetto, un treppiede e una macchina fotografica che Antonio valutò vecchiotta. L'odore di incenso dava alla testa.

«Vi sta parlando?» chiese il dottor Koch sbucando fuori dalla camera oscura.

Antonio non capì, gli occhi arrossati dal fumo aromatico. «Si può aprire la finestra?» rispose.

«Vostro fratello, dico. Vi sta parlando?»

Possibile che questo dottor Koch non rispondesse mai

alle domande? «Non potete fotografarlo se non parla?» rispose seccato.

L'ometto alzò la testa di scatto. Il mento puntava al soffitto, le sopracciglia erano due archi d'indignazione.

«Fotografarlo?» disse come fosse un insulto. «FO-TO-GRA-FAR-LO? Il macchinario che vedete è un gioiello di tecnica spiritica. Presentato all'Esposizione Universale di Filadelfia del 1876, unico esemplare in tutta Italia!»

Amir annuiva con le braccia conserte e gli occhi socchiusi.

«Non fatemi perdere tempo. Vostro fratello, in questo momento, vi sta parlando?» Di nuovo non aspettò risposta, girò sui tacchi come una trottola sull'asse e s'infilò nella camera oscura. Ne uscì con due portalastre di legno del tutto simili a quelle che usava anche Antonio. «Vi parla all'orecchio destro o a quello sinistro?» domandò sollevando una mano dopo l'altra.

Antonio cominciò a capire. Finse di concentrarsi, abbassò lo sguardo. Erano le babbucce di Amir quelle che spuntavano da un'anta socchiusa dell'armadio? «Destro» rispose.

Il dottor Koch porse una delle lastre all'assistente, che fece per dirigersi verso la camera oscura.

«No, aspettate, sinistro.» Si era fatto un'idea. Se aveva indovinato, tanto valeva divertirsi un po'.

«Insomma: destro o sinistro?» si spazientì il dottor Koch. Amir si bloccò, indeciso sul da farsi.

«No, no, destro. Anzi, sia destro che sinistro» aggiunse Antonio.

L'assistente girava lo sguardo ora sul cliente ora sul medico. Nel movimento, il turbante si era spostato. Da sopra la tempia scendeva un lungo ciuffo scuro. Un artiglio d'inchiostro spuntava invece dal colletto del caffetano. Considerata la raguardevole dimensione del tatuaggio, Antonio si domandò per quanto tempo Amir aveva sperimentato l'ospitalità delle patrie galere.

«Lo cattureremo comunque. Sempre che voi non siate pazzo» disse il dottore. Amir sparì dietro la tenda.

«Sedete sulla poltrona. Fate un bel respiro, l'effluvio che

avvertite renderà più nitida la visione.» Un *tac tac* metallico, poi uno sciabordare: Antonio intuì che l'assistente-galeotto stava preparando il bagno di sviluppo.

«Guardate l'obbiettivo! E concentratevi su vostro fratello!» intimò allora il dottor Koch facendo scattare l'otturatore per un tempo che Antonio stimò corretto. Passò poi la lastra impressionata all'assistente e fece strada fino alla porta. «Il marinaio c'è. L'ho visto. Non siete pazzo. L'immagine sarà pronta domani mattina. Pagamento anticipato» disse sulla soglia.

Un paio di minuti dopo, scendendo per vico Casana, Antonio si divertì a immaginare la stampa: al centro, se stesso sulla poltrona, la figura nitida, una morbida variazione dal marrone brunito al rosso violaceo se il galeotto capiva qualcosa di viraggio. Accanto, una figura china a sussurrargli qualcosa all'orecchio. Un'immagine dai contorni indefiniti, evanescenti, vagamente somigliante ad Amir, però senza caffetano e con un paio di zoccoli da marinaio ai piedi. «Bella pensata» disse a se stesso.

Immaginò l'assortimento nell'armadio: crinoline, divise militari, abiti da passeggio, frac e sicuramente lenzuoli da fantasma, catene e teschi come quello sul tavolo dello studio. I capelli lunghi del galeotto avrebbero simulato alla perfezione le chiome disfatte di giovani morte anzitempo. E chissà come se la cavavano, quei due, con i fantasmi bambini. Usavano delle bambole? Bella pensata e bella fregatura: stessa lastra, doppia esposizione. Una figura sottoesposta, incorporea; l'altra, perfetta. Per la prima volta in vita sua aveva sprecato dieci lire, ma l'inventiva del dottor Koch meritava un premio. E poi, in fondo, questo piccolo cialtrone ronzante faceva qualcosa di male? Esaudiva desideri. Al prezzo di dieci lire, chiunque varcasse la soglia dello studio al terzo piano di vico Casana otteneva ciò che voleva. Chiunque tranne lui che, dentro il sacco nero della macchina fotografica, i fantasmi li vedeva veramente.

Se mai aveva avuto la tentazione di rivolgersi a veggenti e chiromanti – nel ventre di Genova numerosi quanto le puttane –; se mai si era immaginato le mani unite a catena sul panno spesso di un tavolino traballante; se mai gli era venuto il capriccio di evocarli, i *suoi* morti – il marinaio affogato o Paolino del Borgo di Dentro –, l'impostura del dottor Koch gli tolse ogni voglia.

Restava il problema, e di tanto in tanto, quando una delle visioni lo lasciava sgomento, Antonio sentiva l'impulso di confidarsi con qualcuno. Ma chi? Il preposto era morto l'anno dopo il funerale di Mazzini. Una febbre pituitosa contro la quale tutta la scienza del Pammatone era servita solo a prolungare l'agonia. E comunque: avrebbe avuto il coraggio di chiedergli consiglio? Di parlargli apertamente? "Ricordate il bambino della foto? L'ho visto affogare. No, non in barca: in fotografia." Come avrebbe reagito il preposto? Il padiglione degli alienati era cosa a cui Antonio preferiva non pensare.

Di rivolgersi a un prete non era il caso. C'era il pericolo che evocasse il Maligno, tirasse fuori il Vangelo e tentasse un esorcismo. Una scocciatura inutile, secondo Antonio. Accoltellamenti, ruberie, bambini divorati dalla scrofola e ragazze dalla clorosi: bastava un giro nell'angiporto per accorgersi che il Demonio aveva troppo da fare per perdere tempo a ficcargli nell'occhio pazzo strane visioni.

E c'era madama Carmen, naturalmente. Antonio decise di raccontarle tutto una sera di novembre in cui un acquazzone stupefacente aveva trasformato i vicoli in ruscelli d'acqua grigia e trattenuto in casa i clienti. Mancava poco all'apertura del bordello di prima classe e quello di vico Falamonica aveva un gran bisogno di riparazioni. Dalla sua soffitta, Antonio aveva visto arrivare la burrasca. In un attimo, un buio gelido aveva avvolto la città in un turbine di acqua salmastra e vento. Antonio aveva allora infilato una cerata, era sceso in strada e aveva risalito la corrente fino a raggiungere il casino, tra lampi, tuoni e rovesci violenti come schiaffi.

Il tetto era un disastro, bisognava tappare le falle e sistemare pentole e catini sotto le perdite. Le ragazze strizzavano stracci e facevano su e giù per svuotare secchi in strada.

In un ripostiglio madama Carmen teneva assi da inchiodare alla porta e alle finestre del piano terra. Un lavoraccio, ma c'era pericolo che il torrente d'acqua che dalle colline trascinava a mare fango, escrementi e rottami entrasse dentro, impregnasse i tappeti e rovinasse gli arredi. Antonio si mise di buona lena e sigillò le aperture. Verso sera, il temporale non accennava a diminuire. Rimase per cena. Esauste, spaventate dalla notte di tregenda che le aspettava, le ragazze andarono a letto presto. Al tavolo della cucina rimasero solo in due. Non capitava mai, in quel gran ballo che era la vita di madama Carmen, e Antonio si mise a giocherellare con il bordo della tovaglia.

«Latte?» chiese la donna.

«Non sono mica malato.»

Lei rispose con una scrollata di spalle. Riempì un pentolino, lo appoggiò sul piano della stufa, tirò fuori una bottiglia di cognac, ne versò un dito in un paio di tazze, completò con il latte caldo e gliene passò una. «Bevi, acciughetta. Poi sbrigati a dirmi quello che mi devi dire.»

Un boato squassò i vetri. L'universo batteva la grancassa alla perspicacia stregonesca di quella donna. Antonio si sentì scoperto e reagì piccato. «Perché pensate che vi debba dire qualcosa?»

«Ti do cinque minuti. Il tempo di finire il latte. Poi vado a dormire.»

Antonio le raccontò ogni cosa, dall'inizio e per bene, con tutti i dettagli, le onde che avevano inghiottito il bambino del Pammatone, la febbre che aveva portato via Paolino e anche il pus, le croste e le farneticazioni che, nella sua visione, avrebbero segnato la fine di Famagosta. «Dov'è sparita? Lavora per qualcun altro?»

C'era poca luce, la lampada a petrolio illuminava appena i volti e le mani sulle tazze.

«È morta due mesi fa» rispose madama Carmen.

Antonio rimase in silenzio. La pioggia sparava i suoi proiettili contro le persiane.

«È morta come hai detto tu.» Sussurrava, bisbigliava. «Si

chiamava Maria Giovanna.» Teneva gli occhi bassi, non sembrava lei. Madama Carmen, la madama Carmen che Antonio conosceva, era tutta carne e sangue. Poi, di colpo, ritrovò il piglio consueto: «Il latte è finito. Piove troppo per uscire. Cercati un divano. Buona notte».

Antonio la trattenne stringendole una mano. «Che devo fare?» Fuori, una sarabanda infernale.

«Senti me» rispose lei restituendo la stretta. Poi, però, non disse nulla. Alla luce tremolante i suoi occhi sembravano bottoni. Gli lasciò la mano, la intrecciò all'altra, si passò i palmi sul viso, emerse di nuovo. «La morte non esiste» disse.

«Non dite assurdità. E poi io la vedo!».

«Finché sei vivo, sei vivo. È una maledizione sufficiente.»

In quell'attimo, un lampo squarciò il cielo nero. La cucina brillò d'una luce fredda. Forse era un effetto del temporale, oppure era il suo occhio pazzo, ma in quel momento Antonio la vide nuda, e più che nuda. La pelle segnata da innumerevoli macchioline chiare e scure, le ossa sottili della cassa toracica e dentro i polmoni che si aprivano e chiudevano come fiori, e il cuore molle e palpitante. Una dolcezza, una morbidezza che Antonio non avrebbe immaginato. Vide la parte soffice e segreta, che ogni mattina il mestiere riveste di marmo e metallo, e solo a tratti affiora baluginando, visibile solo a chi sa guardare oltre, dentro le ossessioni di madama Carmen, la smania per il mare, il lutto pervicace. E intorno alle membra non più giovani, al ventre rilassato, scintillava un contorno di luce viva, come un velo da sposa, un guscio trasparente di energia purissima. Sarebbe stato un attimo allungare una mano e penetrarvi e toccarla lì, dov'era più tenera e indifesa, dov'era Rosetta e basta, Rosetta bambina, Rosetta che pascola le capre, Rosetta che impara a leggere compitando parole d'amore.

La stanza ripiombò nell'oscurità. Al lampo seguì un altro boato. Sopra, una delle ragazze lanciò un urlo. La visione era scomparsa, madama Carmen era di nuovo lei, carne, sangue e soldi. Antonio sentì di aver mancato l'attimo. Che se solo... che se avesse... forse Rosetta bambina avrebbe potuto svelare il gran mistero della morte che lui, solo lui vedeva. Ma di Rosetta bambina non c'era traccia nella placida sagoma scura che, imboccato il corridoio, ondeggiava i suoi veli neri e lo salutava con la mano ripetendo: «Non ci pensare, dammi retta, non ci pensare».

A chi altri chiedere consiglio? Alessandro Pavia mandava cartoline da New York, New Jersey, New England, New Orleans. "Qui è tutto *new*" scriveva. "Raccogli i tuoi stracci e vieni in America."

Scriveva anche Primo Leone da Borgo di Dentro. Diceva di aver imparato a leggere la musica, a distinguere un flauto da un ottavino, a suonare il clarinetto. Di giorno lavorava nelle vigne del marchese, di notte usciva in cerca di tartufi. Con il ricavato si era comprato un volume di spartiti rilegato in cuoio marocchino. Arie, marcette, soprattutto ballabili. Aveva una morosa. "Scendo a Genova e ci vediamo" prometteva. "Scendo a Genova e ci mangiamo i ricci crudi" e non scendeva mai.

E quando finalmente Primo Leone si presentò nella soffitta di Antonio per mano alla morosa diventata moglie; e quando Antonio lo vide, uomo fatto, affacciarsi sull'altana e misurarla a grandi passi, gesticolando e dicendo: «Qui, proprio qui, la facciamo qui la foto, con il cielo intorno»; e quando lei rispose: «Ma... così?» abbassando gli occhi e arrossendo di vergogna; e quando Primo le poggiò la mano sul colmo del ventre e rispose «Certo! Così, così! Che la pancia si veda bene! Dài Antonio, scatta!»; l'unica cosa che Antonio ebbe cuore di fare fu legarsi stretta la benda sull'occhio pazzo e scattare. E al diavolo il suo dono, al diavolo la sua maledizione: quel giorno era un giorno di gioia.

Insomma, non aveva nessuno con cui confidarsi. E quella che gli premeva dentro non era confessione da affidarsi a una lettera. Troppo alto il rischio di malintesi. Alessandro Pavia avrebbe scritto a madama Carmen chiedendole di tenere sotto controllo il ragazzo. E se Primo Leone si nutriva di magia – il mistero della notte, l'incanto degli ottoni, il prodigio dell'amore – era pronto ad affrontare quella nera?

«La magia è una virtù» aveva detto una volta il padrone. Antonio ci ripensava ogni volta che il suo occhio pazzo vedeva l'invisibile. Ma la sua è davvero una virtù? A cosa serve? A chi? E perché proprio lui? Domande da spaccarsi la testa. Con il tempo, Antonio Casagrande imparò allora ad accettare le sue visioni come ci si rassegna a una gamba più corta: un danno che non impedisce il passo. E un passo dietro l'altro si era ritrovato, otto anni dopo il funerale di Giuseppe Mazzini, nel fastoso salone di lady Violet, vezzeggiato come l'unico figlio maschio in una famiglia di femmine.

Lo imboccavano, lo accarezzavano, lo canzonavano affettuose. Succedeva spesso in vico Falamonica. Cibo e calore una volta alla settimana, giorno di chiusura e di posa. *Famiglia*, per l'orfano del Pammatone, che di famiglia non sapeva nulla, non la delizia, non la tortura. Anche per questo, dopo lo scatto collettivo, Antonio Casagrande indugiò. Non riusciva a lasciare il divano e il ginocchio dell'abissina. Guardava la vecchia macchina da piede. "Questa sera di giugno non è perduta" pensava. Sarebbero rimasti lì per sempre, inchiodati al divano, alla pelle d'ambra della ragazza, allo splendore procace delle altre, al mezzo sorriso di madama Carmen, fiera. Fermare il tempo è la piccola, momentanea consolazione di chi sa maneggiare nitrato d'argento e carta albuminata. E nessun tempo è speso meglio di quello che serve a misurare l'apertura dell'otturatore. Così ragionava. Ogni scatto, un miracolo. Un argine alla rovina. Un insulto alla Morte. Nientemeno. Per questo la Bastarda gli si mostrava? Perché lui osava sfidarla?

«Si sta seccando.» Madama Carmen aveva imparato che il collodio umido non aspetta. Lo fissava con aria di rimprovero, il dito puntato come al solito. Ma lei non era più lei, Antonio doveva accettarlo. Madama Carmen non c'era più. Il bordello di vico Falamonica non c'era più. Arredi al rigattiere e chiavi al padrone dello stabile. Antonio aveva collaborato a smantellare tutto.

Si alzò di malavoglia. Si diresse alla macchina per fare il suo mestiere. Era o non era il fotografo ufficiale della ditta?

E adesso che le ragazze si andavano ricomponendo, adesso che per l'ultima volta si apprestava a sviluppare una lastra con i loro corpi nudi e accoglienti e la festa si spegneva come una candela alla fine, della fine Antonio avvertì tutto il peso.

«Ciucca triste?» gli domandò poi madama Carmen accompagnandolo alla porta. E ancora: «Guarda che giacca, sembri un vagabondo».

Antonio lasciava correre lo sguardo sul pomolo d'ottone, sull'intarsio di legno pregiato, sui grappoli del glicine pronto a sfiorire.

«E tagliati la barba. E comprati una camicia nuova.»

Genova, sotto, era un ricamo di luci.

«Qui non c'è posto per me, madama Carmen» rispose spingendo i pugni nelle tasche dei calzoni. Non gli riusciva proprio di chiamarla lady Violet.

Dal nero del mare saliva aria di sale e gelsomino. La donna si strinse nello scialle. «Acciughetta» disse. Antonio le vide un luccicore tra le ciglia. «Qui per te è gratis. E adesso, di grazia, togliti dai coglioni.»

E quel che il fotografo Antonio Casagrande pensava finito per sempre, sorprendentemente, gloriosamente ripartì. Come già in vico Falamonica, saliva dalle ragazze nei lunedì di chiusura e cenavano insieme. Se capitava che facesse mattina con una di loro, sulla soglia madama Carmen lo metteva alle strette: «Ti sarai mica innamorato?». I pugni sempre in fondo alle tasche, la giacca sempre un po' logora, Antonio si allontanava scuotendo il capo.

«L'amore è una fregatura» gli urlava dietro. E ogni volta gli intimava di comprarsi un paio di scarpe nuove o un cappello decente. E di tagliarsi la barba, cazzo.

«O almeno uno specchio. Non vedi che sta diventando bianca?» aggiunse dodici anni dopo, ottobre 1892, accompagnandolo alla porta dopo una nottata in compagnia di una rossa che in quelle settimane stava facendo perdere la testa a un capo di Stato e a un paio di armatori. Era una bella mattina luminosa e madama Carmen indossava un abito color perla che le assecondava la figura. I capelli erano raccolti in uno chignon sale e pepe impreziosito da uno spillone. Non dimostrava i suoi sessantadue anni.

«Avete smesso il lutto» disse Antonio.

«Invecchiare è una merda. Taglia immediatamente quella cazzo di barba patriottica. L'Italia, bella o brutta, ormai è fatta.»

In quei giorni, la città impazziva per la grande Esposizione dedicata a Cristoforo Colombo. Quattrocento anni prima, volta la prua a occidente, l'ammiraglio genovese aveva rischiato la pelle, la reputazione e due milioni di maravedì d'oro investiti dalla Corona di Spagna e dal Banco di San Giorgio per raggiungere via mare Cipango e il Catai. Beffando, se il colpo fosse riuscito, mercanti veneziani e gabellieri turchi. Ma i calcoli erano sbagliati, il Giappone non stava dove avrebbe dovuto stare e dei tetti d'oro raccontati da Marco Polo non c'era traccia. Invece di oro, argento, diamanti, pepe, cannella, noce moscata e chiodi di garofano, Colombo era tornato a Siviglia portando sette indigeni e qualche pappagallo. Era comunque andata alla grande, considerando quel che l'impresa aveva fruttato a banchieri e mercanti europei nei quattro secoli successivi. A Genova, il mondo intero festeggiava l'azzardo.

Illusionisti e giocolieri improvvisavano i loro spettacolini tra i padiglioni allestiti nella spianata del torrente Bisagno. Ventiduemila metri quadri, duemilanovecentosessantadue espositori, trecentocinquantamila lire stanziate dal comune, più i proventi della lotteria colombiana, più i contributi degli investitori privati. Oltre mezzo milione di spettatori paganti per le sfilate storiche, le rappresentazioni teatrali, le montagne russe, i gelati napoletani, la birreria svizzera, il labirinto degli specchi, la fontana luminosa, l'acquario con i palombari, la ferrovia funicolare, l'ascensore idraulico, la Galleria del Lavoro e l'infinita serie di congressi: di Diritto Marittimo, delle Scienze Sociali, degli Storici, degli Insegnanti di ginnastica, degli Educatori dei Sordomuti, dei Maestri Primari, dei Ragionieri. E poi la palestra della Società Ginnastica Ligure, le regate a vela, a vapore e a remi, i tornei internazionali di scherma, tiro a segno, le gare di tiro al piccione, trotto, galoppo. E poi il caffè-concerto Eldorado, i padiglioni Erhart e Florin, il pallone frenato, il ristorante a forma di uovo battezzato, appunto, "Uovo di Colombo": tremila metri di tela e ventisei di altezza, quattro piani e sedici finestre. Un'esperienza unica.

Per questo accorrevano a Genova da mezzo mondo. Dignitari rumeni, delegazioni tedesche, lord inglesi, militari sudamericani. Lady Violet aveva dovuto assumere nuove ragazze, con turni doppi e triplo il sabato. Perfino le Loro Maestà Umberto I e Margherita di Savoia erano sbarcati con il panfilo reale scortato dalle corazzate *Andrea Doria*, *Duilio* e *Lepanto*. In rada, avevano passato in rassegna le venticinque navi militari provenienti da paesi vicini e lontani, dalla Francia al Giappone, dalla Grecia all'Argentina. Avevano visitato gli stabilimenti, i cantieri navali, gli asili, i collegi, il Pammatone.

«Apri gli occhi, acciughetta. C'è bella gente in giro. Guardati intorno. Prendi esempio» insisteva madama Carmen schermandosi gli occhi al sole già alto.

Guardarsi intorno? Antonio non faceva altro. Lavorava come non mai. Finito il tempo delle ingombranti macchine da piede, delle carte da visita, del sacco nero e delle camere oscure portatili, per fare buone foto ora bastava dotarsi di un apparecchio come il velocigrafo Laverne, l'Alpiniste Enjalbert con il suo caricatore da dodici pose, il Detective Nadar, la Kodak n. 1 o il kinegrafo Français, una camerina a mano che Antonio aveva acquistato l'anno prima. Pesava pochissimo, si appoggiava al petto anziché al treppiede, si regolava la messa a fuoco grazie a un mirino posto in alto, si faceva scattare l'otturatore e in un tempo infinitesimo la luce disegnava l'immagine su lastre di vetro trattate con gelatina ai sali d'argento. E queste si acquistavano già pronte. Una gran comodità, altro che collodio umido. Anche se, di tanto in tanto, Antonio pensava al passato con una punta di nostalgia: l'arte di miscelare i componenti, il rito, l'attesa, la misura, la manualità. Adesso bastava infilare la lastra nell'alloggiamento e scattare. Tutti quelli che potevano permettersi un arnese simile a quello che lui portava al collo si definivano "fotografi". "Illusi" pensava allora. Che ne sapevano di come lavora la luce? Di quanto sia necessario blandirla e difficile catturarla? Né conoscevano il potere del Tempo e i mille chiaroscuri che la pazienza regala a chi sa aspettare. Ignari, si aggiravano pronti ad arraffare immagini come bambini ingordi. Un'abbuffata. Che fine avrebbe fatto lo stupore? L'incantesimo che spalanca gli occhi di meraviglia? Tutta la faccenda adesso si riduceva a un quarantesimo di secondo. Anche meno, con la corretta esposizione. Istantanee si chiamavano, ed era un portento che solo chi aveva superato il lungo apprendistato del collodio umido poteva percepire.

A ogni modo, madama Carmen aveva ragione e con l'Esposizione in corso lui non aveva tempo da perdere in oziose rammemorazioni. Tra i padiglioni il lavoro non mancava. Famigliole in gita, granduomini desiderosi di immortalare il momento, espositori decisi a farsi pubblicità, tipi bizzarri, oggetti curiosi. Stampe che si sarebbero poi vendute bene.

«E trovati una moglie.»

«Una moglie?» Antonio era sbalordito.

«Una moglie.»

«L'amore non era una fregatura?»

«E chi parla d'amore. Hai trentasette anni, un mestiere in tasca e dei peli bianchi sulla faccia. Presto ti spunteranno dal naso e dalle orecchie. Che aspetti?»

Non c'era una risposta. Certi nascono già mariti, padri, nonni. Lui, no. Con sgomento comprese che la ripartenza di tanti anni prima, davanti a quella stessa porta, sotto lo stesso glicine divenuto nel frattempo nodoso come un pugno, non era un nuovo inizio, ma un arresto.

«Io, finito il can can dell'Esposizione, chiudo bottega e mi sposo. Sei il primo a saperlo, acciughetta.»

«Voi.»

«Io.»

«Perché?»

«Ne ho abbastanza di lavorare. E porto una bella dote» rispose madama Carmen accennando al palazzo, al bordello, alle ragazze. «Il gran mondo è pieno di vedovi. Ci sarà la fila.»

Quella sera Antonio fece a piedi la strada fino alla soffitta che dava sul porto. Non dubitava che madama Carmen sarebbe riuscita nell'intento. Incuneato tra i nuovi palazzi spuntati ai margini del centro, l'ammattonato scendeva a mare ora ripido ora a gradoni, costringendolo a variare il passo. "La vita corre" pensava. Madama Carmen si sposa, le ragazze troveranno un altro bordello, Alessandro Pavia scrive che presto tornerà. Primo Leone suona il clarinetto nella banda di Borgo di Dentro. All'occorrenza, anche il sassofono o la grancassa. La morosa diventata moglie diventata madre gli ha dato tre figli. Li hanno chiamati Anita, Giuseppe Garibaldi e Nino Bixio. I nomi li ha scelti il nonno, Domenico, ma i figli li ha fatti Primo. La vita degli altri corre.

Decise allora di dar retta a madama Carmen. Si fece confezionare un paio di vestiti da un sarto di Carignano. Si rivolse a un barbiere del centro per barba e capelli. In un attimo, un inserviente spazzò via quel che ogni mattina allo specchio gli rammentava il padrone. Lo sbrego a forma di L, uno dei capolavori di Michele Casagrande, sbiadito dal tempo, non si vedeva quasi. Elegante e profumato, si mise a caccia di una legittima consorte.

Si presentò in quei giorni nello studio una sarta di Albaro, una farfallina tutta occhi. Desiderava una foto per i genitori lasciati al paese natale due anni prima, e che tanto le mancavano. «Potete farmi bella grassa?» domandò spalancando gli occhioni sul bric-à-brac della soffitta. «Per farli contenti» aggiunse asciugando una lacrima col ditino guantato.

Sembrava la figurina di un album da ritaglio, pronta a sgualcirsi al primo tocco. Antonio le porse un portacipria, una manciata di ovatta e le indicò un paravento a fantasie cinesi. «C'è uno specchio» aggiunse.

La sartina capì al volo e dal paravento sortì con le guance arrossate dal belletto e l'abito di cotone écru che tirava sui seni e sui fianchi. In foto, avrebbe fatto un figurone, una *Bella Rosin*, un soprano del Carlo Felice.

Antonio si offrì di consegnarle la stampa a casa e poi fece ciò che gli pareva necessario in questi casi: le porse il braccio nel passeggio domenicale, la accompagnò ai baracconi dell'Esposizione, le offrì bibite zuccherate, cioccolatini e bambole vinte al tiro a segno, le fece recapitare mazzi di rose e scatole di dolciumi. Dopo cinque settimane e un consistente numero di regali, la sartina non aveva ancora smesso di nominare continuamente mamma e papà, né aveva ancora smesso di immalinconirsi nominando mamma e papà. Ma il peggio era che non si era ancora lasciata dare un bacetto. Antonio decise che, a insistere, sarebbe stata una vita d'inferno.

Corteggiò allora una maestra. Era alta, snella, atletica, energica. Conosceva l'anatomia, la fisiologia, l'igiene. Non portava il busto perché sosteneva che la colonna vertebrale, costretta dalle stecche, avrebbe perso elasticità. Ogni mattina si alzava all'alba e a passo di marcia faceva il lungomare avanti e indietro fino alla prima campanella. Dopo la scuola, frequentava la società di ginnastica, sollevava manubri, saltava la corda, affrontava la trave, il volteggio, il quadro svedese. Tirava con l'arco. Scalava le montagne. Il suo cruccio più grande era che le donne non potessero entrare nel Club Alpino Italiano. Il suo sogno era montare su un velocipede. Faceva l'amore come un ginnasta in pedana, misurando il gesto, lo slancio, il respiro. Tre mesi così, e, senza rimpianti, Antonio, esausto, la lasciò tra le braccia di un ufficiale inglese sbarcato qualche settimana prima, che alla società di ginnastica andava propagandando con cieca devozione un nuovo gioco con la palla chiamato *football*.

Fu poi la volta di una lavandaia con il vizio di rubare la biancheria dei clienti. Seguì una bellissima sigaraia, che si rivelò troppo incline a condividere le sue grazie con i colleghi della Manifattura Tabacchi; poi una ricamatrice, isterica, e la figlia di un rinomato confettiere, pasticcera lei pure, golosissima, e non solo di bonbon. Funzionò a meraviglia finché lei non gli propose un incontro a tre con la sorella gemella. Non che Antonio non avesse esperienza, frequentando il bordello di madama Carmen da quando aveva sedici anni. Ma la raddoppiata voracità lo persuase a rivolgersi altrove. Nel frattempo madama Carmen scriveva da Parigi e Montecarlo, cartoline senza firma che ogni volta lo lasciavano di stucco:

Marchese, castello (piccolo, umido), topi come in vico Falamonica, gli puzza l'alito.

oppure

Banchiere (dice lui), pazzo per la roulette, scoreggione.

e tre mesi dopo:

Magistrato, belloccio, beve solo acqua, tirchio da rabbrividire di vergogna.

Poi, all'improvviso, un cartoncino adorno di fiocchi e angioletti. Una certa Madame Rosa Bernard Morel sposava un diplomatico con tre cognomi. A mano libera, madama Carmen aveva aggiunto una nota: «*Et tois*, acciughetta?».

Aveva imparato anche il francese. Diavolo d'una donna. La notizia delle nozze lo mise in subbuglio. Forse lui era troppo esigente, forse la lavandaia, una volta sposata, avrebbe smesso di rubare la biancheria. Forse la ricamatrice isterica si sarebbe calmata. Forse con la pasticcera avrebbe funzionato. Una vita mandorle, panna e pompini. Ma più ci pensava e meno sapeva risolversi: per l'orfano del Pammatone, "famiglia" era parola straordinariamente seria.

La buona notizia era che, mentre Antonio Casagrande cercava moglie, Alessandro Pavia era tornato in Italia. Il padrone non aveva più nulla da temere. Perché dar la caccia ai repubblicani? Poliziotti e carabinieri avevano altre preoccupazioni. Mazzini era morto, Garibaldi anche, persino il poeta repubblicano Giosuè Carducci scriveva odi alla regina. La minaccia per l'ordine costituito germogliava altrove: la muffa socialista attecchiva nelle fabbriche, il morbo comunista allignava nei sobborghi popolari, i bombaroli anarchici battevano le bettole e i dopolavoro. «Lotta di classe! Rivoluzione!» tuonavano da palchetti improvvisati alle feste di paese. E poi Pavia andava per i settanta, sarebbe stato difficile scambiarlo per un cospiratore in attività.

La cattiva notizia era che il padrone aveva scelto di stabilirsi a Milano. "Il mondo è qui" scriveva.

«Il mondo e una sorella vedova» commentò madama Carmen da Parigi. Trascorreva i pomeriggi intrattenendo nel suo salotto mogli di alti papaveri oppure sbocconcellando *tarte tatin* e *macaron* al tavolino di *confiseries* tutte specchi. A Genova, il bordello di lady Violet era diventato un signorile condominio abitato da sobri funzionari della Regia Prefettura e casti professori di liceo. Ma la donna, ricca com'era di segreti imbarazzanti, corrispondeva con mezza città e non mancava di fargli avere notizie. "Vuole la serva in casa, acciughetta. La serva *e* la casa. Invecchiando, il tuo padrone s'è fatto furbo."

In effetti Pavia aveva avviato una bottega in una zona centrale di Milano, proprio sotto l'abitazione della sorella, al 129 di corso di porta Romana. Clienti a frotte, affari a gonfie vele, celebrità: così raccontava all'ex assistente. Poi le lettere si erano diradate. In risposta alle sue puntuali relazioni sulle signorine genovesi e sugli ultimi ritrovati della tecnica fotografica, Antonio aveva ricevuto un breve messaggio, un paio di cartoline e infine un biglietto:

Saluti affettuosi da Milano.

Niente maiuscole roboanti, punti esclamativi o svolazzi che urlassero al mondo il consueto magnificat del padrone. Grafia secca. Cortesia ziesca. Che fine aveva fatto il fotografo dei Mille?

Perplesso, Antonio aveva ripiegato il biglietto, aggiun-

118

to sul risvolto un "che ne pensate?" e spedito il tutto a Madame Rosa Bernard Morel, rue de Grenelles 7, Paris. "Alza il culo, acciughetta" era stata la fulminea risposta via telegramma. Antonio aveva messo l'occorrente per qualche giorno di vacanza in una piccola valigia di cuoio ed era partito. Era l'inizio di aprile del 1896. La Stazione Centrale di Milano lo accolse in un trapestio puzzolente. Antonio attraversò la piazza antistante, chiese indicazioni, raggiunse gli archi di poi un viale con portoni ornati, caffè sfavillanti e hotel di lusso, fino al portico del teatro alla Scala. Abituato al gomitolo di vicoli, tutto gli sembrava straordinariamente grande. Imboccò la galleria Vittorio Emanuele con il naso all'aria, ammaliato dalla stupefacente struttura di vetro e ferro, dall'oro, dagli stucchi, e sbucò in piazza Duomo. Gli parve una piazza d'armi. L'enorme facciata di pietra lavorata, la chiostra dei palazzi, l'infilata di portici, la statua equestre di Vittorio Emanuele, le palme: impossibile stringere tutto in un colpo di sguardo.

La bottega del padrone non aveva però la grandiosità che Alessandro Pavia era andato costruendo lettera dopo lettera, e che Antonio Casagrande, nella soffitta che dava sul porto, si figurava. Al 129 di corso di porta Romana, su un'insegna di legno mangiata dall'umidità, si leggeva a stento:

ALESSANDRO PAVIA
FOTOGRAFO DEI MILLE
LEZIONI PER PRINCIPIANTI A PREZZI MITI
LASTRE, ALBUM, OTTURATORI, CARTONAGGI, ASSAGGI
E ANALISI CHIMICHE

Una sola vetrina. Sporca, buia, ingombra di oggetti polverosi. In un angolo, una pila di fascicoli ingialliti, le pagine con gli angoli grinzi.

«Si può?» domandò Antonio spingendo la porta d'ingresso. Un pendaglio diffuse un suono metallico. Fece due passi all'interno e ripeté ancora, a voce più alta: «Si può?». La bottega era in penombra. Odorava di chiuso e medicinale.

Avvertì un rumore, come se ci fosse qualcuno nella camera accanto. Rimase in attesa ma non accadde nulla. Cominciò allora a guardarsi intorno.

Era una stanza più piccola di quel che da fuori si poteva immaginare. Un tavolo ingombro di ritagli e legnetti occupava una delle pareti. Tre ordini di scansie correvano lungo il perimetro. C'erano lastre, libri, boccette, stampe ingiallite di Garibaldi a cavallo, Mazzini pensieroso, Vittorio Emanuele a mezzobusto. La tromba del padrone. Individuò anche una macchina per carte da visita in equilibrio su un treppiede. La capote esibiva un vistoso rammendo.

Di nuovo un cigolio, come di mobilia smossa.

«Disturbo?» disse Antonio.

Nessuna risposta.

«Cerco il titolare.»

Le campane suonarono il mezzogiorno. Che il padrone fosse fuori per il pranzo? E chi c'era nella stanza accanto? Un assistente? Antonio non era persuaso. Aveva l'impressione che nessun cliente avesse messo piede lì dentro da molto tempo. Mentre ragionava sulle implicazioni, la porta d'ingresso si aprì tintinnando. Entrò una donna sulla sessantina, aveva in mano un piatto coperto da un altro piatto. Con la mano libera, diede un giro di chiave chiudendo la porta dall'interno. Quando si accorse di lui, si tirò indietro e il piatto oscillò lasciando filtrare del brodo.

«Cerco il signor Pavia» disse Antonio togliendosi il cappello.

La donna fermò il liquido con un dito, che portò alle labbra squadrando il visitatore. Valutò i guanti, l'abito, il soprabito, la valigia di cuoio. Antonio si vide allora con gli occhi di lei, vestita di lanetta, grembiule, scialle e pantofole, e all'improvviso si sentì a disagio. D'istinto, la mano corse al mento, cercando la barba che, anni prima, seguendo gli ammonimenti di madama Carmen-lady Violet, aveva tagliato. Si era trasformato in un borghese? Una copia del subentrante? Chissà se il padrone l'avrebbe riconosciuto.

«La bottega è chiusa» disse la donna, la faccia dura, la

mano di nuovo sul piatto che faceva da coperchio. «Mio fratello non sta bene, non può lavorare e non può pagarvi.»

Antonio scoprì allora di aver l'aria di un creditore. «Non voglio soldi. Vengo da Genova. Sono stato suo assistente» si affrettò a dire.

La donna rilassò di un niente il volto. Si avvicinò al tavolo, appoggiò il piatto, da un cassetto tirò fuori un cucchiaio, un tovagliolo e uno strofinaccio che stese sul piano, la minestra al centro. «Aspettate qui» disse.

Scomparve dietro una porticina che, nell'oscurità, Antonio non aveva visto. La sentì parlare, discutere, alzare la voce.

«Non vuole vedervi» disse rientrando.

Antonio era confuso. «Ho fatto il viaggio apposta» rispose.

«È molto malato» aggiunse la donna. Da qualche parte aveva tirato fuori un bicchiere e un fiasco. «Adesso devo dargli da mangiare e non ho molto tempo.»

«Forse non ha capito chi sono.»

«Sa chi siete. Qualche settimana fa mi ha chiesto di scrivervi e l'ho fatto.»

«Ma non vuole vedermi.»

«Ve l'ho detto, è malato.»

«Magari torno più tardi.»

«Non vuole vedervi, signor Casagrande.»

"Questa donna si sbaglia" pensò Antonio. È stanca, vecchia, povera e si sbaglia. Probabilmente il padrone non ha capito. Il padrone l'ha salvato dal Pammatone. Il padrone gli ha insegnato a leggere e scrivere. Gli ha messo in mano la sua prima lastra dicendo: «Tocca a te». Questa donna si sbaglia di sicuro. «Aspetterò» rispose Antonio.

«Non vuole incontrarvi.»

«Deve esserci un malinteso.»

«Nessun malinteso.»

«Impossibile.»

«Devo chiedervi di andarvene.» Aveva la faccia lunga e la voce di chi ha finito le parole.

Antonio ricominciò a guardarsi intorno. Sotto un velo di polvere, fogli di carta albuminata incartapecorivano da chissà quanto tempo. L'inchiostro sull'etichetta dei sali da sviluppo era slavato. Una *Barba del Generale Garibaldi dopo la battaglia di Bezzecca* – un ciuffo di peli stinti – seccava sotto vetro. «Insisto» disse Antonio posando a terra la valigia. Non sarebbe tornato a Genova così, senza vederlo, senza parlargli. La donna sedette al tavolo. Antonio pensò a un soldato sfiancato. «Devo dargli da mangiare. La zuppa si fredda e io non posso perdere tempo. Se mi fermo, qui non si mangia più» disse.

«Faccio io» disse Antonio. Tolse il soprabito, cercò un gancio a cui appenderlo e scoperchiò la pietanza. In una broda color terra nuotavano fili di pasta e qualche fagiolo. Afferrò il piatto, intinse il cucchiaio e si avviò verso la porta dietro la quale doveva esserci il padrone. La donna appoggiò i gomiti sul piano e si prese la fronte tra le mani.

Nello stanzino, Antonio faticò ad abituarsi all'oscurità. Il tanfo era più forte, evidentemente il padrone aveva smesso di lavarsi.

«Vi ho portato da mangiare» disse a nessuno. Poi lo vide. Era seduto su una poltrona, una coperta spessa sulle ginocchia, neanche fosse inverno. La barba scendeva rigida e sozza a nascondere quel che era rimasto del ventre. Non il pianeta intorno a cui l'universo orbitava un tempo, ma un sacco vuoto appeso all'arco delle costole. I capelli erano radi, lunghi, schiacciati sulla fronte. Accesi come fiaccole, gli occhi erano pieni di spavento e la paura sembrava mangiargli tutta la faccia, la bocca aperta, il labbro inferiore pendulo sulle gengive nude. Il fetore pungeva la gola. Antonio trattenne il respiro. «Si fredda» disse poi.

C'era uno sgabello in un angolo. Lo avvicinò al bracciolo della poltrona, sedette, tirò su una cucchiaiata di minestra e gliela porse. Il padrone chiuse di scatto gli occhi. «Vattene» biascicò.

«Si fredda» ripeté Antonio. Passò un lungo istante con il boccone a mezz'aria. Poi il padrone schiuse le labbra e le strinse intorno al cucchiaio. Una bava si perse nell'intrico della barba. Il padrone tentò di fermare il rivolo, ma la mano tremava. Antonio cercò un fazzoletto in tasca e lo asciugò. Così faceva al Pammatone quando lo incaricavano di badare a qualcuno nella corsia degli incurabili. «Buona?» domandò. Il padrone non rispose. Una lacrima scendeva dall'occhio destro. Antonio asciugò anche quella e poi riprese a imboccarlo. «Torno per cena» disse quando il piatto fu vuoto e le bave asciugate.

Trovò una stanza nei dintorni, si accordò per i pasti e si ripresentò a sera, e poi la mattina successiva, e così per i quattordici giorni che durò l'agonia.

Al piano superiore, la sorella cuciva in casa per le famiglie della zona. Ogni mattina scendeva, arieggiava tenendo la porta spalancata sulla via e svuotava il pitale. Passava uno straccetto umido sulla faccia e le mani del fratello. Cucinava per lui e Antonio lo imboccava.

Un paio di giorni dopo essere arrivato, l'ex assistente si procurò una tinozza, la riempì di acqua tiepida, spogliò il padrone e gli fece il bagno. Gli accorciò poi la barba e i capelli, lo profumò con acqua di Colonia e lo rivestì di biancheria nuova. Il padrone continuò a non dire una parola.

Di tanto in tanto si affacciava alla bottega anche una nipote. Buttava la testa dentro lo stanzino dove il malato sonnecchiava. Sulla poltrona. Perché la brandina nell'angolo, diceva la sorella, gli chiudeva i polmoni. La giovane tentava un saluto, lasciava mele schiacciate con lo zucchero o purea di castagne lesse e se ne andava alla svelta. Si presentava anche qualche creditore. Se si trattava di poca cosa, il conto del fornaio o del verduriere, Antonio pagava di tasca propria.

Quando non si occupava del padrone, si prendeva cura della bottega. La sorella lasciava fare. Lui spolverava, strofinava, sciacquava e gettava quel che era inservibile. Riconobbe il baule dentro il quale il padrone conservava le lastre negative dei Mille. C'erano tutte e qualcuna in più. In un cassetto, trovò l'astuccio di velluto turchino che il re aveva fatto recapitare al "Fotografo dei Mille" nella bettola di Borgo San Frediano. Vuoto, l'imbottitura di seta con l'impronta della spilla di brillanti. Su una scansia trovò anche il registro che il padrone aveva utilizzato lavorando al progetto. "Album modello", lo chiamava. Era diventato enorme, traboccante di fogli, ritagli, inserti incollati e ripiegati all'interno. Per ogni garibaldino, erano annotati nome, cognome, professione, quando e dove era stata scattata la foto, ma anche matrimoni, figli, malattie, lutti. La vita intera, a lapis nei margini, così come il padrone era andato ricostruendola negli anni. E schizzi a carboncino, se mancava la foto, e biglietti e cartoline, e persino immagini di maschere mortuarie e in qualche caso necrologi. Uno campeggiava sulla prima pagina, lontano dal defunto a cui si riferiva: "Un funerale senza emblemi di religione, in terra vergine, dove non ci sia pericolo di capitare appresso a qualche gesuita ivi prima sepolto". Antonio immaginava il padrone alle prese con forbici e colla e lo considerò un testamento.

Accanto all'immagine di Domenico Leone in camicia rossa le annotazioni del padrone s'infittivano, segno che, come Antonio, aveva mantenuto una corrispondenza regolare:

Primo Leone (figlio) sposa Angela Maria Bruni - maggio 1879.
Anita Leone (nipote) nata a Borgo di Dentro - giugno 1880.
Giuseppe Garibaldi Leone (nipote) nato a Borgo di Dentro - settembre 1882.
Nino Bixio Leone (nipote) nato a Borgo di Dentro - novembre 1883.

Altre pagine erano piene di appunti. Un carrettiere con sette figli. Un macellaio morto di polmonite a trent'anni. Un giornalista che si era fatto un nome nel commercio dei cavalli.

Al tocco, la sorella si presentava col piatto coperto e lo sorprendeva a studiare quella mappa di esistenze. «Oggi patate lesse» sbottava allora imperiosa, come dicesse: "Occupatevi di cose più importanti!".

Antonio sollevava gli occhi come uno che viene da un altro tempo e un altro luogo. Poi tornava a studiare le bizzarrie del destino. Nozze e disgrazie, battesimi e fatalità: non era facile sottrarsi all'incantesimo di tanta vita.

In un fascicolo a parte, il padrone aveva raccolto ritagli di giornali del 1880, il ventennale dell'impresa dei Mille, e del 1885, un quarto di secolo, insieme alle brutte copie delle lettere inviate a sindaci e bibliotecari per proporre l'acquisto dell'Album. *Approssimandosi il trentennale... Fiducioso che la presente... 460 lire... prezzo mitissimo... comoda sottoscrizione mensile...* A sfogliarle, Antonio provava la vertigine di chi si affaccia a un precipizio e non riesce a staccarsene.

«Lì c'è la stufa!» diceva allora la sorella, rabbiosa, accennando ai fogli. Sbatteva la porta e tornava di sopra a ripassare orli e rivoltare cappotti.

Era questo lo sbaglio del padrone? Continuare a credere agli eroi? Guardare il mondo con la fiducia dei vent'anni? Rifiutarsi di crescere? Era questa la colpa che lo inchiodava, vecchio, solo, malato e con i creditori al collo, alla poltrona scassata in un retrobottega?

Dell'America il padrone scriveva meraviglie. Di Milano raccontava meraviglie. Lettere che erano fuochi d'artificio, esplosioni di vitalità, capolavori di ottimismo. L'Album modello tra le mani, Antonio indovinò tutto quello che Alessandro Pavia aveva taciuto: l'attesa del portalettere, la delusione, la passione che si fa ossessione, le occhiate amare della donna, le male parole, i debiti, i debiti, i debiti. Da perderci il conto. La cena di acqua sporca e bucce di patata. La spilla al monte di pietà (Antonio stringeva gli occhi pensando a quel momento). E sempre il padrone chino sull'Album, ogni giorno, tutti i giorni. Il baule con le lastre negative che si portava appresso per mezzo mondo, e il mondo che non capisce e corre altrove. L'ossessione che si fa malattia. E questo mentre la gente – la *sua* gente – muore. Nel migliore dei casi, diventa pietra, come Mazzini. O statua equestre, come Garibaldi. Ma tutti gli altri? I suoi mille caffettieri, contadini, contabili, sterratori, marinai, giornalisti e macellai? I suoi *eroi*? Morti anche loro. Perfino Sua Maestà Vittorio Emanuele gli era toccato rimpiangere, al repubblicano Alessandro Pavia. Per non parlare del crepacuore che doveva avergli dato il garibaldino Francesco Crispi che, da primo ministro, mandava l'esercito contro i braccianti. E che importanza aveva, allora, la rivoluzione della gelatina ai sali d'argento o lo strabiliante tempo di posa della Kodak n. 1, quando il mondo, il *suo* mondo, era andato in malora? "Stronzo" pensava Antonio. "Vecchio stronzo illuso." Nei lunghi pomeriggi di silenzio, ogni tanto si alzava dal tavolo, faceva due passi per la bottega, l'Album aperto su una paginata di santini. Gli ricordavano i san Cristoforo che gli allungava padre Lampo. Vite trafitte da un momento di grandezza come insetti da uno spillo. Vedeva il padrone consumarsi gli occhi mentre, nel gran fluire del tempo, la grandezza scivolava via, granello luccicante perduto nella sabbia, nel fango. E lui che si macerava nel ricordo e si affannava a sistemare fotografie. Neanche fossero parenti, cugini, fratelli. Chi spenderebbe quattrocentosessanta lire per comprare l'album di famiglia di un altro?

"Stupido stronzo fallito."

Oppure: "Dovevi chiedermi aiuto".

Oppure: "Dovevi scrivermi la verità".

Erano pensieri inutili e dolorosi. Non c'era bisogno di ficcare l'occhio pazzo dentro il mirino di un modernissimo kinegrafo Français per capire che il padrone stava morendo. Il padrone che non chiedeva aiuto, che rifiutava di andare all'ospedale, di lasciare la bottega, le lastre dei Mille, l'Album modello, la poltrona scassata. Il padrone che non gli aveva chiesto aiuto perché non credeva di aver bisogno di aiuto. Il mondo, semmai: il mondo aveva preso una brutta china, secondo il padrone. Il padrone che gli aveva scritto la verità: la *sua* verità.

"Non dovevi farmi questo, non a me."

Momenti così. Poi Antonio si affacciava oltre la porticina e lo guardava. Il respiro grosso, il capo reclinato, il labbro pendulo. Gli sistemava un cuscino sotto la nuca e la coperta sulle ginocchia. Gli scaldava le mani.

«Almeno parlami» sussurrava. Ma Pavia non diceva niente. Forse non sentiva, la malattia galoppava. Forse faceva finta.

Milano, sabato 7 maggio 1898

Maggio, e Milano toglie il fiato. Due anni che Antonio Casagrande prova la medesima sensazione affrontando il selciato di via San Tomaso. Ferro, vetro, gomma, carbone, petrolio, elettricità, velocità. Impossibile abituarsi, o perlomeno lui non ci è ancora riuscito da quando ha preso casa al civico 6, sopra la bottega di tabacchi e coloniali che oggi è chiusa. Stranamente chiusa.

Vive al secondo piano, nel grande appartamento della vedova Cantù, una donna senza figli che va per i settanta e che, con una modica spesa, provvede lui e altri quattro pigionanti maschi dell'indispensabile: bucato una volta alla settimana; colazione di caffellatte e una fetta di pane; cena di brodo lungo, frittata di due uova e mela cotta. Per il pranzo, la vedova Cantù si attiene a una consolidata routine: nella misura di un piatto a testa, lunedì i pigionanti mangiano riso; martedì, pasta; mercoledì, riso; giovedì, gnocchi; venerdì, pesce; sabato, riso; domenica, arrosto o lesso di manzo con contorno. I pigionanti sono poi liberi di integrare la dieta con salami, formaggi o dessert che sarebbe scortese non condividere con la vedova Cantù e la domestica Marietta. In casa, non sono ammesse donne. La stiratura si paga a parte, un tanto al pezzo. La biancheria da letto viene cambiata ogni quindici giorni, quella da bagno una volta la settimana. Eccezione per il signor fotografo, con un piccolo sovrapprezzo, l'uso di ben due stanze: una camera con letto a una piazza, comodino, armadio a due ante, brocca e catino, e uno sgabuzzino con un'unica finestrella oscurata da una tenda rossa.

Maggio, e il cielo di Milano è uno specchio. La luce inonda i marciapiedi, i portoni, le finestre, le placche ottonate dei campanelli. Il mese più dolce. L'estate nell'aria. Con tutta questa luce, Antonio quasi s'illude che, girato l'angolo in via Dante, Milano diventi Genova e lo accolga sfolgorando nell'azzurro. Bentornato, vagabondo! Dove sei stato tutto questo tempo?

Supera la bottega di un profumiere, chiusa, una rivendita di alimentari, chiusa, un caffè con le sedie rivoltate sui tavolini. I riflessi sulle vetrine sono spilli di malinconia. Il mese più crudele: negli occhi la sagoma squadrata del Castello Sforzesco ma niente discesa a mare, qui, niente calzoni arrotolati e piedi nell'acqua e far tardi sui moli, nello scintillio delle onde, nella luce lunga, estenuata di un tramonto che non muore. Perché Milano corre. Anche se oggi sembra tutto fermo. I commessi non fanno su e giù, né si vedono impiegati con la borsa sottobraccio. "Un sabato che sembra domenica" pensa Antonio puntando verso largo Cairoli. Il rumore viene di lì.

Manca un mese al suo compleanno. Quarantatré. Ha smesso di contarli perché qui il tempo ha un altro passo e comunque non saprebbe con chi festeggiare. La vedova Cantù non è il tipo, gli altri quattro pigionanti – un contabile, un ingegnere del Genio civile, un impiegato delle assicurazioni e un funzionario delle Regie poste, celibi come lui – si fermano giusto per mangiare. E alla svelta, ché Milano vola. Le rotaie incidono le strade, i tram filano, le locomotive a vapore avanzano sbuffando. Basta riprenderne una, di muso, su una pellicola di celluloide alta 35 millimetri, e in sala il brivido è assicurato. Milano è un treno lanciato contro gli spettatori. Una città fatta apposta per la piccola Jumelle Sigriste che Antonio Casagrande porta al collo. Dodici lastre formato 9×12, progettata per fotografare i cavalli al galoppo. Tempi di posa strabilianti. Anche un millesimo di secondo, con la luce giusta. Per esempio, la luce di Milano a maggio.

Si era stabilito dalla vedova Cantù dopo la morte di Alessandro Pavia. All'inizio solo per qualche giorno, il tempo di organizzare esequie in terra vergine e senza preti. Poi aveva smantellato la bottega del padrone per tacitare i creditori. Aveva tenuto per sé solo la tromba e l'astuccio di velluto turchino. I giorni erano diventati settimane. «Interessa una partita di carta albuminata?» «Stampe patriottiche?» «Lastre in ottimo stato?» I fotografi a cui si rivolgeva, professionisti o grandi studi, capivano che ne capiva e da cosa nasce cosa.

Cominciarono a passargli del lavoro. Un ritratto, una veduta, un'immagine per i disegnatori al servizio dei periodici. Cronaca, soprattutto. Il fanciullo eroicamente tratto in salvo dal Naviglio, l'inaugurazione di un nuovo stabilimento, la vedette di passaggio, l'apparizione in città di un'altezza reale. I disegnatori lavorano di fantasia e mestiere ma vogliono dettagli che solo i fotografi catturano: quanti cavalli ha la carrozza del re, quante balze ha la mise del soprano, che forma ha la turbina che muove centinaia di telai meccanici.

Il mondo è qui, aveva ragione Pavia. E ogni mattina centinaia di giornalisti si svegliano pronti a raccontarlo. Antonio ha l'impressione che qualcuno lo spinga a due mani sussurrandogli "corri, corri". A qualsiasi ora, anche all'alba e al tramonto, anche senza luce. Basta una manciata di polvere di magnesio, clorato di potassa e solfuro di antimonio, basta uno stoppino di cotone fulminante e un pizzico di coraggio. Un lampo e via, scattare, sviluppare, stampare, consegnare. Le rotative ingoiano chilometri di carta, pressano, inchiostrano, colorano e tagliano a misura migliaia di copie all'ora. E non sempre i disegnatori tengono il passo. E poi l'ennesima diavoleria tecnica ha fatto il miracolo e i giornali milanesi si vanno riempiendo di vere fotografie. Genova, al confronto, è una bestia sonnolenta che, nel buio dei vicoli, nel taglio di luce tra gli spigoli, nei marmi policromi, nel puzzo di pesce e di piscio, smaltisce come un'indigestione lo splendore del passato.

In prossimità di largo Cairoli, il rumore è diventato un *ran ran* metallico. Un passante frettoloso taglia in due la carreggiata tenendosi il cappello contro il vento di nord-est, quello grigio delle ciminiere di Ponte Seveso. Ma questa mattina non c'è fumo, e anche questo è strano. Dicono che è arrivato l'ordine di chiusura delle fabbriche. Un tram a cavalli gonfia l'aria con l'incedere pesante degli animali e il loro afrore pungente. Antonio cerca l'inquadratura. Devono risultare riconoscibili il profilo di Garibaldi in sella e la pensilina in vetro e ferro del caffè-concerto Eden. Se riesce a farci stare anche il Castello Sforzesco, meglio. Gli abbonati del "Corriere" non vogliono informazioni generiche, pretendono di riconoscere i luoghi.

Dalla posizione che ha scelto, il problema sono i cannoni. In stampa, risulterebbero lunghe macchie scure poco leggibili. Antonio si sposta allora di una decina di passi in modo da inquadrare di lato sia le grandi ruote che gli affusti orientati ad altezza d'uomo. Il bronzo risplende disegnando piccole ombre sulla sommità delle bocche da fuoco. Stringe tra le mani la camerina, regola la messa a fuoco, spera di riuscire a coglierle. Immagina già la didascalia:

Sbarramento in cima a via Dante. Piazza Duomo è al sicuro.

Attende il momento giusto: che gli artiglieri siano immobili come soldatini di piombo, che il tram sia passato, che il gruppo di donne in fondo alla strada infili la cantonata e sparisca alla vista. A quel punto, scatta. Milano istantanea. Al *clac* dell'otturatore, ha l'impressione che la città ricominci a muoversi.

Il *ran ran* aumenta d'intensità, poi affievolisce. D'istinto, Antonio si volta verso la sorgente del rumore, qualche strada più a sud, vicino al Duomo. Imbocca ancora via Dante, le botteghe adesso sono tutte sprangate, e serrate le persiane ai mezzanini e ai piani alti. Tre uomini in abiti da lavoro procedono in fila indiana, rasente i muri. Un bambino con una bottiglia di vetro fra le mani è seduto a gambe incrociate davanti alla porta sbarrata della latteria presso la quale i pigionanti della vedova Cantù hanno il conto aperto. Antonio supera la cartoleria, chiusa, dove vendono ottima carta da stampa a grana fine. All'incrocio con via Meravigli, il *ran ran* è più forte. Antonio si blocca, sente le dita umide contro le pareti di legno e cuoio della camerina, poi affronta deciso la strada. C'è più gente e il flusso risale in senso contrario al suo. Uomini, donne coi figli per mano si affrettano verso il Duomo. Un parrucchiere mette gli scuri alla vetrina. Un tram scompiglia i passanti, qualcuno sale al volo. Il *ran ran* adesso è martellante. La gente accelera, corre. Antonio si rifugia sotto un voltone, resiste alla tentazione di fotografare il fuggi-fuggi, è certo che la Jumelle Sigriste sia adatta, ma all'abbonato del "Corriere" non interessa il fuggi-fuggi, interessa la causa.

Non c'è molto da aspettare. Il *ran ran* cresce, cresce, è un crepitare ritmato di tacchi sul selciato, di baionette inastate, un martellare di giberne sui fianchi. Al passaggio, Antonio registra ogni dettaglio; lo sventolio dei vessilli, le uose bianchissime sul grigio scuro del fustagno, il nero lampeggiare dei sottogola. Non saprebbe dire se si tratta di un battaglione, un reggimento, una brigata, una divisione. Non ha esperienza, il Regio esercito ha fatto a meno del suo occhio cieco. Gli sembrano tantissimi, e muti. Il *ran ran* è un vento meccanico che li avvolge e li spinge avanti. Trattiene il fiato. Lo scatto da quella posizione – un rischio, considerando la scarsa luminosità del portico – sarebbe solo un groviglio di mani, cinghie, bottoni, fucili. L'inquadratura di spalle, dopo il passaggio, non è granché.

Si rimette in marcia. Via Mercanti è un mare di gente. "Se le fabbriche fossero aperte, non sarebbero qui" pensa Antonio. In piazza Cordusio, si muove tra capannelli vocianti. Dicono che piazza Duomo è bloccata, che non si passa, neanche un verduriere con il carretto, neanche una lavandaia con la biancheria da consegnare, nessuno. Raggiunge il cantiere del nuovissimo palazzo delle Assicurazioni Generali, approfitta dell'impalcatura e guadagna almeno un metro.

Dall'alto, la piazza sembra una pentola che sobbolle.

Pericolosi assembramenti in centro.

Immaginare didascalie lo aiuta a concentrarsi. Scatta, ma non è soddisfatto. La foto non rende lo spaesamento. Che cosa aspettano tutti? Sembrano a disagio, fuori posto. A quest'ora, abituati a essere altrove. A lavorare. Oppure a correre da un capo all'altro della città per raggiungere in fretta l'ufficio, la fabbrica.

Scende al volo e infila via Orefici. Strada stretta, a paragone con via Dante. Pattume, fango, puttane. Gente ovunque. A decine premono in direzione Duomo, nervosi, spintonandosi. Il *ran ran* arriva a folate e ammutolisce tutti. Antonio sale in piedi su una panca di pietra. Da quella posizione la camerina inquadra a metà la gran mole del Duomo. La madonnina luccica a sinistra, al limite dell'inquadratura. Sotto, una selva di cappelli, berretti e fazzoletti.

Via Orefici: la folla preme per raggiungere piazza Duomo.

Cerca l'angolatura giusta, finché nel mirino vede una coppia di donne con un copricapo da infermiera. Una mora con i capelli raccolti nella cuffia e una bionda con una lunga treccia che le taglia in due la schiena. Indossano entrambe un soprabito scuro sopra il camice, che spunta sotto l'orlo e spicca sul grigio uniforme delle giacche. Scatta. Gli restano nove pose prima di rientrare, sviluppare e raggiungere la redazione del "Corriere". Porterà con sé le immagini raccolte ieri nel tardo pomeriggio, prima degli arresti in galleria Vittorio Emanuele: i bersaglieri sulla scalinata della cattedrale, i manipoli dislocati in piazza Duomo, la cavalleria ai piedi della statua di Vittorio Emanuele (una bella composizione con il plumbeo destriero rampante), gli abbeveratoi improvvisati, i fanti buttati sui sacconi, sotto i portici, in attesa del rancio. Foto un po' scure, vista l'ora, ma abbastanza impressionanti per gli abbonati del "Corriere" abituati a godersi la piazza dai tavolini del caffè Campari.

Le due infermiere si spingono avanti, s'incuneano di spalle nel gruppetto che sbarra loro la strada, la mora davanti, subito dietro la bionda. In cima al Duomo, la madonnina scintilla. Antonio scatta ancora.

Infermiere cercano di raggiungere l'Ospedale Maggiore.

Oppure, più drammatica:

Tentano di aprirsi un varco. Arriveranno in tempo?

Il *ran ran* si avvicina ancora una volta. Per un fotografo, in quella confusione di corpi, le donne in bianco e nero sono un vero colpo di fortuna. Antonio si sporge in modo che risultino al centro dell'immagine. Nonostante gli sforzi, le due non riescono a superare il blocco. Dicono che i soldati hanno formato file compatte. Dicono che minacciano con la baionetta. Il *ran ran* è sempre più vicino. In quel momento la bionda si volta. «Così, da brava, voltati ancora un po'» dice tra sé Antonio.

Infermiera si fa largo tra la folla.

Ha tutto il tempo di inquadrarla e regolare la messa a fuoco.

Immobile nella calca, la bionda ruota intorno lo sguardo, il volto teso, le labbra serrate, il *ran ran* che mette i brividi. È molto bella, così seria, sembra una santa medievale, il bianco della cuffietta come un'aureola che illumina il caos. Antonio è pronto a scattare.

Forse questa volta la sua foto avrà un destino diverso. Verrà affidata a un disegnatore importante, che ne trarrà uno schizzo memorabile. E l'incisore lavorerà con cura, misurerà la pressione sul bulino, non sprecherà tanta perfezione. E sarà una stampa grande, chissà, magari a tutta pagina. E forse non va bene per il "Corriere", meglio una di quelle riviste piene di immagini, "L'illustrazione italiana" per esempio. Anche se, una volta sul giornale, non ritroverà la vivacità del viraggio all'oro, i mezzitoni dal violetto al porpora al vinaccia che sempre ottiene miscelando sali metallici e solventi. Così va il mondo, pensa. La bellezza, la setosità di certe sfumature sono perdute per sempre. Smette di fantasticare quando lo sguardo di lei incrocia l'obiettivo. Succede tutto in un attimo.

L'infermiera bionda lo vede vacillare. D'impulso si volta ma alle sue spalle non c'è niente che possa aver spaventato questo tizio allampanato con un trabiccolo al collo, solo un muro di schiene che impedisce il passo. Lo vede scendere dalla panca di pietra, sedersi, respirare.

Antonio ha le dita così sudate che teme di perdere la presa sulla camerina. Asciuga le mani sulle falde della giacca, prima una e poi l'altra. Lei pensa che l'uomo abbia avuto un capogiro ma che si stia riprendendo, e così ricomincia a cercare uno spiraglio nella calca.

Antonio intanto sbatte gli occhi, non riesce a scacciare quello che ha visto in un fuori fuoco pulsante quando nel mirino la bionda ha incrociato il suo occhio pazzo: braccia, gambe, la bocca nera della galleria Vittorio Emanuele, visceri sul selciato, la facciata enorme, spaventosa del Duomo, il cavallo rampante di Vittorio Emanuele, plumbeo, e bestemmie. Odore di balistite. Minestra di cavolo. E sangue, sangue a fiotti. Sulla treccia, sulla guancia, sulla cuffietta candida.

Il *ran ran* si allontana. Il vociare, intorno, non cala. Antonio alza di nuovo lo sguardo. Le infermiere si sono spostate un po' più a destra. La mora fa strada. Via Orefici è una muraglia ma probabilmente ha trovato un passaggio. La vede prendere per mano la bionda, trascinarla avanti, forse supereranno lo sbarramento. Da lì, manca niente a piazza Duomo.

«No» urla Antonio in silenzio, poi si alza di scatto. Deve fermarle.

Undici anni prima il Parlamento aveva approvato un pesante dazio sul grano proveniente dall'estero. In un lampo, i proprietari terrieri italiani si ritrovarono con i magazzini vuoti e le tasche stracolme. Navi cariche di granaglie fecero di Genova la maggior piazza di importazione. L'erario incassò milioni. In undici anni, non meno di trecentosessantacinque, in gran parte utilizzati per finanziare l'esercito, occupare militarmente l'Eritrea e addestrare i contingenti annientati dagli etiopi ad Amba Alagi e Adua. Per molti italiani, la fame era nel frattempo diventata il primo pensiero la mattina e l'ultimo nel prender sonno.

L'emigrazione era aumentata, fino a raddoppiare nel 1896. *Annus horribilis*: la siccità persistente e le gelate della primavera successiva bruciarono un terzo del raccolto. Il prezzo del pane s'impennò. All'inizio del 1898, in Meridione, contadini allo stremo assaltarono i casotti daziari e i depositi di frumento. Tre mesi dopo, l'importazione di cereali dall'America segnò il passo per lo scoppio delle ostilità tra Stati Uniti e Spagna. Le scorte diminuirono rapidamente, gli speculatori ne facevano incetta. Il pane arrivò alla stratosferica cifra di quarantacinque, anche cinquanta, perfino sessanta centesimi al chilo. A Milano, un'operaia Pirelli per undici ore di lavoro guadagnava ottanta centesimi. Una lira le più esperte, ossia due pagnotte da tre quarti. La giornata di un bracciante siciliano non valeva più dei sessanta centesimi necessari a portare in tavola un pane da chilo. Senza companatico.

Le proteste scoppiarono come mortaretti, nelle campagne lombarde, a Faenza, Napoli, Bari, Foggia, Molfetta. Forni e mulini vennero saccheggiati, uffici comunali dati alle fiamme. Il 30 aprile il ministro della Guerra invitò i comandanti dei corpi d'armata a usare la massima energia nella repressione. Il governo agì senza indugio: il 3 maggio autorizzò i ministri interessati a proclamare, ove necessario, lo stato d'assedio; il 4 maggio sospese temporaneamente il dazio sul grano (ma non sul mais) e richiamò alle armi, con effetto immediato, la classe 1873. Venerdì 6 maggio ventitré province erano ufficialmente sotto il comando dei militari.

A Milano, il tenente generale Fiorenzo Bava Beccaris, piemontese, sessantasette anni, comandante del Terzo corpo d'armata, poteva contare su duemila uomini di fanteria, seicento di cavalleria e trecento artiglieri a cavallo. Fin dal 30 aprile aveva chiesto ai responsabili dei presidi lombardi di sedare sul nascere eventuali tumulti.

Il 4 maggio il comandante del presidio di Milano, tenente generale conte Luchino del Majno, aveva ordinato che quattrocento uomini di truppa restassero a disposizione dalle diciannove in poi, cioè dall'uscita degli operai dalle fabbriche.

Nella notte del 5 maggio era circolata la notizia di imminenti disordini. Majno aveva allertato quattro battaglioni di fanteria e quattro squadroni di cavalleria. Bava Beccaris aveva richiamato in città il 5° Reggimento Alpini, comunicando poi agli ufficiali che i soldati avrebbero avuto cartucce a pallottola e che, al comando dato, la truppa avrebbe fatto fuoco.

L'alba di venerdì 6 maggio è un'alba qualsiasi. Intorno alle sette, nella zona di Ponte Seveso, riprendono regolarmente l'attività le fabbriche Grondona, Stigler, Vago, Elvetica e Pirelli. Solo in quest'ultima lavorano milleduecento operai, milletrecento operaie e circa duecento tra impiegati e segretarie. Producono valvole, pneumatici per le biciclette, palloni, tessuti impermeabili, rivestimenti per cavi sottomarini. Alla mezza, la campana del pranzo riversa in strada centinaia di persone. Il secondo battaglione del 57° Fanteria staziona nei pressi. I lavoratori hanno un'ora di tempo. Mangiano all'aperto, sulle panchine, sotto i lampioni. Due giovani distribuiscono volantini socialisti. I fogli spiegano le cause del rincaro del pane. La polizia interviene e li arresta. Gli operai protestano. Alla campana delle 13.30, la maggior parte rientra in fabbrica, mentre alcuni rimangono in strada a contestare. Non solo operai, anche disoccupati. Uno degli attivisti viene rilasciato, l'altro resta in carcere.

La dimostrazione si rafforza all'uscita dalle fabbriche, intorno alle diciotto. Il deputato socialista Filippo Turati parla alla folla. «Non è il momento, sono preparati per sterminarci, dobbiamo scegliere noi il giorno della Rivoluzione» dice. Viene fischiato. Un gruppo di manifestanti incrocia una pattuglia di poliziotti. Scoppia un tafferuglio. Le guardie ripiegano nella vicina sezione della questura. I rivoltosi tirano sassi alle finestre. I questurini escono con le armi in pugno e sparano a bruciapelo. Il secondo battaglione del 57° Fanteria abbandona la postazione davanti alla Pirelli, raggiunge i manifestanti e fa fuoco. Muoiono due operai e una guardia, uccisa dalla pallottola di un commilitone. I feriti gravi sono quattordici. È solo l'inizio.

«Signorina!»

Antonio afferra la bionda per un braccio. Da come lei sgrana gli occhi, si rende conto di avere un'espressione stravolta. «Mi ascolti» aggiunge lasciandola andare e abbassando il tono di voce. La collega si è sfilata dalla muraglia di schiene e ha affiancato la ragazza. Intorno, la folla rumoreggia. Da qualche parte oltre lo sbarramento ancora il *ran ran* metallico. «Per favore» dice lui.

Le due infermiere sono perplesse. A parte l'occhio cieco, il tizio con la macchina fotografica al collo non ha niente di strano. Non puzza, è pulito e vestito decentemente. Ma, con il lavoro che fanno, di matti ne vedono tanti. Sanno che la follia si manifesta là dove non te lo aspetti e che nei giorni di buriana le menti fragili perdono il controllo. La bionda riconosce l'uomo che in piedi sulla panca di pietra ha cercato di riprenderla. «Si sente bene?» domanda.

«Dovete andarvene!» incalza lui. È pallidissimo.

«È meglio se si siede. Venga, cerchiamo un posto tranquillo» prosegue la bionda. Adesso è lei ad afferrarlo per un braccio. Per Antonio è come una scossa elettrica, si divincola, gira intorno alle due frapponendosi tra loro e la piazza.

«Non capite!» dice. Si porta una mano alla tempia. La testa comincia a fargli male.

«Senta» interviene la mora. «Grazie per l'interessamento ma è molto tardi.» È più grande, deve aver passato la trentina. «Dovremmo già essere all'Ospedale Maggiore.» La bionda – una ragazza al confronto – annuisce a ogni parola. Allarga la falda del soprabito sul bianco del camice. Porta una spilla sul bavero a forma di serpente intorno a un bastone. «Levatrici diplomate, vede?» aggiunge. «I soldati ci proteggeranno.»

«I soldati ti ammazzeranno» risponde Antonio guardandola fisso. L'occhio cieco comincia a lacrimargli. Sarà la foga del momento, sarà la balistite nell'aria. Se lo asciuga furiosamente con il polsino della camicia. Sembra davvero pazzo.

La mora stringe le labbra in una smorfia. Poi fa un cenno alla compagna. «Il signore ha ragione a preoccuparsi, è una brutta giornata» dice. La osserva con intenzione, come capita talvolta durante un parto complicato, quando bisogna tranquillizzare la gestante con qualche pietosa menzogna. «Adesso torniamo a casa e ci chiudiamo dentro.»

La bionda sta al gioco. Guarda la collega, guarda lo sbarramento, guarda Antonio e dice: «Va bene». Poi volta le spalle e si avvia in direzione del Castello Sforzesco. La mora china il capo in segno di saluto e la segue.

Antonio le vede allontanarsi. Ha il cuore in gola. Qualcosa gli dice che è stato troppo facile. Non si sente lucido, i pensieri si accavallano come onde in tempesta, ha ancora addosso lo spavento della morte. «Dove abitate?» urla.

Le due si voltano e fanno un cenno con la mano. Continuano a farsi strada nel fiume di gente.

Una scarica di fucileria, in lontananza, ha l'effetto di una folata gelida. Le persone intorno a lui si bloccano stringendosi nelle spalle. Qualcuno comincia a vociare. Il *ran ran* va e viene. Lui ha sempre il cuore in subbuglio. La panca di pietra dove era salito in piedi è occupata da una donna con tre figli. Ai loro piedi, due ceste di biancheria. Ha bisogno di calmarsi, asciugare la fronte, passare il fazzoletto sul collo. Che il suo occhio pazzo, per la prima volta, serva a qualcosa? Che abbia salvato la giovane levatrice da morte certa? "E che morte" pensa. Gli viene da ridere, è una cosa di nervi. Le cuffiette bianche scompaiono e riappaiono tra la folla. Una seconda scarica, chissà dove. Antonio non le perde di vista. Ha l'impressione che ogni tanto le due donne si voltino a controllare se lui è sempre lì, se le sta seguendo con gli occhi. Allora alza una mano per rassicurarle. Poi, d'un tratto, non ci sono più. Si solleva in punta di piedi. Dove sono finite? Ha un brutto presentimento. Che abbiano tolto le cuffiette? Che vogliano ingannarlo? Che non abbiano rinunciato a passare di qui? Stupide! "Non possono essere lontane" pensa. Si mette in marcia in direzione del Castello, una mano sulla camerina e lo sguardo che percorre via Orefici per tutta la larghezza. «Non di qui, non di qui» ripete tra sé.

La notte precedente, quella tra venerdì 6 e sabato 7 maggio, tra perquisizioni, ferri ai polsi e squadroni in manovra, in qualche modo era passata. All'alba, mentre il profumo di caffè svegliava Antonio Casagrande e gli altri quattro pigionanti della vedova Cantù, gli operai milanesi non presero servizio al tornio, alla pressa, al tavolo da lavoro. I cancelli delle fabbriche erano sbarrati. Chi l'aveva deciso? I padroni? Il prefetto? La polizia? I militari? Fatto sta che centinaia, migliaia di persone si ritrovarono per strada tra Ponte Seveso, porta Venezia, porta Garibaldi e porta Tenaglia. A piedi, meno di un'ora da piazza Duomo, cuore della città.

Si guardavano l'un l'altro. Stesse facce, stessi stracci. Dopo lo sconcerto, montava la rabbia. Che fare? Di tornare a casa non se ne parlava, troppa energia nell'aria. Meglio allora quello che stavano facendo altri, con le stesse facce e gli stessi stracci, in tutte le ventitré province sotto il comando dei militari: protestare.

Il tempo di organizzarsi e furono le dieci. In file da otto, occupavano tutta la strada. Direzione Duomo. Pugni levati. Cori. Le sigaraie aprivano il corteo tenendosi a braccetto. Pa-ne. Pa-ne. Pa-ne.

Alle 10.30, un dispaccio avvertì il generale Bava Beccaris che il governo gli conferiva pieni poteri. Intanto, in attesa di comunicazione ufficiale, che ristabilisse l'ordine.

Il generale fece quello che fanno i generali: convocò lo stato maggiore intorno a una mappa di Milano. «I rivoltosi sono qui, qui e qui» gli dicevano schiacciando l'indice guantato sulla carta. «Hanno costruito barricate qui, qui e qui.» Barricate per modo di dire. Travi, scale, carriole, panche. Un'inezia, per la cavalleria. Un contrattempo, per la fanteria. E nessun presidio. Né armi, solo sassi e tegole. «Neanche fossimo ancora nel '48, ah ah ah.» Ridevano come ridono i giovani. «Neanche ci fossero ancora gli austriaci, cazzo!» Giovani e gradassi.

Il generale invece ebbe un brivido. Non per la licenza sulla bocca di un subordinato, gli piaceva quando i soldati facevano i soldati. Era quel cenno agli austriaci. Ultimamente gli capitava. Una parola lo scaraventava nel passato, a quando aveva quattordici anni per esempio, a Torino, all'Accademia militare. Poi a ventiquattro, in Crimea, luogotenente di artiglieria. Poi a ventotto, seconda guerra d'Indipendenza, battaglia di San Martino, trombe, sangue, merda di cavallo e medaglia al valore. E poi a trentacinque, terza guerra d'Indipendenza, con il grado di maggiore. Decorato a Custoza, per Dio! Deglutì. Se vacillò, fu cosa impercettibile, un rullare di tamburo che avvertì solo lui. La vecchiaia che affrettava il passo, *bum bum bum*, si avvicinava, lo assediava, pronta a strappargli le medaglie dal petto.

«Signori, contegno!» sbottò allora battendo il pugno sul tavolo. Poi scacciò la malinconia e si concentrò sulla carta. Disegnò una linea immaginaria intorno al Duomo. «Concentrare e difendere» ordinò, stentoreo. Con il dito indicò una serie di raggi che dal centro si aprivano a ventaglio e raggiungevano le porte dove gli operai stavano protestando. «Manovrare e occupare» aggiunse piantando gli occhi in quelli dei subordinati, uno dopo l'altro, a raffica. «Con ogni mezzo» concluse.

A mezzogiorno, la nomina ufficiale a Regio Commissario era sul suo tavolo. Il generale richiese al presidio di Como un battaglione e altri due squadroni. A cavallo raggiunse il Duomo. Passò in rassegna le truppe. Era soddisfatto, i suoi ordini erano stati eseguiti a puntino, piazza Duomo era finalmente quel che aveva sperato: una grande caserma. Di civili, neanche l'ombra. Ben fatto. Anche se qualche reparto tardava a presentarsi. «Cause di forza maggiore» sussurrava l'ufficiale d'ordinanza. Le barricate erette poco distante, a un centinaio di metri, rallentavano le operazioni.

Ma non le impedivano, pensò il generale.

Le due levatrici continuano a voltàrsi indietro. Del fotografo nessuna traccia. Togliersi le cuffie è stata un'ottima idea, sono libere di muoversi senza l'impaccio di quel pazzo. Alla prima svolta, hanno lasciato via Orefici e adesso si muovono in una ragnatela di viuzze. Tutto più tranquillo, poca gente per strada, difficile immaginare che gli squadroni si spingano nei crocicchi.

Le due pensano di raggiungere l'Ospedale Maggiore evitando la piazza. Di corsa attraversano via Torino, lo stradone che sbocca in Duomo, ingombro come ci fosse fiera. Raggiungono la piccola via Speronari, poi via Giardino, poi un'altra, sbarrata. Binari divelti, una persiana, un portone senza la maniglia, un cartello pubblicitario che invita a bere un amaro, un carro rovesciato con le ruote all'insù. Non c'è nessuno, il silenzio rotto solo da scariche di fuoco da qualche parte oltre i caseggiati. Uno sparo isolato – un agguato? Un'esecuzione? – le fa impallidire. La mora estrae dalla tasca del soprabito la cuffietta e la indossa, come fosse un elmetto o un amuleto. La bionda fa lo stesso. Provano a scavalcare la montagna di masserizie ma è instabile e scivolano. Provano ad aggirare l'ostacolo, ma le travi sono incastrate. «Non si passa» urla qualcuno dall'alto. Le persiane sono tutte chiuse. Tre piani sopra, sul tetto, due ragazzini hanno radunato una pila di tegole e sono pronti a scagliarle contro i soldati.

Le levatrici tornano indietro e scelgono una strada parallela dove il trambusto di via Torino non arriva. Avvertono la presenza di qualcuno dietro le persiane, decine di occhi che le scrutano. La mora prende per mano la bionda. «Forza» dice. All'improvviso un urlo e un precipitare di passi. Vedono madre e figlio infilarsi alla svelta in un portone. Il selciato è nero di sangue. «Non voglio passare di qui» dice la bionda.

Antonio intanto ha perlustrato via Orefici facendo avanti e indietro. Delle due donne, nessuna traccia. Allora si dà pace, pensa che il suo dovere l'ha fatto, che la bionda è sana e salva, e che lui è qui per fotografare, e che è ora di com- pletare il lavoro. Piazza Duomo sarebbe l'ideale, con tutti quei cavalli e bersaglieri e artiglieri schierati. Peccato che sia inavvicinabile. Anche in via Torino c'è troppa confusione, ri- schia di essere spinto e rovinare la ripresa. S'infila nella via secondaria dove qualcuno ha eretto la barricata che poco prima ha impedito il passo alle donne. Il cartellone pubbli- citario cattura la sua attenzione. Si avvicina fin quasi a toc- carlo. Il nome dell'amaro è scritto a lettere fiammeggianti, ma non si legge per intero, solo le virtù risplendono sul fon- do cinereo – APERITIVO! TONICO! DIGESTIVO! – e Antonio ha l'impressione che d'un tratto, in quel *ran ran* infernale, in quel putiferio di piombo e polvere da sparo, con passo di danza e sguardo sognante calino dal cielo eleganti signo- re in percalle, al braccio di gentiluomini baffuti e impoma- tati. Immagina inchini, scappellamenti, baciamano, giri di valzer, frusciare di seta. E scatta. Se solo una foto ben fatta restituisse l'incanto... Ma no: una volta stampata, l'imma- gine dello sbarramento sarà solo una muraglia in scala di grigi, muta e massiccia.

Per l'esercito nessuno spazio di manovra.

Se invece Antonio si spostasse indietro di una decina di metri e scattasse ancora, la barricata apparirebbe poca cosa.

I rottami non fermano l'avanzare della fanteria.

Il punto di vista è importante. Di nuovo il *ran ran*. Si ac- corge in quel momento di quanto il rumore lo faccia sentire indifeso. Vorrebbe un rifugio, un sotterraneo, una barricata vera, parigina, come al tempo glorioso dei comunardi, come ne *I miserabili*. «Scatta» si dice ad alta voce per darsi corag- gio. «Scatta, santa madonna.» Nel farlo, solleva lo sguardo. In cielo non ci sono belle signore volteggianti, solo ragazzini.

Bambini trovano rifugio sui tetti.

Oppure:

Rivoltosi armati di tegole.

Il punto di vista è tutto. Battono le due. È ora di tornare all'appartamento della vedova Cantù, chiudersi nello sgabuzzino con la tenda rossa e sviluppare. Immagina i cronisti già chini sul pezzo. Il *ran ran* è fortissimo. Gli tornano in mente le due levatrici ed è come risvegliarsi. Le immagina sole, perdute nella città piena di soldati e barricate. "Ancora un giro" pensa, e imbocca via Torino.

In piazza Duomo hanno improvvisato una specie di quartier generale, con gli ufficiali che fanno rapporto all'ombra di un tendone.

«I cortei sono stati sciolti, i ribelli dispersi, gli arresti eseguiti» dicono, ma il vociare disturba la riunione. Viene dall'angolo sudovest, verso via Torino. Il generale non fa mostra di accorgersene. Siamo in guerra o no? S'è mai visto un campo di battaglia silenzioso?

«La cavalleria ha caricato qui, qui e qui.»

Gli ufficiali invece sono infastiditi. Li guarda, se ne accorge. Mancano d'esperienza. Esercitazioni a bizzeffe, certo, ma non guerra vera. Squadroni lanciati ventre a terra. Lame mulinanti tra nugoli di polvere. Drappelli che irrompono a baionette basse. Cannoni. Fucili ad avancarica. Le fiammate delle capsule al fulminato di mercurio. Botti da non sentire più neanche il proprio respiro. Altro che quattro urla sguaiate. E, comunque, chi fa tutto questo chiasso?

«Gente» rispondono. Gente che vorrebbe passare. Non sembrerebbero armati, ma chi può dirlo? «La piazza è ben protetta» assicurano. «I soldati non danno segni di cedimento, generale. Anche se tengono la posizione da ore.»

Battono le due. Il rapporto procede spedito, sono giornate che ogni minuto è prezioso. La fanteria si muove secondo i piani, l'artiglieria è in posizione, il chiasso non accenna a diminuire. «Concentrare e difendere» ripete il generale prima di congedarsi. «E disimpegnare il presidio sud-ovest.» Gli ufficiali si guardano sconcertati. Hanno capito bene? Il presidio sud-ovest è quello che protegge la piazza. Soldati che tengono a bada la folla. Come è possibile smobilitare *adesso*? Il presidio sud-ovest è la prima linea. Via Torino è la prima linea.

«Il rancio, signori. I miei soldati se lo sono guadagnato.»

Come è possibile difendere e *contemporaneamente* smobilitare?

È una domanda muta. «Con ogni mezzo» risponde il generale, poi richiama l'attendente, monta a cavallo, dà un colpo di speroni e si allontana.

Battono le due. Imboccando via Torino la bionda ha un tremito. C'è tantissima gente e le manca il fiato. La compagna la aiuta a sedersi su un gradino. «Respira» dice. La ragazza non ascolta. «Dài, con me, un bel respiro.»

«Non devo mica partorire.» Ride ma è pallida e spaventata.

Antonio le sorprende alle spalle. «Perché non siete a casa?» domanda brusco. Immagina strade sbarrate, deviazioni obbligatorie. «Volete che vi accompagni?»

La bionda si rialza decisa. «Non avete nient'altro di cui occuparvi?» esclama.

«Anna» dice l'altra, ma la ragazza insiste. «Smettetela di importunarci.» Si guarda intorno, in via Torino la ressa aumenta ancora. «Meglio passare da via Orefici. C'era meno confusione» dice alla collega.

«Non ve lo permetto» dice Antonio.

«Non sono affari vostri» risponde la ragazza.

«Anna, calmati» interviene l'altra.

«Anche tu? Il signore ci sta importunando.» Alza improvvisamente la voce: «IL SIGNORE CI STA IMPORTUNANDO!».

Nella confusione, nessuno si accorge del diverbio. L'assembramento ora si allarga ora si stringe. Qualcuno urla: «Largo! Largo!». Due tizi trasportano a braccia un ferito. Il volto è pieno di sangue. Arrabbiata com'è, la ragazza neanche se ne accorge, la mora invece li segue con lo sguardo.

«Signorina, la prego, mi dia retta, vi accompagno a casa» insiste Antonio. Ha il pianto nella voce. Fa l'errore di afferrarle una mano ed è come accendere un cerino. La giovane si libera con uno strattone e gli urla in faccia: «Non mi tocchi!».

«Non posso permetterle di tornare in via Orefici» fa Antonio impedendole il passo. Lei si libera. «Se lei non ci avesse fermato, saremmo già all'ospedale e non in questo... questo...» fa un gesto a indicare la folla, il disordine, il rumore. Poi guarda l'amica e le dice: «Io vado».

La compagna è sconcertata. Sarà la calca, sarà il *ran ran* che la ubriaca, saranno le scariche di fucileria, sarà la faccia devastata del ferito. Ha la sensazione che il fotografo abbia ragione, che sia meglio rientrare a casa, e alla svelta. Solo una sensazione, non abbastanza da convincere l'amica, ma sufficiente a non seguirla.

«Benissimo. Addio» fa la bionda tuffandosi nella folla di via Torino.

Antonio la guarda perdersi tra le schiene, avanzare facendosi largo a gomitate. Sulle prime, si sente più tranquillo. Comunque sia andata, le ha impedito di tornare indietro. L'importante è evitare via Orefici. Lei non lo sa, non lo saprà mai, ma con quest'occhio pazzo le ha salvato la vita. Guarda l'altra levatrice. «Stia tranquilla, alla sua amica non succederà niente. Mi chiamo Antonio Casagrande» dice porgendole la mano.

«Caterina Colombo» risponde lei. La cuffia dell'amica biancheggia là davanti, a un passo dalla piazza. Il vociare della folla adesso sembra l'ansimare di un animale gigantesco. Poi il rumore si spezza in un silenzio improvviso, come se la belva trattenesse il fiato. Antonio cerca un rialzo, sale a guardare che cosa sta succedendo. Sopra le teste vede la spianata di soldati, la statua del re a cavallo, subito dietro la galleria Vittorio Emanuele e a destra la facciata del Duomo. «No, no, no, no» dice. Arriva odore di minestra. La gola gli si chiude. Non riesce neanche a formulare il pensiero. Un boato lo assorda. Difficile distinguere una scarica di fucileria da una salva di cannoni. Afferra Caterina per le spalle. Il muro di schiene che hanno davanti si sgretola, i corpi arretrano, schiacciano, incespicano, cadono. Lui trascina la levatrice al riparo di un portone. Le pallottole fischiano vicinissime, scheggiano le pareti, i calcinacci esplodono in un fragore metallico. Poi, di nuovo, silenzio. Poi lo strazio dei lamenti. Qualunque cosa sia stata, fucili o cannoni, è finita. E Caterina trema. «Andiamo via di qui» le dice.

Lei fa no con la testa. «Voglio vedere.» Antonio l'accompagna allora in piazza Duomo, lei avanti e lui dietro. Incrociano un garzone con la fronte spaccata dal calcio di un fucile, una donna con le mani strette al ventre e il sangue come un nastro rosso sulla gonna, feriti che si trascinano stralunati. Scavalcano i primi corpi.

In piazza, Antonio riconosce tutto: braccia, gambe, visceri. Solo che adesso ogni cosa è perfettamente a fuoco, nitida, tagliente. Come ha fatto a non capirlo? Da via Orefici non si vede la galleria. Non si vede! Quasi non si vede la piazza, da via Orefici! Come ha fatto a non pensarci? Fotografo, e neanche riconosce l'inquadratura! Stringe le dita intorno alla camerina, schiaccia al punto da sentire i polpastrelli doloranti. Perché non ha lasciato andare le due donne per la loro strada? Avrebbero raggiunto l'ospedale, si sarebbero salvate!

Caterina è inginocchiata a terra, china sull'amica. Le sistema la cuffia, le accarezza la guancia impiastrata, le chiude gli occhi, poi china il capo e recita in silenzio una preghiera. Antonio la guarda stravolto. Se solo le avesse lasciate andare. Se solo non le avesse inseguite, costringendole a deviare il percorso. L'occhio cieco pulsa così forte che vorrebbe strapparselo. Se solo avesse fatto attenzione a ciò che davvero aveva visto nel mirino.

Comincia ad aggirarsi tra i corpi. Orecchie strappate, sbudellamenti, cervella. Dalla divisa riconosce un tramviere, un macellaio dal grembiule. Conta. Uno, due, dieci, quindici, poi smette, sono troppi. Un pugno di soldati tiene la posizione a baionetta spianata. Antonio sente i loro sguardi addosso. "Sparatemi" pensa. "Per favore, sparatemi." Gli altri soldati sono in fila per il rancio. L'odore di minestra gli dà il voltastomaco. Caterina l'ha raggiunto, è al suo fianco. «Mi avete salvato» sta dicendo.

Antonio scuote la testa.

«Mi avete salvato» ripete lei.

Il fotografo la guarda, poi guarda lo scempio. Ha un conato di vomito, irresistibile. La donna cerca un fazzoletto in tasca, glielo porge.

«Sono stato io» dice Antonio stringendosi le braccia sul petto. L'occhio pazzo brucia come l'inferno. «L'ho uccisa io.»

Il macello durò tre giorni. Il pomeriggio del sabato ci furono scontri a porta Garibaldi, largo La Foppa, via Palermo. Appostato fra i cespugli dei giardini pubblici di porta Venezia, il 5° Reggimento Alpini sparò a bruciapelo sui dimostranti in fuga. Per agevolare le manovre militari, si ordinò il blocco di tram elettrici e omnibus a cavalli. Manifesti alle cantonate proclamavano ciò che era sotto gli occhi di tutti: la città era in stato d'assedio. Vietati gli assembramenti, vietate le comunicazioni via telegrafo, obbligo di consegna delle armi, coprifuoco. Deferimento al Tribunale militare per i contravventori. Intorno alle ventitré, tutto fu buio e silenzio. I soldati bivaccavano in piazza Duomo.

La mattina seguente, domenica 8 maggio, Milano era una città sbigottita. Strade deserte. Niente quotidiani. Soppressi "Il Secolo", "L'Italia del Popolo", "La lotta di classe" e "L'Osservatore Cattolico". Perquisite le redazioni, incarcerati i giornalisti. Arrestati anche i deputati socialisti e repubblicani presenti in città. I ladri approfittarono per sfondare le vetrine e riempirsi le tasche di cianfrusaglie. I soldati fecero irruzione nelle abitazioni, cercavano volantini, rivoltelle, teste calde. I carabinieri frugavano sottotetti e cantine, sbraitavano, malmenavano. Le pallottole colpivano anche a caso, anche i vecchi, anche i bambini. Le truppe marciarono fino alla linea delle porte e impedirono l'accesso a chi veniva da fuori. Si fece a meno dei tre squilli di tromba prima della carica. Il cannone sparò a mitraglia a porta Ticinese, sul ponte di via Vigevano e a porta Garibaldi. Alle 17.40 il generale Bava Beccaris telegrafò al presidente del Consiglio: la ribellione era domata.

Lunedì 9 maggio truppe fresche arrivarono comunque a dare il cambio. I militari raggiunsero i sobborghi. Il generale era soddisfatto, Milano era finalmente quel che sperava: una grande caserma. Nei pressi di porta Monforte, il 7° e il 47° Reggimento di Fanteria fecero fuoco dai bastioni. Il convento dei Cappuccini, scambiato per un covo di rivoltosi, venne circondato. Intorno all'ora di pranzo, una prima scarica di fucileria, poi quattro colpi di shrapnel a diaframma aprirono una breccia nel muro di cinta. Baionetta in canna, i soldati irruppero in uno stanzone pieno di poveracci con la scodella in mano, in fila per la zuppa. Ventotto frati vennero arrestati. Per sicurezza, si disse. Lo sdegno fu generale. Protestavano baroni, marchesi e monsignori ma il generale fu irremovibile: la guerra è guerra, perdio! Mentre i ventotto religiosi, incatenati, venivano tradotti in prefettura, decretò la riapertura degli stabilimenti per il giorno successivo. Proibì però la circolazione di "biciclette, tricicli, tandems e simili mezzi di locomozione". Che i rivoltosi – se ancora ce n'erano – non avessero vita facile.

Martedì 10 maggio le fabbriche ricominciarono quindi a lavorare. La truppa lentamente smobilitò. Piazza Duomo era un porcile. Gli spazzini disinfettavano con acqua calda e cloruro di calcio. Si contavano i morti. Tra le forze dell'ordine, due: una guardia uccisa da fuoco amico e un soldato. Giustiziato per disubbidienza, dicevano. Tra i rivoltosi, diverse centinaia: operai, ferrovieri, salumieri, panettieri, guantai, maniscalchi, commessi, facchini, falegnami, impiegati, fruttivendoli, cucitrici, tessitrici, lavandaie, gente che stava sull'uscio e alla finestra, bambini. Nessuno si curò di stabilire il numero esatto, nessuno ci riuscì.

Milano, estate 1898

La levatrice diplomata Caterina Colombo, tredici anni di esperienza non contando i due di scuola, sa riconoscere un crollo nervoso quando se lo trova davanti. Quello che sta capitando al fotografo Antonio Casagrande ne ha tutta l'aria. A un passo dal cadavere della collega Anna, in mezzo a una distesa di corpi martoriati che ammutolirebbe il più cinico dei generali, il fotografo si aggira battendosi il palmo sull'occhio cieco. «Fermo» dice lei afferrandolo per il polso, ma Antonio si libera dalla stretta e ricomincia a pestare. Non l'ascolta, forse neppure la vede.

La disperazione, il sangue e la morte non le fanno impressione, o non farebbe il mestiere che fa. È abituata al peggio. Le donne che partoriscono dove lavora lei, la maternità di Santa Caterina alla Ruota dell'Ospedale Maggiore – le donne "costrette" a partorire lì – sono di due tipi. Le prime sono quelle che una casa con un tavolo per sgravarsi non ce l'hanno, e allora arrivano con la fame e magari qualche malattia, là sotto, e la testa brulicante di pidocchi, tanto che, prima di tutto, bisogna metterle in una conca d'acqua saponata e rasarle per bene. Di solito, non muoiono. Certo, può capitare che affoghino il bambino e si ammazzino con il veleno per topi, ma dopo, per strada, quando si ritrovano sole.

Poi ci sono le partorienti che una casa ce l'hanno, ma sono messe male. Primipare con i fianchi talmente stretti da non credere che il marito abbia potuto ingravidarle. Vecchie che da un paio di decenni figliano come vacche, stremate. Ragazze senza fiato per il mal sottile. Spettri che portano in grembo creature già spacciate. Fanciulle con un cadaverino che gli imputridisce nella pancia, infettandole, mortalmente anemiche, gonfie come otri. Quelle così muoiono tutte, e male. Caterina le accompagna alla fine, anche se non sarebbe proprio il suo compito. Ci sono inservienti per questo.

Quindi non teme nulla. Alle smanie del fotografo, risponde con l'espressione determinata di quando il parto si presenta podalico o il cordone ombelicale è un serpente al collo del nascituro. Sistema la cuffietta infilando all'interno dell'elastico le ciocche che nella foga sono sfuggite. Fa silenzio dentro, via i lamenti dei moribondi, via i "presentat'arm" dei caporali, via lo scalpiccio dei soldati allo stesso modo in cui, quando c'è da infilare la mano dentro e manovrare e tirare, smette di sentire le urla della partoriente. Afferra l'uomo per un braccio e lo guida sotto i portici. In un angolo riparato, gli pianta i palmi sulle spalle e gli occhi negli occhi. «Adesso ditemi dove abitate.» Antonio respira con affanno. È molto pallido. Forse non è solo una crisi di nervi, pensa la donna.

«Avanti. L'indirizzo.»

Una lacrima scende dall'occhio pazzo. Col polsino, il fotografo l'asciuga, ma subito si riforma. Sovrasta la donna di una buona spanna eppure in quel momento si sente il bambino del Pammatone.

«Dove. Abitate.»

Lui fa un gesto con il mento, direzione Castello Sforzesco.

«Andiamo» dice Caterina. Un lungo sguardo ad Anna riversa sul selciato e poi si avvia. Curare i vivi, i morti possono aspettare. Intorno è una confusione di feriti, gente portata via a braccia, donne che si aggirano cercando figli e mariti. Lo tiene per mano. Di tanto in tanto, rafforza la stretta come farebbe con un ragazzino spaventato. I due raggiungono via Orefici, poi piazza Cordusio, quasi deserta. La carica ha disperso la folla come un colpo di tacco scatena un formicaio.

Qualcuno svolta nelle vie laterali, un paio scappano verso il Castello. «Va meglio?» domanda Caterina.

Antonio non risponde. Ha lo sguardo inebetito. Lo smarrimento di prima si è trasformato in mal di testa, un punteruolo al centro della tempia, accanto all'occhio pazzo.

«Fate strada» insiste la donna e risalgono via Dante. All'incrocio con via San Tomaso il fotografo si riscuote. «La padrona di casa non vuole donne» dice. La lacrima continua a scendere ma lui ha rinunciato ad asciugarla e sul colletto ha una gran macchia umida.

«Quale portone?» risponde Caterina.

Due piani sopra, la vedova Cantù li osserva tra le stecche delle persiane. Il suo pigionante le sembra malfermo sulle gambe.

«Niente donne. I patti sono chiari» dice dietro la porta non appena sente bussare.

«Aprite» risponde Caterina.

La vedova socchiude quel tanto che basta a guardarla negli occhi. «I patti sono chiari» ripete forzando il tono. La cuffietta della levatrice e il camice che si indovina sotto il soprabito non la impressionano per nulla.

«Fatevi da parte.»

La vedova Cantù arretra di un passo, esagerando il movimento come se l'altra l'avesse spinta. «Che modi» sbotta.

Caterina la ignora e si guarda intorno. Non è mai stata in un appartamento tanto grande. «Avete del brodo di pollo?» domanda.

«Non si sarà messo coi rivoltosi?» risponde la vedova Cantù.

«Meglio se aggiungete un rosso d'uovo.»

«Marietta!» strilla la padrona di casa. La domestica si affaccia allo stipite della cucina.

«Marietta, il signor Casagrande si sente poco bene.»

Antonio stringe gli occhi. Il mal di testa è una lama rovente.

«Una tazza di brodo di pollo, per favore» ripete Caterina alla domestica. «Prima però accompagnatemi nella camera del signore. Deve sdraiarsi.»

La vedova Cantù inarca le sopracciglia, raddrizza le spalle, allunga il collo, lo chignon altissimo sopra la testa, a dire: "Come vi permettete di dare ordini?".

«Meglio al buio» aggiunge Caterina.

«Sto bene» dice Antonio. La voce è soffocata. Il mal di testa, un chiodo che scava. L'occhio pazzo ha smesso di lacrimare ma pulsa come se volesse saltar via dall'orbita.

La stanza è già in penombra. La vedova Cantù aveva fatto chiudere le persiane al primo passaggio dei soldati. Caterina aiuta Antonio a togliere la giacca, gli sfila la cravatta, lo aiuta a sedersi sul letto, gli si accuccia ai piedi, scioglie i lacci, lo libera delle scarpe.

«Anche un paio di cuscini, per favore.»

Marietta si muove silenziosa nelle pantofole di feltro. Torna con due cuscini. Antonio si abbandona a occhi chiusi.

La domestica scompare in cucina, la vedova Cantù subito dietro. Si sente armeggiare. «Anche un po' d'acqua fresca e una pezza» dice Caterina, ma al fotografo la voce arriva attutita. Ha lasciato la stanza? Tornerà? Fuori, il *ran ran* va e viene come risacca. Il mal di testa, un'incudine che schiaccia i pensieri. Il letto è un nido. La pezza bagnata, una carezza. L'odore di brodo caldo lo commuove.

Caterina lascia l'appartamento della vedova Cantù solo dopo che l'uomo si è addormentato. Torna in piazza Duomo, s'informa su dove sia stato presumibilmente trasportato il corpo di Anna, raggiunge a piedi l'estrema periferia dove vivono i parenti. Nel dar loro la notizia, la sua stessa voce le sembra strana. Non riesce a credere che sia successo davvero. Verso sera è di nuovo in via San Tomaso. Antonio dorme un sonno inquieto, il mal di testa lo sveglia di continuo.

Il giorno seguente, domenica, Caterina si presenta all'ospedale di buon'ora. Non sarebbe il suo turno ma ritiene opportuno mettersi all'opera. I medici sono tutti impegnati a medicare teste rotte e a estrarre pallottole. Lei si occupa di una giovane donna gravida con una febbricola persistente e di un parto settimino. Al tramonto, con la cuffietta ben calzata affronta la città deserta e presidiata dai militari. Si presenta a casa della vedova Cantù che sono quasi le sette di sera. Antonio è ancora a letto. Ha mangiato, bevuto, sudato e orinato abbondantemente. È andato di corpo, le assicura lui arrossendo, ma il mal di testa non gli dà tregua. Lei resta finché la penombra della stanza diventa notte, cambiandogli le pezze bagnate sulla fronte.

Il secondo giorno, lunedì, sempre verso sera, dopo un parto gemellare che l'ha tenuta in moto per nove ore filate, Caterina trova il paziente ancora pallidissimo, ma in piedi. All'interrogatorio serrato della levatrice, la vedova Cantù assicura che il suo pigionante ha fatto due pasti abbondanti: pasta al burro, rognone ripassato col marsala, tre uova freschissime e vino rosso. «Almeno un quarto.» La vecchia la squadra e poi aggiunge melliflua: «Studiate forse da medico?».

Antonio si scusa con gli occhi. Le chiede della situazione in città, lei racconta altre cariche e altri morti. La vedova Cantù sbuffa. Non li lascia soli per più di qualche secondo, fa avanti e indietro dalla camera con lenzuola, coperte, un vaso di fiori e persino il piumino da polvere di Marietta, con cui si improvvisa domestica. Loro parlano a sguardi: "Come state?", "E voi?", "Mi dispiace."

Il terzo giorno, martedì, ancora verso sera, mentre alla spicciolata gli operai lasciano gli stabilimenti riaperti quel mattino per ordine del generale, Caterina entra in una latteria e si fa impacchettare una grossa punta di formaggio Parmigiano. Raggiunge poi l'appartamento della vedova Cantù, che presidia la soglia.

«Il signor Casagrande è guarito. Mi ha incaricato di ringraziarvi per l'interessamento. Mi dispiace che vi siate disturbata a tornare ma, come vi avevo detto, qui le donne non sono ammesse.»

Caterina la guarda come guarda certi parenti preoccupati solo del decoro. «Non sarà uscito, spero.»

«Si è appena addormentato. Il riposo è la miglior cura. Quello è Parmigiano?» fa la vedova Cantù.

Caterina la guarda come guarda certi medici che pensano solo all'onorario, ma non ha la forza di discutere, non oggi. È stata una giornata d'inferno: un cesareo cui è sopravvissuto solo il feto, un'inarrestabile emorragia intrauterina e un nato senza occhi. Nei corridoi dell'ospedale dicono che la cavalleria ha spaventato a morte le partorienti, che i cannoni hanno avvelenato loro il sangue, che lo scalpiccio dei soldati ha soffocato i nascituri. Balle, ma forse no. Ficca l'involto nelle mani della vecchia e se ne va senza una parola.

Antonio si sveglia la mattina dopo. Si sente in forze, persino affamato. La vedova Cantù non fa cenno alla visita della levatrice.

Dopo la colazione, il fotografo si chiude nello stanzino che gli serve da camera oscura e sviluppa gli scatti della Jumelle Sigriste. Non appena le stampe sono pronte, le impacchetta e con la busta sottobraccio scende in strada, la macchina al collo. Tempo qualche ora e scopre che le sue immagini non interessano ai periodici che il generale Bava Beccaris ha risparmiato. O ne hanno già, e con cautela sceglieranno se e quando utilizzarle, o non vogliono grane. Il direttore tiene al posto, spiegano, e anche i giornalisti hanno famiglia. E poi Milano corre veloce, c'è altro di cui occuparsi: perché non si fa un giro a caccia di curiosità e tipi bizzarri?

Entra in un'osteria a buon mercato dietro piazza Duomo, ordina una scodella di pasta e fagioli. C'è un unico tavolone affollato e chiassoso ma al suo ingresso si fa una specie di silenzio. Ha l'impressione che le persone trattengano il fiato. Temono la Jumelle Sigriste? Credono che lavori per la polizia? Sgancia la tracolla, appoggia la macchinetta sul tavolo e percepisce la tensione defluire come acqua dopo un'onda di piena.

Mentre aspetta il cibo, tira fuori le foto e le dispone in bell'ordine. I commensali si tengono a distanza. Lui si concentra: i manipoli in piazza, i cannoni in largo Cairoli, le barricate, i capannelli in piazza Cordusio, e poi lei, Anna, che cerca un varco tra la folla. Le migliori stampe da quando, una trentina d'anni prima, Alessandro Pavia gli ha messo in mano la sua prima lastra dicendo: «Qui c'è l'acido solfo-

rico e qui il bicromato di potassio. Animo! Olio di gomito!».
Le sue immagini più riuscite. E nessuno le vuole.

Forse è un segno, pensa. Forse dovrebbe smettere. Cercarsi un lavoro qualunque. Mettersi tranquillo. Un po' di soldi da parte ce li ha. L'oste, magari. Il caffettiere. Clientela selezionata, non questa che ha intorno. Milano è tutta fernet, cordiale, caffè con la panna. Per chi può permetterselo, naturalmente. Gli stessi che si abbonerebbero a una rivista illustrata. Seduti al tavolino, sorbirebbero il loro vermut sfogliandola pagina per pagina, godendosi gli straccioni che Antonio ha fotografato come mai gli era accaduto: tagli di luce fulminanti, occhi come ciottoli di onice, febbrili, giacche rattoppate in scala di grigi, scarpe sfondate color bronzo brunito. E la bella Anna in primo piano. Massacrata. Per colpa sua, del fotografo che pensava di salvarla. Di strapparla alla Morte. Se non è un segno questo. È ora di mollare. La Jumelle Sigriste, gli acidi, i sali d'argento, l'esperienza degli ultimi trent'anni. Cambiare vita. Dietro a un bancone di zinco, lo straccio in mano e il grembiule schiacciato sulle gambe, il suo occhio pazzo non assassinerà più nessuno.

"Stronzate" risponde nella sua testa Alessandro Pavia. Da quando è morto, Antonio lo sente spesso.

Arriva la zuppa. Il fotografo raduna le immagini e fa spazio sul tavolo. È bollente, così la intiepidisce con mezzo bicchiere di rosso. Tra piazza Fontane Marose, Soziglia e il sestiere di Prè si fa così. Intorno, occhiate dubbiose.

"Che si fottano, ah ah ah." La voce del padrone gli rimbomba dentro. "E piantala di piagnucolare. Ti stai cagando nelle braghe." Il piglio della giovinezza, il tuono che scuoteva angiporto e puttane.

Nei suoi ultimi momenti, invece, Alessandro Pavia non parlava. Tre giorni prima di morire rifiutò il cibo. «Brucia» disse alla minestra, fredda. Era la prima parola dopo il "Vattene» con cui lo aveva accolto. E non era un discorso, solo la reazione a qualcosa che gli dava il tormento sulla lingua.

Lì per lì, Antonio non comprese, insistette a imboccarlo e Alessandro Pavia colpì il piatto rovesciandolo. L'ex assistente si inginocchiò per pulire. Con il dorso della mano tremolante, Pavia cercò allora il suo viso. Il tremito cessò, le nocche immobili sulla cicatrice a forma di L. «Ragazzo...»

In ginocchio, Antonio si bloccò. Il padrone aveva deciso di parlargli?

«Ragazzo, non sono riuscito...»

Basta, nient'altro. Il discorso più breve che Alessandro Pavia abbia mai pronunciato in una lunga vita di roboanti prediche. Ma nel poderoso silenzio che le sue parole avevano spalancato, la mano rimaneva lì, ferma sul volto di Antonio, sullo sfregio con cui Michele Casagrande l'aveva marchiato a vita. Cicatrici che valgono mille certificati. *Pammatone. Esposto.*

Lo vorrebbe qui, il padrone. Adesso, al tavolo con lui, non solo nella sua testa. Anche malato, anche arrabbiato, anche deluso di sé. Anche *fallito*. Gli mostrerebbe quella manciata di immagini *perfette*. «Che devo fare?» domanderebbe. Cerca col dito la cicatrice a forma di L. Lo vorrebbe accanto perché per un lungo, esaltante momento, il padrone aveva avuto tutte le risposte.

«L come lana, lena, lingua, luna, lode. A-E-I-U-O. Le vocali. Ripeti.»

Perché c'è stato un tempo in cui indovinava anche le domande.

«Lastra, lesto, liscio, lobo, lue. A-E-I-O-U. Ripeti.»

La pasta e fagioli è buona. Col vino, sa di casa. Se l'avesse accanto gli direbbe di non dannarsi, che tutti ci provano, che nessuno *riesce*, che la vita è così: un fallimento.

E gli direbbe che la pasta e fagioli ricorda quella che preparava per loro la Giuse. Non è una bella cosa? Non è l'*unica* cosa?

E gli direbbe che, con lui, il padrone non ha fallito. Che se quel giorno, nella stanza del preposto, il padrone non l'avesse scelto, la sua vita non sarebbe stata vita.

Esposto.
Pammatone.
Fotografo.

Alla svelta finisce la zuppa, infila di nuovo la macchina fotografica al collo, paga ed esce deciso. Sorride tra sé. "Il padrone ha tutte le risposte anche da morto" pensa.

Impiega tutto il pomeriggio per trovare quel che cerca. «Non è un articolo molto richiesto» si giustifica il commesso del quarto negozio. Fatica non poco ad accontentarlo. Di solito ci pensano le mogli, le madri. Bastano ago, filo e un ritaglio di cotone robusto. Invece questa è seta pura. «Da *grande soirée*. Da parata.» Infatti costa un capitale. Antonio paga senza discutere. Se vuole continuare a fotografare – se vuole continuare a vivere la sua vita – gli serve.

Così, al termine dell'ennesima giornata senza tregua, la levatrice diplomata Caterina Colombo lo trova appoggiato al portone d'ingresso della maternità di Santa Caterina alla Ruota. Il fotografo Antonio la aspetta con le mani in tasca, le spalle rilassate, nessuna fretta nello sguardo, l'espressione di chi è esattamente dove vuole stare.

«Buonasera, Caterina.»

Come la stesse aspettando da tutta la vita, pensa lei, poi scaccia il pensiero. La benda nera sull'occhio la lascia interdetta.

«È una storia interessante» prosegue lui. «La volete sentire?»

Il tempo passa. Con l'occhio pazzo al sicuro sotto la benda, Antonio Casagrande ricomincia a scattare fotografie, a svilupparle nello stanzino della vedova Cantù e a venderle a disegnatori e riviste illustrate. Riprende a collaborare con un paio di grossi atelier fotografici. Se capita, investe mezza giornata per un ritratto a domicilio. La sera la aspetta al portone dell'ospedale e fanno la strada insieme fino alla soffitta di via Meravigli dove Caterina vive sola. Non gli permette di salire: gli inquilini le toglierebbero il saluto.

«Gente rispettabile» dice lui.

«Gente pettegola» risponde lei, e le labbra si piegano in un modo tutto particolare, pensa Antonio, metà sorriso e metà scherno.

Il fotografo scopre molte cose. Che lei ama camminare a

passo svelto. Che legge romanzi d'avventura. Che si cuce gli abiti da sé. Che quando ha la giornata libera prende il tram e si spinge in periferia, dove cominciano i campi, a cercare erbe curative: verbena odorosa, malva, salvia o biancospino, secondo la stagione. Che le piace essiccarle sul tetto, stese su un minuscolo terrazzo. Che una volta essiccate le sminuzza e le distribuisce alle partorienti in sacchettini che confeziona con i ritagli di stoffa.

«L'infuso di verbena aiuta la digestione. Il decotto di malva combatte la tosse. La tisana di biancospino rinforza il cuore.»

«Uno speziale.»

«Una strega.»

Gli piace quel sorriso a metà tra allegria e impertinenza.

Scopre che non ha famiglia, ed è una tale sorpresa che, nel trambusto della città che si affretta a casa per cena, lo costringe a fermarsi.

«Anch'io sono orfano» dice.

«Io non sono orfana.»

Le confida cose che mai avrebbe raccontato alle signorine genovesi con cui madama Carmen gli consigliava di accasarsi. Non solo le spiega del suo occhio pazzo, ma anche del Pammatone, del preposto, del padrone, della soffitta di piazza Valoria, dell'altana sul mare, della mano di Garibaldi, della spilla del re, dell'Album modello, dei garibaldini di Borgo di Dentro e di Primo Leone. «Una specie di migliore amico.» Le racconta perfino di madama Carmen, dei suoi inquietanti veli vedovili, di Famagosta morta di mal francese, e anche delle foto erotiche, come parlasse con un maschio. Le dice della notte di tempesta in cui, per magia, il suo occhio pazzo ha visto la scorza dura di madama Carmen sbocciare di tenerezza. Non le nasconde nulla, non si vergogna di nulla, non gli era mai successo né credeva che potesse succedere.

Lei lo ascolta. Di tanto in tanto, il sorriso si allarga e le increspa la guancia di piccole pieghe delicate, come ruches di seta. Sono attimi luminosi. Antonio si domanda se la Jumelle Sigriste sia veloce abbastanza da coglierli.

Il tempo passa. Lunedì 16 maggio per ordine del generale Bava Beccaris ricominciano a circolare le biciclette, ma solo in centro. I due continuano a vedersi. Non la stupisce che, una sera, lui si presenti con un mazzetto di ranuncoli, menta e acetosella, dicendole: «Vanno bene per un filtro d'amore?».

«Siete troppo vecchio» risponde lei.

«Che avete capito? Non per me: per la vedova Cantù.»

La fa ridere così, di scherzi da nulla. Il lunedì successivo, 23 maggio, al piano terreno del Castello Sforzesco, nella sala fra la Torretta e la Società Ginnica, si insedia il Tribunale Speciale di Guerra. Antonio fotografa e a fine giornata le racconta quello che ha sentito. Il primo processo è contro una dozzina di arrestati la sera di venerdì 6 maggio, in piazza Duomo. Barengo Antonio, di anni ventitré, con precedenti di oziosità, vagabondaggio, furto e renitenza alla leva, è accusato di aver gridato contro gli agenti: "Vigliacchi, vigliacconi; questa sera l'avete vinta voi, ma domani sera la vedremo". Cipellini Giovanni, di anni quarantatré, avrebbe invece ingiuriato i soldati con la frase: "Morti di fame, che vivete sulle spalle di chi lavora". Indosso gli era stato trovato un numero di "Lotta di classe» e un manifestino anarchico. Il primo è condannato a sette anni, sette mesi e cinque giorni di reclusione.

«E l'altro?»

«Due anni.»

Non la sorprende che Antonio condivida con lei l'amarezza di quei giorni. Né che ogni sera cerchi di allungare la strada proponendole deviazioni per qualcosa che la levatrice diplomata Caterina Colombo deve as-so-lu-ta-men-te vedere. Una giostrina, un chiosco di bibite, un gigantesco groviglio di lillà in fiore. Il 3 giugno, il consiglio comunale vota un ordine del giorno di plauso al generale Bava Beccaris. Il 6 giugno Sua Maestà Umberto conferisce al generale la croce di Grand'Ufficiale dell'Ordine Militare di Savoia. Quella sera Antonio ha con sé un cartoccio di bastoncini di zucchero colorato, che succhiano in silenzio seduti su una panchina. La sera dopo la convince a sedersi al tavolino di un caffè-concerto dove si esibisce una nota soubrette. Compra anche due biglietti per il teatro Gerolamo, che ha appena riaperto dopo i disordini e ha in cartellone proiezioni cinematografiche. Usa parole come "kinetoscopio", "celluloide", "fotogramma" e lei si lascia ammaliare. Non la meraviglia che la breve conversazione dall'ospedale a casa si trasformi, sera dopo sera, in una passeggiata fino ai bastioni e, perché no, lungo il Naviglio, fino a porta Romana, a guardare il tramonto sull'acqua. La città è bellissima, in quei momenti. Bella da dimenticare il puzzo di balistite, il sangue sul selciato, i trentadue processi istruiti e conclusi in meno di quindici giorni. Bella da dimenticare la levatrice diplomata Anna Barbieri, ventidue anni appena compiuti, assassinata mentre cercava di raggiungere l'ospedale.

«Che luce stasera.»

E non è una sorpresa che, nel dirselo, affacciati alla balaustra su acque scintillanti, le loro spalle si tocchino. Che le loro dita si sfiorino. Che l'odore di Antonio Casagrande, da vicino, sia così buono. Né la sorprende che lui in quel momento la baci, o che questo bacio, lungo, profondo, le piaccia così tanto. Non la sorprende: la spaventa a morte.

Per questo Caterina Colombo scompare. Il giorno successivo, alla fine del turno, sceglie un'uscita secondaria, poi un'altra nei giorni a venire. Conosce l'ospedale, le corsie, le stanze delle partorienti, le scappatoie, le scorciatoie, sa come far perdere le proprie tracce. Sceglie giri strani per tornare a casa e una volta in soffitta, se lui sale e bussa, finge di non esserci.

Il tempo, inesorabile, passa. Il 16 giugno, il generale Bava Beccaris è nominato senatore del Regno. Sempre il 16 giugno, cinquantanovesimo processo in tre settimane, vanno alla sbarra giornalisti, direttori di periodici e una donna, Anna Kuliscioff, la dottoressa dei poveri, compagna dell'onorevole socialista Filippo Turati e fondatrice della rivista "Critica Sociale". Antonio è quasi certo che Caterina la conosca. Cosa non darebbe per parlargliene. Le condanne arrivano a passo di carica, rapide, esemplari, feroci come ussari. Tre anni e mille lire di multa a don Albertario, direttore de "L'Osservatore Cattolico"; due anni e cento lire di multa alla dottoressa Kuliscioff; un'enormità senza vergogna a tutti gli altri. Il tempo passa, ma non per lui. Mentre l'estate esplode, non si capacita che Caterina sia sparita così, senza una parola. Che è successo? Che cosa ha fatto di male? L'ha forse offesa? Almeno potesse parlarle.

Decide di scriverle una lettera. Si mette d'impegno. *Carissima Caterina*. No. *Caterina carissima*. No. *Mia cara Caterina*. No. *Amore mio*. No, no, no. Sulla carta, tutto suona ridicolo, enfatico, falso. Non ha mica vent'anni, non hanno vent'anni. Lui ha passato i quaranta, lei ne ha trentatré compiuti. Il fotografo fa l'unica cosa sensata: raggiunge il portone di via Meravigli, suona ai vicini, si finge un parente e si fa aprire. La aspetta davanti alla porta della soffitta. Un'ora, due, non gli importa. La levatrice arriva verso sera. Si accorge di lui solo in vista del pianerottolo. «Non potete stare qui» dice.

A vederla, stretta nel vestito di cotonina, stanca per la giornata, a vederla dopo averlo tanto desiderato, Antonio sente un brivido alla base della spina dorsale. Abbassa lo sguardo. «Non mi avete dato scelta» risponde.

«Potevate aspettarmi all'ingresso dell'ospedale». Lei ha un'espressione dura, la voce fonda. Fatica a riconoscerla.

«Ci ho provato. Tutti i giorni.»

«Non vi ho visto.»

«Siate onesta. Mentire non è da voi.»

Caterina svia lo sguardo. Sbottona il colletto. D'estate in soffitta non si respira. Cerca un fazzoletto in tasca e comincia ad asciugarsi la fronte. «Che volete?»

«Parlarvi. Capire.»

«Vi sembra il luogo?»

«Allora fatemi entrare.»

«Non siate ridicolo.»

Antonio raddrizza le spalle. Tira fuori l'orologio. «Vi sto aspettando da più di due ore. Io non me ne vado.»

«Non ho niente da dirvi.»

«Non vi credo.»

Caterina misura il pianerottolo a piccoli passi, avanti e indietro, il fazzoletto stretto in pugno. «Io non... me ne andrò io allora... siate gentile, lasciatemi tranquilla.» Ha il pianto in gola.

Lui dà una gran manata alla porta. «Non posso!» dice. Lei si blocca per la sorpresa. «Oddio, fate piano.» Una porta si spalanca al piano di sotto. Si affaccia un tizio in veste da camera. «Qualche problema, signorina Colombo?» «Non è nulla, un cugino in visita. Non trovavo la chiave, ma eccola qui» risponde lei sventolando la mano.

La soffitta è minuscola e calda. Sole a picco da un unico lucernaio. Un tavolo con due sedie e un vaso di rose bianche, vizze, dall'odore pungente. Una poltrona a colori vivaci. Un piccolo scaffale di libri. Una brandina, il copriletto ricamato con un intreccio di papaveri rossi. Una seconda stanza, oltre una porta a vetri spalancata, che ha l'aspetto di una cucina microscopica. Una porta stretta e bassa che conduce al tetto.

Caterina recupera una sedia, ci sale sopra in piedi, manovra con il meccanismo del lucernaio e lo spalanca. «Così si respira. Sedete. Vi porto da bere» dice senza guardarlo, e scompare in cucina. Trafficando, le sue mani tremano. In silenzio, Antonio la raggiunge, le sfila il bicchiere, lo posa sull'acquaio, le afferra le dita e se le porta alle labbra.

«Parla con me.»

Lei stringe gli occhi. Lui continua a baciarle le dita. «È colpa mia?»

Lei scrolla il capo.

«Allora perché piangi?»

La prende fra le braccia, le sussurra all'orecchio parole che lei non capisce, scossa dai singhiozzi. Restano così, stretti una all'altro, lei i gomiti al corpo, i pugni sotto il mento, finché Antonio smette di sussurrare e lei smette di piangere. Non si allontanano. Lui si china, avverte il calore del fiato, il sapore delle lacrime. La stringe appena, come maneggiasse una statuina di cristallo, il busto così sottile che a premere di più andrebbe in frantumi. La bacia a fior di labbra. Lei non si ritrae. Lui scende a sfiorarle il collo, la parte tenera tra orecchio e clavicola. Lei lascia fare, gli offre la gola, scioglie il viluppo delle braccia, cerca con le dita il viso di lui, le spalle, e a quel punto entrambi sanno che è impossibile fermarsi, proprio impossibile.

Lui fa un passo indietro, scontra l'acquaio, il bicchiere rotola fino al bordo. Toglie la giacca, sfila la camicia dal collo, la cintura dai passanti. Lei scioglie i capelli, si libera del vestito, delle mutande. Resta in sottoveste e ricominciano a baciarsi, in affanno, al diavolo il bicchiere, al diavolo i vicini, le mani addosso, sui fianchi, sui seni, sul petto nudo, di più, di più, finché lui la prende in braccio, raggiunge la brandina, la adagia sul copriletto. Sbottona i calzoni e getta tutto in un angolo, con le scarpe.

Lei raccoglie con le dita l'orlo della sottoveste, incrocia le braccia, si inarca e la sfila dalla testa. Poi gli fa un cenno e lui toglie la benda dall'occhio pazzo. Per un attimo, il corpo nudo di Caterina esplode in un bagliore lattescente. Gli manca il fiato. Una lunga cicatrice, nodosa come la corda di un saio, le attraversa l'addome e termina con un moncone slabbrato, una rosellina di carne appena sopra il pube.

"Adesso lo sai" dice lei, con gli occhi. Poi li chiude, getta indietro il capo e tutto ricomincia, ansimante, travolgente, Antonio perduto nel candore di quel collo sul rosso dei papaveri.

È un'estate come tutte le altre. La temperatura sale ancora, i rari acquazzoni gonfiano le strade di umidità. Milano non rallenta. Il Tribunale Speciale lavora mattina e pomeriggio. Durante le udienze, qualcuno sviene dal caldo. I giudici leggono le sentenze grondando sudore, ma non sospendono, né rinviano. Sono soldati, gente abituata all'accampamento, mica burocrati, adesso tocca a loro, l'ultima battaglia della campagna condotta dal generale Bava Beccaris. Avanti, dunque. Centoventinove processi, ottocentoventotto imputati, seicentottantotto condannati, un terzo dei quali minorenni. Sedici anni agli onorevoli Turati e De

Andreis, otto anni all'anarchico Pietro Gori. Al termine delle operazioni, il bottino sarà di quattordici secoli, trentacinque anni e un giorno di galera.

Le notizie filtrano poco alla volta, una ferita che, continuamente sollecitata, continuamente spurga. Caterina e Antonio fanno di volata la strada dall'ospedale alla soffitta, si chiudono nel caldo torrido, spalancano il lucernaio, aspettano le stelle mangiando qualcosa e facendo l'amore. Quando lui è sulla porta per andarsene, lei dice «Non ti affezionare» oppure «Meglio se non torni». La sera dopo Antonio torna con una bottiglia di vino, un vassoio di frittura e fanno l'amore. Lei dice: «Non vado bene per te». La sera dopo lui torna con un cesto di frutta e fanno l'amore.

«I vicini chiacchierano» gli dice lei alla fine di giugno. Sono sul tetto in cerca di refrigerio. La camomilla stesa ad asciugare manda il suo odore di erba e miele. La luna è vicinissima.

«La vedova Cantù è raggiante. Sai il risparmio con uno in meno a cena?»

«Questa mattina mi ha fermato una coppia che sta al secondo piano. Un caseggiato di gente onesta, bla bla bla.» La luna è proprio a un passo.

«Allora cerchiamo un altro posto. Con uno stanzino per le foto e tanti saluti alla vedova Cantù e ai tuoi rispettabili vicini» risponde Antonio.

In quel momento davanti agli occhi della levatrice diplomata Caterina Colombo balena quel che il fotografo orbo aveva riconosciuto subito: il futuro.

«No» risponde.

«Perché no?»

«Perché non sai a cosa vai incontro.»

La prima volta che Caterina Colombo vide con i suoi occhi una viscida testa di neonato fuoriuscire dalla vagina dilatata di una donna, non aveva ancora compiuto dieci anni, e fu tutt'altra cosa dall'osservare la gatta che figlia. Osservazione, quest'ultima, a cui si era obbligata nei mesi precedenti a quel primo appuntamento con il destino a cui sua madre

Eugenia, la comare Eugenia, l'aveva preparata da che l'aveva messa al mondo.

All'epoca, la bambina aveva accumulato dentro di sé poche ma solide certezze: l'alfabeto, le regole di sillabazione, i verbi in are-ere-ire, le tabelline, e niente di quello che stava osservando dall'angolo che la comare Eugenia le aveva riservato («tu non tocchi niente e non ti muovi da qui»), niente aveva la prevedibile eleganza di un apostrofo correttamente collocato, né ricordava la rassicurante procedura di una moltiplicazione col riporto.

La domanda che si fece non appena alla testa del neonato seguì la protuberanza di una spalla, poi la seconda spalla e poi, di botto (se di botto si può parlare in tanto viscidume), il resto del corpo, la domanda fu: "Perché le aste? Perché le vocali, le consonanti, le operazioni in colonna? Perché, se il mio destino è infilare una mano nella sacca delle donne e con l'altra spingere e premere e schiacciare, e poi ritrovarsi con il braccio ricoperto di liquame, sangue e merda? (Sì, è merda.) A cosa serve trovare il risultato di trentasei diviso quattro quando l'unica cosa che dovrò trovare nella vita è il coraggio di tagliare la biscia pulsante che esce dalla pancia del bambino e finisce dentro la madre, al buio, chissà dove?".

Domande silenziose, naturalmente. E neanche così chiaramente concepite. Piuttosto un disagio nei pensieri, un malessere che prende allo stomaco. Infatti era lì lì per vomitare, Caterina bambina, davanti a quel suo primo neonato-gattino. Però non vomitò, e anche per questo si convinse che la comare Eugenia aveva ragione: anche lei era nata per far nascere bambini.

A dire il vero, era stata proprio la comare Eugenia a insistere per mandarla a scuola. «La bambina deve andarci.» Insistere, con il padre di Caterina Colombo, maniscalco dalla mano pesante, non era raccomandabile. «La bambina imparerà a leggere, scrivere e far di conto.» E giù schiaffoni. Tre anni di botte finché, terminate le elementari, Caterina Colombo portò a casa una pagella da incorniciare e la comare Eugenia cominciò l'addestramento. Nuove certezze si aggiunsero allora a quelle che Caterina aveva accumulato in classe.

Pancia piatta vuol dire maschio.
Sant'Anna è la sorella delle partorienti.
Il parto va con la luna.
Il parto non finisce col parto.

Si accumulavano giorno dopo giorno, una settimana via l'altra, a comporre un tesoretto che Caterina condivideva solo con la madre.

Il decotto di segale cornuta accelera il travaglio.
Marsala o cognac prima del parto, brodo di pollo dopo.
Il burro aiuta a dilatare.

In un paio d'anni, visitò tutte le cascine nella bassa tra Bereguardo, Trivolzio e Torradello, riva sinistra del Ticino, tre ore a piedi da Pavia. La comare Eugenia se la portava appresso anche quando andava a controllare le gravide e a confortare le puerpere e quando batteva i campi in cerca di erbe medicamentose. Le certezze di Caterina crescevano come il grano tutt'attorno.

La camicia a volte esce subito, a volte ci vogliono due ore.
Il bambino decide lui quando uscire.
La salvia va bene per i dolori mensili.
La melissa combatte il vomito.
L'oleandro e il prezzemolo fanno abortire.

«Meglio le erbe che il ferro» aggiunse quella volta la comare Eugenia. A dodici anni e mezzo, Caterina vide la madre usare il ferro e capì.

A tredici, in una cascina alle spalle di casa sua, il bambino si presentò con le natiche. Le donne intorno al tavolo della partoriente attaccarono una litania. La comare Eugenia la chiamò vicino a sé. Fece delicatamente ruotare il corpicino in modo che mostrasse la schiena. «Piano, piano» le disse. La partoriente spingeva, il bambino scivolava lentamente fuori. La comare Eugenia lo sosteneva con l'avambraccio, le gambine di lato. La litania cresceva di intensità.

«Adesso guarda bene. Devi cercare la piega del gomito» le disse mostrando un dito a uncino. Infilò la mano dentro e afferrò un braccio facendolo scivolare lungo il torso del neonato. Fece la stessa cosa con l'altro. Corpo fuori e testa dentro.

«E adesso aspettiamo.»

Non c'è tempo più lento di quello dell'attesa. La litania copriva i lamenti. Non c'è tempo più insopportabile. Caterina si stropicciò le mani.

«Pazienza, Caterina.»

Le donne attaccarono il rosario. Alla quinta Avemaria la testa non era ancora uscita. Avviarono la sesta. Non usciva.

«Pazienza e prudenza» le sussurrò allora la comare Eugenia. «Se non ce la fa da solo, bisogna aiutarlo. Guarda bene.» Le mostrò il palmo aperto, poi richiamò indice e medio a V e glielo passò sulle narici. «Capito? Gli pulisco il naso, così. Deve respirare.»

Caterina annuì e la comare Eugenia inserì dolcemente la mano aperta nella vagina, cercando il volto del neonato. La madre gridò. Al *Gloria*, la testa era fuori. Il bambino spalancò gli occhietti incrostati di muco e cacciò un urletto. Caterina guardò la comare Eugenia come fosse sant'Anna scesa dal Paradiso.

Il peggio capitò invece nell'estate dei suoi quattordici anni. Vennero a chiamare la comare Eugenia dicendo che la gravida aveva la febbre altissima. Lei rispose che li aveva avvertiti, che avrebbero dovuto portarla all'ospedale già la settimana precedente, che chiamassero il medico. Finì che arrivarono tutti insieme, il dottore, la levatrice e Caterina. La donna respirava a fatica. Lui disse che il bambino era morto, che stava uccidendo la madre, che bisognava tirarlo fuori alla svelta. Caterina impallidì.

Il dottore fece sistemare la gravida sul tavolo a gambe aperte, con un cuscino sotto le natiche. Dalla borsa cavò una specie di pinza a due bracci, con un punteruolo che sporgeva nel punto di congiunzione. Si fece un grande silenzio. Le donne tennero ferma la partoriente.

«Il problema è la testa» sussurrò a Caterina la comare Eugenia.

L'uomo introdusse lo strumento nella vagina e cominciò a manovrare. Caterina tratteneva il fiato. La gravida perse i sensi. Si sentì un rumore come di chi schiacci una grossa pesca matura. Dalla donna cominciò a defluire un sugo rossiccio, frammisto di materiale grigiastro. Quando il corpicino martoriato venne via, la madre era morta da qualche minuto.

Quella notte Caterina fece sogni spaventosi. Il giorno dopo e quello dopo ancora, rifiutò di seguire la madre nel consueto giro. Cucinò, lavò i panni, fece tutti i mestieri di casa, la testa piena di pensieri. Il terzo giorno vennero le doglie a una cugina di primo grado.

«Oggi tu fai e io guardo» le disse la comare Eugenia preparando la borsa.

Il destino si ripresentava, questa volta nella forma di una ragazzona dai fianchi larghi e la salute di ferro, che si sgravava per la terza volta. Caterina sollevò gli occhi dal rammendo e lo riconobbe. I cattivi pensieri si allontanarono come nuvole in un giorno di vento.

Lungo il sentiero che, tagliando i campi, portava alla casupola della partoriente, ripeté ad alta voce le istruzioni – le *certezze* – imparate dalla madre. Le donne di casa, zie, cugine, cognate, nipoti, la festeggiarono come se il figlio l'avesse fatto lei.

Era già entrata nell'età che un bambino, in effetti, avrebbe anche potuto concepirlo. Dio ne scampi, naturalmente. A quattordici anni! La comare Eugenia le aveva spiegato tutto per bene e subito, quando le mestruazioni erano ancora lontane. Una futura levatrice deve sapere ogni cosa, il maschio, la femmina, il pene, la vagina, l'atto sessuale, e senza giri di parole. Nuove istruzioni, altre *certezze*, che bello! Che schifo però, aveva pensato Caterina bambina.

A quindici anni appena compiuti, la comare Eugenia a letto con un febbrone, Caterina aveva fatto nascere il suo primo bambino tutto da sola. Sei mesi dopo, durante un parto gemellare, la comare Eugenia era dovuta intervenire solo un paio di volte, ed erano inezie. Caterina si sentiva grande. La mattina, lavandosi la faccia nel catino, si guardava il petto. Due protuberanze coniche puntavano contro la tela della camicia da notte. Così dure, così strane. Si domandava quando si sarebbero trasformate nelle mammelle tonde che le partorienti con naturalezza scoprivano davanti a lei. *Se* si sarebbero trasformate. Si guardava il pube e si chiedeva quanto tempo impiega la peluria ad arricciarsi.

Il sangue arrivava una volta al mese con le sue ubbie e i suoi strizzoni. Quella cosa disgustosa di come si infilano i figli nella pancia della madre cominciò a sembrarle meno sgradevole e più inquietante. Più "interessante", ecco. Teneva d'occhio gli uomini, come guardavano le mogli in travaglio prima di essere cacciati altrove a smaltire il terrore. Se c'erano dei ragazzi, li osservava di nascosto. Cercava anche in loro i segni dell'infanzia che finisce. Spalle che arrotondano, mascelle che induriscono. Immaginava romanzetti, si immaginava protagonista. Un paio d'anni così, finché, intorno ai diciassette, l'amore prese tutte le sue precise *istruzioni*, le sue belle *certezze* e il suo tranquillo *avvenire* e li gettò per aria come coriandoli.

«Quindi non sono il primo?» la interrompe Antonio sorridendo.

Caterina si scioglie dall'abbraccio, e si affaccia dal terrazzino a picco sulla città. «Non c'è da ridere» dice. Milano pulsa nella luce lunare. «Non è una bella storia. Non finisce bene.»

Lui aveva venticinque anni e si chiamava Angelo Boito. Arrivò in paese una sera di aprile, su un calessino che guidava da sé, con una marsina che dava sul violetto, una borsa di cuoio lustro e un paio di bauli da viaggio inchiavardati da voluminose serrature dorate. Cercava una camera da affittare per qualche settimana, un posto tranquillo dove provare i suoi numeri: a maggio avrebbe debuttato sul prestigioso palco del teatro Fraschini di Pavia. Così disse. La voce si sparse. Il maniscalco si fece avanti e fu così che, da un giorno all'altro, Caterina si trovò a dividere colazione, pranzo e cena con un mago.

«Un vero mago» diceva il maniscalco, affatato. Aveva la mano pesante e il cervello di un bambino.

La mattina, il mago se ne stava rintanato nella stanzetta che il maniscalco gli aveva riservato magnificando il letto di piume, la prodigiosa capienza dell'armadio a muro, l'incantevole vista sulla boscaglia. Lo si sentiva armeggiare, picchiettare, sciaguattare. Dopo pranzo, l'uomo usciva per una lunga passeggiata. Anche da lontano, la palandrana che sventolava di qua e di là, s'intuiva che andava almanaccando tra sé, come chi ripete poesie a memoria. Un paio di sere a settimana, faceva mezz'ora di spettacolo per la famiglia e i vicini di casa. Piazzava le sedie, spostava il tavolo verso un capo della stanza, lo ricopriva di un panno damascato e sistemava i suoi oggetti. Vasetti, palline, un cappello a tesa rigida, fazzoletti colorati, carte da gioco. Scompariva poi nella sua stanza e si ripresentava in frac, ghette e bacchetta magica.

Davanti a quel pubblico raccogliticcio, ogni volta raccontava l'"arte di prestigio" daccapo, variando gli aneddoti, mulinando le dita come il musicista danza sui tasti dell'organetto. Faceva sparire monete e le ritrovava, raddoppiate, triplicate, nelle tasche dei presenti. Parlava e intanto bruciava un refe e non smetteva di parlare e il refe rinasceva dalle sue mani. S'inchinava, piroettava, molleggiava sulle ginocchia, girava sui tacchi, le code del frac che mostravano la fodera splendente. Sfidava i più intraprendenti al giuoco dei bussolotti. Impacchettava qualche cianfrusaglia, sigillava l'involto con la ceralacca, si concentrava a occhi chiusi, deponeva il pacchettino nelle mani di un bambino a caso, «un innocente, signore e signori, un'anima pura», lo toccava tre volte con la punta della bacchetta, recitava una sua filastrocca, *et voilà*, il pacchetto era vuoto, la cianfrusaglia scomparsa.

Caterina assisteva dall'altro capo della stanza, in piedi accanto allo stipite d'ingresso, sospettosa, attentissima. Il mago piaceva al maniscalco, lei stava in guardia. Così credeva.

Una sera lui la chiamò a fargli da assistente. Sul tavolo aveva preparato un catino d'acqua in cui galleggiava un animaletto di metallo dipinto di bianco, con il becco scuro. L'uomo attaccò una storiella sui cigni che amano le belle ragazze e detestano i maschi. Sistemò Caterina a un capo della bacinella, le mise in mano un bastoncino ricurvo, metallico anch'esso, che ricordava una piccolissima canna da pesca, e infilò all'amo una pallina di pane. Il cigno di metallo dondolava placido al centro della vasca.

Il mago le mostrò allora come manovrare la bacchetta, come avvicinarla, «lentamente, molto lentamente», al cigno. Caterina se lo sentì addosso, sulla schiena, sulla spalla, che la spingeva avanti, verso il centro del catino, la mano sulla sua, e arrossì.

Quando l'asta giunse nei pressi dell'animaletto, questo drizzò il becco e cominciò a muoversi verso di lei, prima lento, poi più veloce, fino a raggiungere la mollica. Il pubblico applaudì. Il mago rideva, concionava, «materia», «attrazione», «repulsione» e altre sciocchezze, ma non spostava la mano dalla sua, e non smetteva di premerle addosso. E mentre parlava e con l'altra mano gesticolava, e decantava la bellezza di Caterina, e canzonava il povero cigno innamorato, e chiamava a gran voce un volontario «maschio, signori, maschio!» per dimostrare il cignesco ribrezzo, «voi no, no voi no, meglio il signore là in fondo», e tutti si giravano a guardare su chi fosse caduta la scelta, con un delicato movimento delle dita le sfilò la canna, se la mise in tasca, dalla tasca ne tirò fuori una identica e gliela fece impugnare al posto della prima.

Caterina spalancò la bocca in una "o" perfetta, che il mago richiuse sfiorandole le labbra con un dito. Per un lungo istante, la guardò dritta negli occhi.

Bastò. Caterina si perse. Nel letto, un'ora più tardi, prendendo sonno, non avrebbe saputo raccontare con esattezza cosa era successo. Il passaggio della nuova canna all'omone, il cigno in fuga, le risate del pubblico: tutto era immerso in una calda nebbiolina accogliente, in cui era piacevole avvoltolarsi. Con un po' di lucidità, mettendo insieme le *certezze* scolastiche e la calamita per gli spilli che la comare Eugenia teneva nella scatola del cucito, avrebbe anche potuto spiegarsi il trucchetto da quattro soldi che tutti avevano applaudito. Ma non ci provò neppure. Le era successo qualcosa dentro, e quella sera non era più riuscita a staccare gli occhi dal mago: mentre l'uomo si congedava dal pubblico, mentre raccoglieva le sue cose, mentre rimetteva a posto il tavolo e le sedie, mentre incassava lodi e pronostici di mirabolante successo sul famoso palco del Fraschini di Pavia. Mentre, in maniche di camicia, sugli occhi scuri il ciuffo sfuggito alla pomata, si ritirava per la notte. Era diventato lui il magnete, e lei un uccellino di lamierino sottile.

A diciassette anni ci si innamora di niente, doveva saperlo la comare Eugenia. Di certe cose sapeva tutto quel che c'è da sapere. Eppure non se ne accorse. Avrebbe dovuto notare il modo in cui Caterina, dopo quella sera, aveva cominciato a raccogliersi i capelli, il modo in cui arrotolava un ricciolo durante gli spettacolini, il tempo che impiegava a prepararsi per la colazione, il pranzo, la cena.

Avrebbe dovuto insospettirsi per come il mago *non* guardava sua figlia a tavola, come *non* le parlava durante i pasti. Tanta cautela, troppa. Avrebbe dovuto fare attenzione quando il mago chiamava Caterina a reggere il cappello da cui uscivano metri e metri di nastro, avrebbe dovuto accorgersi che la mano di lui indugiava su quella di lei. Avrebbe dovuto farsi delle domande quando, un pomeriggio, Caterina rifiutò di seguirla da una gravida accusando un improvviso mal di testa, e i due erano rimasti soli in casa. Avrebbe dovuto vigilare. Ma non lo fece, perché non avevano mai conosciuto un artista e ne erano tutti innamorati.

Angelo Boito e Caterina Colombo aspettarono una notte di luna piena e scapparono sul calessino. Per non far rumore, lui aveva fasciato le ruote di stracci. "Mamma, papà, perdonatemi. Il destino mi chiama altrove, sul palco accanto a un grande uomo. Vi voglio bene" scrisse la ragazza nella sua bella grafia da scolara modello.

Girarono il Nord Italia. Angelo Boito si esibiva quasi tutte le sere. Quella del Fraschini era una panzana, ma Caterina non si impensierì. Le aie, le piazze, le società patriottiche, i cortili delle cascine le sembravano palcoscenici di tutto rispetto. Le andavano bene le soffitte e i fienili dove trovavano ricovero. Durò sette mesi, poi lei rimase incinta.

Milano dorme. Dal terrazzino sul tetto si avverte il respiro. La camomilla esala i suoi umori tranquillanti. C'è una bava di vento, Caterina è scesa a prendere uno scialle. Il fotografo ha la sensazione di essere altrove, e che manchi qualcosa. Genova, la soffitta di piazza Valoria numero 4, come avesse anche lui di nuovo diciassette anni. L'estate che pietrificarono Mazzini. Il padrone se n'era andato, toccava sopportare il subentrante. Che poi uno che ne sa, a quell'età, pensa. Madama Carmen gli diceva «Sveglia, acciughetta» e lui non aveva idea, proprio nessuna idea di quale fosse il sogno da cui doveva risvegliarsi.

Caterina torna imbozzolata in un fazzolettone a quadri. Gli sembra bellissima. Ci si innamora sempre di niente. «Sai cosa manca?» le dice.

Lei fa uno dei suoi sorrisi a metà. Possibile che quest'uomo sia ancora qui? Possibile che non abbia ancora trovato una scusa per andarsene e non tornare?

«Il mare, manca il mare.»

Possibile che le stia parlando del mare? «Avrei dovuto stare in guardia, Antonio.»

«A diciassette anni?»

«Ero cieca. Più cieca di te.»

Angelo Boito sparì di notte, forse era un vizio. Le lasciò qualche soldo e un fiore di carta di quelli che si cavava dalla manica del frac. Caterina pianse per una settimana, poi raccolse le sue cose, pagò il conto della stamberga dove avevano alloggiato e tornò a casa.

Presentarsi davanti a suo padre fu la cosa più difficile che avesse mai dovuto fare nella sua breve esistenza. Era tardi, stavano cenando, volarono i piatti. La comare Eugenia si mise in mezzo e impedì che l'uomo ammazzasse la figlia di botte. Lui rinchiuse Caterina nella stanza che aveva ospitato il mago. «Domattina non voglio trovarti qui. Non sei più mia figlia.»

La comare Eugenia la svegliò un paio d'ore dopo la mezzanotte.

«Preparati» le disse.

S'incamminarono a piedi, dirette a nord. Sul far del giorno, un carro le tirò su. Furono fortunate, era diretto a Milano. Raggiunsero la periferia a giorno fatto, il borgo di porta Romana intorno all'ora di pranzo, la maternità di Santa Caterina alla Ruota dieci minuti dopo.

La comare Eugenia chiese del direttore della scuola di ostetricia. Spiegò che si erano conosciuti all'ospedale di Pavia. Il dottore ricordava, non era donna facile da dimenticare.

«Questa è mia figlia. Ha compiuto diciotto anni. Qui c'è la licenza di scuola elementare. Mi avevate detto che serve» gli disse porgendogli un foglio.

«E il certificato?» chiese il direttore. L'attestazione comunale di buona condotta era necessaria per iscrivere una giovane alla scuola.

La donna non arrossì alla domanda, non abbassò lo sguardo. «Conosce il mestiere» rispose.

«Chiedete molto, comare Eugenia.»

«A casa non ci può stare.»

Era un uomo intelligente, cattolico, garibaldino. Famoso in tutta Europa per il coraggio di sfidare la tradizione e la cautela nel farlo. Tra una ragazza perduta e una ragazza perduta con diploma di levatrice, scelse la seconda.

«Due anni, lezioni tutti i giorni, niente capricci, niente visite. Al primo sgarro, te ne torni da dove sei venuta. Quando verrà il tempo, partorirai qui» disse rivolgendosi a Caterina.

La ragazza annuì, il volto in fiamme.

«Il neonato starà di là» aggiunse con un cenno all'ala dei trovatelli. «Lo vedrai nel tempo libero.»

Il giorno dopo Caterina assisté alla sua prima lezione. La scuola per levatrici le piacque immediatamente. Certezze si aggiunsero a certezze. Le giornate volavano, non c'era tempo di intristirsi, la giovinezza è così, piena di futuro.

Il cibo era più abbondante che a casa, il letto nel convitto era più comodo di quello a cui era abituata, la pancia cresceva, le compagne la coccolavano. La levatrice maggiore gliele radunava intorno. Una gravida vera è meglio di una bambola. Un vero bacino, un vero pavimento pelvico, una vera vulva sono molto meglio delle riproduzioni in cera. Un vero feto è meglio di un fantoccio di gomma. Lei seguiva la lezione. Lei *era* la lezione. E la pancia le faceva compagnia. "Cara pancia" pensava intrattenendosi in lunghe chiacchierate silenziose. "Cara pancia, maschio o femmina non m'importa. Cara pancia, abbiamo tutta la vita davanti."

Il problema venne fuori all'ottavo mese. La levatrice maggiore la visitò, poi chiamò il direttore, che disse: «Aspettiamo». Non c'è tempo più doloroso dell'attesa. Tre giorni dopo, Caterina cominciò a perdere sangue. Tanto sangue.

Il direttore era famoso in tutt'Europa perché, all'occorrenza, sapeva tagliare pance come se fosse Dio a porgergli il bisturi. Tagliava, tirava fuori il bambino, ricuciva. Prima di lui, chi si trovava nella necessità di tentare un cesareo salvava il bambino e condannava la madre. Ammesso che il bambino fosse forte abbastanza da sopravvivere. Il direttore conosceva il modo di salvarli entrambi.

«Quindi toglierà l'utero» disse Caterina, le dita sul colmo del ventre.

Era una ragazza troppo preparata per non spiegarle come stavano le cose.

«Utero e ovaie.»

La levatrice maggiore le passò un fazzoletto sulla fronte madida.

Ventiquattr'ore dopo, dal tavolo al centro dell'anfiteatro

anatomico, Caterina guardava gli studenti dell'ultimo anno di Medicina accorsi per l'occasione. Non capitava di frequente che il direttore ripetesse il suo intervento più famoso. Le loro facce inconsapevoli e indifferenti, da sotto in su, la nauseavano. L'odore di acido fenico era ributtante. Contò cinque assistenti: tre chini su di lei, il quarto alle spalle del direttore, il quinto con il cloroformio. Distolse gli occhi dai ferri e si abbandonò al sollievo della narcosi.

Al risveglio, le somministrarono chinino, laudano, estratto oleoso di mandorle dolci. Poco dopo, ci fu una festicciola con vino bianco e biscotti secchi. La bambina dormiva nella culla accanto al letto. La chiamò Eugenia.

Il ricordo è uno schiaffo che obbliga Caterina a sciogliersi dall'abbraccio di Antonio e alzarsi. Il terrazzino sul tetto di via Meravigli d'un tratto è una prigione. Si libera dello scialle a quadri, si affaccia. «Hai capito adesso? Non vado bene per te, non vado bene per nessuno, non posso avere figli.»

Si alza anche lui, appoggia i gomiti alla ringhiera. A oriente, il cielo è gonfio di luce. Il mare, manca il mare, il mare e nient'altro. «E la bambina?» domanda.

«Ha resistito tredici giorni» risponde. «I più belli della mia vita.»

Borgo di Dentro, vendemmia 1898

Il convoglio delle 18.32 raggiunge Borgo di Dentro in orario. Il fumo invade la pensilina dove Primo Leone aspetta da qualche minuto, indeciso se tenere il cappello in testa o in mano. L'enormità del tempo trascorso dall'ultima volta che ha visto Antonio Casagrande lo mette in soggezione. Non della persona, del momento. Lo riconoscerà? Tanta vita, in mezzo. Le lettere scambiate con cadenza regolare hanno costruito nella testa di Primo Leone un'immagine precisa ma immateriale, come se, dell'amico, gli fosse ben chiara la forma dell'anima ma non quella del corpo.

Il tram a vapore si ferma sfiatando, gli sportelli si spalancano come bocche.

Cappello in testa? (a dire consuetudine, amicizia, famiglia).

Cappello in mano? (considerazione, rispetto).

Sono passati quasi vent'anni dall'ultima volta. Nella soffitta affacciata sul porto, Angela Maria Bruni era sua moglie da sei mesi. Splendeva, il pancione era il sole e nessuno, lassù, mentre il fotografo rideva e scattava, avrebbe potuto immaginare la notte in agguato. La malattia. La morte. E in mezzo, tre figli. Troppa vita. Primo si porta una mano sulle guance tirate, sul mento ossuto. Si riconosceranno?

I passeggeri sciamano con il passo di chi vorrebbe essere già a casa. Il sabato è un giorno come gli altri: sveglia ch'è buio, partenza, lavoro e finalmente a casa, ma con dentro un po' più di fiato. Primo vede Antonio scendere tra gli ultimi e d'impulso si ritira dietro una cantonata. Negli anni, ha sviluppato l'abilità a non prendere il mondo di petto. Osserva l'amico che scarica dai gradini del convoglio una valigia, un piccolo baule, una borsa di cuoio che gli ricorda quella del medico condotto. Infine, lo vede porgere la destra a una mano femminile. Poi uno stivaletto stringato. Una gonna da viaggio drappeggiata sui fianchi, un giacchino stretto in vita. Il suo amico Antonio non viene solo. Primo prende un bel respiro, dimentica il cappello dov'è, in testa, e si fa avanti.

Da vicino, è un colpo. È Antonio, certo, il ragazzo che tanto tempo prima, inseguendo la mummia di Giuseppe Mazzini, l'ha aiutato a capire che non è nato per la prima linea, lui, come suo padre Domenico, che lui è diverso. E che nel gran bordello della vita c'è posto per tutti.

Ma l'uomo che adesso Primo si ritrova davanti è anche uno specchio. I segni sul volto, il nero sotto gli occhi, la pelle ispessita, la stempiatura, il torso pesante. Si stringono la mano, poi, d'impeto, si abbracciano. E Primo Leone improvvisamente sa, con ogni fibra, di essere invecchiato, e misura quanto, e meglio di come fa ogni mattina facendosi la barba. "La vita ci sta facendo a pezzi" pensa.

Tanto Primo è incline al pensiero astratto, quanto cascina Leone è una festosa baraonda di urgenze concrete. Viti da vendemmiare, piante da potare, frutti da raccogliere, pannocchie da sfogliare, letame da spargere, conigli da nutrire, uova da ritirare, biancheria da lavare, pavimenti da spazzare, farina da impastare, polenta da rimestare. In tanto strepito, Antonio e Caterina vengono festeggiati come parenti, accompagnati a vedere l'orto, la stalla, il pollaio, la cucina, e poi trascinati su e giù dalle scale e in tutte le camere, stanzini, ripostigli, dispense e bugigattoli di cui si compone la casa.

Antonio la ricordava molto più piccola. Attraversa stupefatto trent'anni di sbancamenti, fondazioni, tramezzi, rinforzi, sopraelevazioni e travature. Vani su vani. Il sogno di Domenico Leone – sessantatré anni, garibaldino, repubblicano – in forma di calce e mattoni. Il cantiere sempre aperto, secondo il principio per cui chi viene al mondo ha per ciò stesso diritto a un posto a tavola e a un giaciglio, fosse pure in un sottoscala. Domenico Leone lo chiama "Socialismo".

«Provvidenza» gli risponde la pia Luigina Pareto, cinquantotto anni, un cugino arciprete, devota alla Madonna della Guardia e legittima consorte di Domenico Leone da almeno quattro decenni. Secondo lei, casa loro ha da esser grande abbastanza perché chiunque bussi alla porta possa avere una scodella di minestra e un pagliericcio.

Così, quella sera, a cena sono in undici. Domenico, Luigina, Primo e i tre figli di Primo, ciascuno in bilico su uno sgabello: Anita, diciotto anni, Giuseppe Garibaldi, sedici, Nino Bixio, quindici. Orfani di madre. E c'è anche la migliore amica di Anita, Giulia Masca, con il fidanzato, Pietro Ferro, diciott'anni anche loro. Dividono una panchetta senza schienale. E c'è poi una ragazzina incinta, Teresa, Teresa e basta, senza cognome, senza parentele, senza spiegazioni. Timida, le spalle da bambina, la pancia trionfante. A Caterina e Antonio, per riguardo, sono riservate le "poltrone", cioè le uniche due sedie con i braccioli. E la camera più luminosa.

Sull'argomento, Primo non si era pronunciato. Sono questioni che non lo toccano. Tra Domenico e Luigina, invece, c'era stata baruffa. Per sbrogliarla, si erano chiusi a chiave in uno sgabuzzino. Il problema era la fede al dito degli ospiti. L'assenza, della fede. Un simbolo borghese, per lui. Una promessa davanti all'Altissimo, per lei. Avevano trovato la soluzione assegnando agli ospiti una stanza con un grande paravento centrale e due letti ben distanziati. Lui convinto che avvicinarli fosse un gioco da ragazzi, lei sicura di aver considerevolmente ridotto la Tentazione.

Prima, però, tutti a cena. Pignatte sul fuoco, piatti che passano di mano, profumo di aglio e alloro. La porta spalancata sulla notte ancora estiva, l'aria calda, odorosa di cestro e stramonio. Chiacchiere con la bocca piena e gli occhi accesi. Non succede spesso che a cascina Leone si fermino persone così interessanti.

No, fotografare non è difficile. Ma ci vuole passione.

Levatrice. Come mia madre.

Quando ero ragazzo, toccava portarsi dietro tutto, persino la camera oscura.

Diplomata, sì.

Persone che hanno visto il Mondo, attraversato il Progresso, incrociato la Storia.

Con il padrone, abbiamo fotografato la mano di Garibaldi.

All'Ospedale Maggiore? Tredici anni.

Adesso è tutto un altro sistema.

Adesso è tutta un'altra cosa.

Persone che hanno storie da raccontare.

E Milano?

E i soldati?

E i cannoni?

E i compagni?

Terminato il resoconto delle giornate milanesi, Domenico Leone spinge indietro la sedia e si tira su. A grandi passi raggiunge la parete che ha in faccia. C'è la camicia rossa, appesa come fosse un arazzo. C'è un rosario d'osso, un'immaginetta della Madonna, un quadretto con la carta da visita scattata trent'anni prima da Alessandro Pavia. «Ditemi voi a cosa è servito» dice, la mano aperta sul vetro. Si fa un grande silenzio.

Nel frattempo Primo è sparito. Torna con l'organetto, attacca l'*Internazionale*, poi accelera in una polca. Luigina afferra la mano del marito, lo trascina sull'aia e cominciano a ballare. Giulia Masca e Pietro Ferro li seguono a ruota. Gli altri battono le mani, anche Teresa, il volto in fiamme. Da quando ha scoperto che Caterina è una levatrice, e diplomata per giunta (qualunque cosa voglia dire), ha smesso di fissare il piatto e le ha piantato addosso uno sguardo teso. Non apre bocca, non lo fa mai. Usa il tempo che va dalla zuppa alle rigaglie, alle zucchine trifolate, alle pesche nel vino, alla polca di Primo per raccogliere le forze. Sparecchiando, trova finalmente il coraggio di affiancarla e domandarle all'orecchio: «Lo farete nascere voi?».

Ha una voce talmente sottile che Caterina deve farselo ripetere.

«Mi aiuterete?»

«Siamo di passaggio. Non c'è una levatrice a Borgo di Dentro?»

«Voglio qualcuno di passaggio» risponde la ragazza con la risolutezza dei timidi veri. Porta la mano alla gola, dal colletto estrae una catenina con una minuscola croce d'oro e gliela mostra. «Posso pagarvi.»

"Un'altra" pensa Caterina.

«Se preferite, posso impegnarla e darvi i soldi.»

Lo strazio delle ragazze perdute. «Mettila via» risponde Caterina. Se a Borgo di Dentro c'è una condotta ostetrica, e senz'altro c'è, la levatrice stipendiata dal comune è obbligata a tenere il registro dei parti. È la legge. E sul registro dei parti, la levatrice stipendiata dal comune deve scrivere il chi, il come e il quando. «Gli amici non pagano, Teresa.»

La ragazza spinge la catenina nel colletto e abbassa gli occhi. «Luigina ha ragione, la Provvidenza esiste.»

E se durante il parto, o subito dopo, subentrasse qualche complicanza; se per esempio la temperatura, presa col termometro nel cavo ascellare per quindici minuti, superasse i trentotto gradi centigradi, la levatrice stipendiata dal comune avrebbe l'obbligo di chiamare il medico. È il *Regolamento speciale per l'esercizio ostetrico nei comuni del Regno*.

«Ci voleva qualcuno di passaggio. Ed eccovi qui» prosegue la ragazza.

E se, mancando il medico, nella puerpera la temperatura superasse i trentotto gradi e mezzo, la levatrice stipendiata dal comune dovrebbe fare denuncia all'autorità municipale.

Denuncia.

All'autorità.

«Non hai niente di cui vergognarti» dice Caterina.

La ragazza scuote il capo. «NO. NO. NO. Promettetemi che vi fermerete, qui starete bene, è come una famiglia.»

In caso di omissione, la levatrice sarà punita con pena pecuniaria estensibile a lire cinquecento. Alle quali, nei casi gravi, si aggiungerà la pena del carcere. È la legge, le levatrici stipendiate dal comune la conoscono a memoria.

«Non ti chiami Teresa, vero?»

«Molto meglio di una famiglia.»

Questo, Caterina l'aveva capito subito. «Vai a riposare adesso. Cerca di dormire. Dormire è importante. Domani ti visito.»

Qualche settimana prima, si era all'inizio di luglio, come nebbia che dirada sul far del giorno, il passato aveva smesso di schiacciare Caterina con il suo peso invincibile. C'era, ma c'era anche vita da vivere. E così, dopo l'amore, Caterina e Antonio trascorrevano le serate sul terrazzino di via Meravigli facendo progetti, valutando ipotesi, scartando alternative.

«I bambini nascono ovunque» ripeteva Caterina.

«E dappertutto servono fotografi» rispondeva Antonio.

Non a Milano, quindi. Ne erano certi senza dirselo, non ce n'era bisogno. In quei giorni, notizie di condanne senza misura né pietà si inseguivano come storni nell'azzurro rovente. Li metteva a disagio attraversare strade dove gli squadroni avevano manovrato. Evitavano i viali delle cariche a cavallo, sviavano lo sguardo dalle facciate crivellate di colpi, si tenevano alla larga da piazza Duomo. L'immagine di Anna massacrata sul selciato era tutt'uno con i portici, i caffè, le guglie piantate nel cielo.

Ma lasciare la città si rivelò più faticoso di quanto immaginavano. Il momento in cui Caterina si presentò all'amministrazione dell'Ospedale Maggiore e diede le dimissioni le costò un pomeriggio di lacrime. E quando Antonio, terminato l'inventario del materiale fotografico e deciso quel che era da vendere e quel che era da traslocare, incassò il pattuito per una vecchia macchina con lastre e treppiede, il malumore che lo prese durò per ore. La vedova Cantù, quella sera a cena, gli parve una personcina a modo. La minestra allungata, gustosa. Il vinaccio da pasto, passabile. Il prigioniero si affeziona alla cella, pensava.

Sfogava la tensione fotografando Caterina con la piccola Jumelle Sigriste. Ma non in città, fuori, in periferia, sulle distese di erba medica, trifoglio e mentuccia dove lei sbottonava il colletto, rivoltava le maniche del vestito e affrontava l'erba alta con il cestino al braccio. Le farfalle disegnavano arabeschi, le cavallette facevano acrobazie. La guardava chinarsi, strofinare le foglie con i polpastrelli, portare le dita al naso, scartare, raccogliere. Tornava bambina. Una cosa sola con l'aria, la terra, le piante.

Un pomeriggio, era la fine di agosto e avevano già i biglietti del treno che li avrebbe portati via, Caterina gli chiese di togliersi la benda e di fotografarla così.

«Devo sapere» disse. I passeri riempivano l'aria di gridi. Non aveva mai dubitato del potere di Antonio. Sa che non è un ciarlatano. Ha esperienza, di ciarlatani. Sa che non è un malato di mente, ne ha visti tanti. Sa che la vita è tutta una sorpresa. Neonati sanissimi, bianchi e rossi come mele, muoiono all'improvviso di mali oscuri. Gestanti condannate dalla scienza dei medici e dall'esperienza delle levatrici rifioriscono. Della scienza, dell'esperienza, la vita non sa che farsene. La vita *succede*. Antonio vede la morte? Non le pareva più stupefacente del fatto che l'erba cresce, gli uccelli volano, gli insetti ronzano, il cuore pulsa.

«Niente fantasmi tra noi» aggiunse poggiando il cestino in terra e mettendosi in posa, il mento appena sollevato, le braccia lungo i fianchi.

Antonio pensò che fosse giusto, ma difficile. Non voleva vederla morire. Non voleva rischiare di vederla morire.

«Avanti, Antonio, non ho paura.».

Non era vero, naturalmente. Caterina aveva troppa dimestichezza con la morte per non temerla almeno un po'.

Lui, che non era mai stato in guerra, che in quei giorni aveva imparato a guardare con sospetto chi per mestiere impugna un'arma, sfilando la benda provò lo sgomento del soldato che avanza porgendo il petto alle baionette nemiche.

«Non devo chiudere gli occhi, giusto?»

Antonio scosse la testa. Aveva la gola secca. «Fissa l'o-biettivo» rispose. La guardò senza usare la macchina. Appena tolta la benda, doveva riabituarsi all'improvviso fulgore che il suo occhio pazzo aggiungeva alla realtà. Cercò di imprimersi nella mente ciò che vedeva: il verde acceso del trifoglio, l'espressione determinata, il sorriso a metà, il ricciolo sfuggito all'acconciatura, la figura sottile, il vento sulla pelle, i polsi delicati, gli avambracci nudi, i peletti che luccicavano nel sole.

«Sono pronta.»

La sua magia aveva bisogno di uno strumento. Come un prestigiatore della bacchetta o un sacerdote dell'acqua santa. Senza macchina fotografica, il suo occhio pazzo era cieco.

«Non farmi aspettare!»

Troppo difficile. Se ficcando l'occhio pazzo nel mirino della Jumelle Sigriste, se la curvatura delle lenti, se la precisione dell'obbiettivo ne avessero dispiegato il potere, e Antonio l'avesse vista morire, niente sarebbe più stato come prima.

«Non ce la faccio, Caterina.»

E lei? Davvero era pronta? Chi mai lo è? «Niente fantasmi!» urlò la donna sollevando le braccia. Rimase lì con i gomiti tesi e le dita aperte contro il cielo.

Antonio Casagrande chinò il capo e guardò nel mirino. Sollevò subito gli occhi. Guardò ancora, più a lungo. Tirò ancora su la testa, prese un respiro, tornò a guardare e rimase così, immobile, senza una parola. Infine si lasciò cadere sulle ginocchia, la macchinetta tra le dita. La terra era morbida, l'erba odorava di sole. In un attimo Caterina gli fu accanto.

Lui scuoteva la testa.

Lei portò una mano alla bocca.

«Niente» disse lui.

«Niente?»

«Solo tu. Qui. Adesso.»

«Niente fantasmi?»

«Niente fantasmi.»

Caterina si rialzò e lasciò correre lo sguardo sulla distesa verde. Aveva il cuore più leggero. «Adesso possiamo davvero partire» disse.

"Sì" rispose in silenzio Antonio. La gioia gli esplose in petto. Non solo non l'aveva vista morire. Aveva di colpo compreso quel che gli era sempre sfuggito. Che il suo è uno sguardo breve. Che vede morire solo chi se ne va prima di lui. Il bambino del Pammatone, Paolino di Borgo di Dentro, Famagosta, la levatrice Anna. Non ha visto morire Caterina perché non la vedrà morire. Semplice. Se ne andrà prima lui. È così. Lei gli sopravviverà. Semplicissimo.

Sorrise tra sé. Per la prima volta l'orfano del Pammatone fu grato del suo dono. La vita restituiva ciò che alla nascita gli aveva sottratto. La raggiunse, la strinse. Antonio Casagrande non avrebbe passato un solo giorno al mondo senza Caterina. Poteva desiderare di più?

La domenica mattina a cascina Leone il trambusto comincia presto. Gli animali non distinguono il giorno del Signore e bisogna distribuire pastoni e spazzare gabbie. C'è da avviare il pranzo, perché le donne vanno a messa, ma prima impastano. I maschi sono tutti fuori, tra stalla e campagna, Primo e Antonio nel bosco con la cagnetta. In casa rimangono Caterina e Teresa.

La levatrice le chiede di indossare un camicione pulito. Intanto organizza una stanzetta, sposta il mobilio, dà una lavata al pavimento, sistema il tavolo al centro, in piena luce. Sciacqua il piano con acqua e sapone, lo asciuga con cura, stende un lenzuolo di bucato, infila un grembiule bianco sopra il vestito, lava ancora una volta le mani e fa stendere la ragazza.

«Su le ginocchia» dice appoggiandole una mano sul ventre.

Teresa è nervosa.

«Brava, così. Punta i talloni.»

Appena sente le dita della levatrice, la ragazzina stringe le gambe.

«Tranquilla, non sentirai niente.»

La ragazzina ha gli occhi chiusi, le cosce tese, le dita strette al bordo del tavolo, il respiro grosso. Come se nessuno l'avesse mai toccata *lì*, pensa Caterina. Nessuno che lei desiderasse avere dentro.

«Apri gli occhi, Teresa. Non ti faccio male. Te lo prometto.»

Lei annuisce, pallidissima, ma non apre gli occhi.

«Adesso respira. Pensa a qualcosa di bello.»

Teresa ubbidisce. Caterina le appoggia una mano sul colmo del ventre. «Dimmi, a cosa stai pensando?» Con l'altra mano torna tra le gambe della ragazza.

«Ciliegie.»

«Ti piacciono?»

«La marmellata.»

«Capisco. A far la marmellata, sono più quelle nella pancia che nella pentola.»

«La facevo con mia mamma e le mie sorelle.»

Caterina entra con due dita. Si ferma, lascia che Teresa ricominci a respirare.

«Quante sorelle hai?»

«Tre.»

Quello che vede, e quello che sente dentro, non le piace.

«Più grandi o più piccole?»

«Una più grande e due più piccole.»

Non le piace davvero. Deve fare una domanda difficile, cerca un tono neutro. «Qualcuna di loro ha mai partorito?»

Teresa si irrigidisce.

«Ho quasi finito. Respira su, respira. Brava, così.»

«Mia sorella grande.»

«Tua sorella grande ha partorito?»

Annuisce. «Adesso basta, per favore» implora.

«Sì, ho finito, puoi vestirti.»

Teresa si lascia scivolare giù dal tavolo e scompare nella sua stanza. Non le chiede niente.

"Lo sa" pensa Caterina togliendosi il camice. A volte capita che la gestante sappia in anticipo quello che sta per capitarle. Potrebbe essere già successo alla sorella. Se si somigliano. Ad ogni modo la faccenda la inquieta. Ne parlerà con Luigina.

La prende da parte subito dopo pranzo, affiancandola sulla porta di casa. Gli altri sono sull'aia, in posa davanti all'obiettivo della Jumelle Sigriste. Al pranzo della domenica sono tornati Giulia Masca e Pietro Ferro, come fossero parenti.

«Bisogna chiamare un medico. Secondo me deciderà di mandarla all'ospedale» dice.

«Teresa non vuole né il dottore né l'ospedale.»

«Ha le mani troppo gonfie. Anche il viso. E un bacino strettissimo. È come far partorire una bambina.»

«È una bambina. Anche nella testa.»

«Appunto.»

«Piuttosto che vedere un dottore, Teresa si ammazza.»

«Se il bambino si presenta di schiena, si strappa tutta, anche dentro.»

«Ci ha già provato una volta col veleno.»

Sull'aia è tutto un fare avanti indietro cercando la luce giusta. Teresa non c'è. Dopo pranzo, ha preferito coricarsi. Ha di nuovo mal di testa, e poi la visita le ha lasciato addosso un umore tetro.

«Figurati se vuole una foto, povera anima. Non si guarda neanche allo specchio. Neanche la pancia» dice Luigina.

«Chi è il padre?»

«Non l'ha detto neppure al prete. È lui che ci ha chiesto di nasconderla.»

«Nasconderla.»

«Così ha detto.»

«E sua madre?»

«È morta due anni fa. Sono rimaste sole.»

Luigina non perde di vista il gruppo sull'aia. Domenico al centro, Primo al fianco, i nipoti accucciati. «Sole col padre.»

Caterina abbassa lo sguardo. I Leone si divertono, Anita rifila uno scappellotto a uno dei fratelli, poi ride. «Il padre» sussurra.

«Ci sono uomini così. Senza onore. Senza cuore.»

La levatrice si torce le mani. Le istruzioni di Antonio le arrivano attutite. *Stringetevi. Su le spalle. Ma no, non così, così sembrate stoccafissi.* Il fotografo indossa la benda. Non vuole sapere cosa accadrà ai suoi amici, pensa Caterina.

«Se le parliamo di dottori, è la volta che scappa. E che fine farà, sola, là fuori?» Luigina indica con il mento la vallata, il torrente, la strada che scende a Borgo di Dentro, le colline gonfie di grappoli. Il mondo.

Caterina si stringe le braccia con i palmi. «Non vuole neanche una levatrice di qui.»

«Ha paura che qualcuno vada a raccontarlo. Che lui la trovi. O che i carabinieri lo sbattano in galera. Non sappiamo bene cosa le passi per la testa. Non parla. Resterete fino al parto?»

«Non potete immaginare quello che la aspetta. Ha il bacino troppo stretto, non c'è spazio.»

«Ho partorito quattro volte.»

Quattro parti e un figlio solo, calcola la levatrice. *Primo* è un nome pieno di buone intenzioni.

«La Provvidenza non è sempre facile capirla. Allora, resterete?» prosegue Luigina.

Davanti all'obbiettivo della Jumelle Sigriste adesso sono in tre: Anita, Giulia e Pietro. Si tengono a braccetto, ridono, l'immagine della giovinezza. Di buone intenzioni è lastricata la strada per l'inferno.

Caterina annuisce. Resteranno anche qualche giorno in più. Il parto non finisce con il parto. Vede Antonio stringersi la benda e poi scattare. Vorrebbe avere una benda anche lei. Vorrebbe non aver visto, non aver saputo.

I giorni passano, la vendemmia si avvicina. Non c'è momento dell'anno più esaltante e pericoloso. Pioverà? La grandine distruggerà l'annata? Giornate sempre più corte si allungano nella frenesia dei preparativi. Le notti si consumano nell'incendio dell'attesa. E tutti i Leone sono coinvolti, i vecchi, i giovani, le donne.

Due ore di buio e mezz'ora di luce: Primo Leone non chiede di più. Aspetta che si alzi la luna e infila il bosco con la cagnetta. Dopo pranzo si rintana nella sua stanza, la finestra spalancata, la porta chiusa e uno spartito davanti. Studia.

Antonio Casagrande è sdraiato sul letto. Lo ascolta cantare le note, si lascia trasportare dai pensieri. Sonnecchia. Alla stazione della tramvia è stato un colpo anche per lui. Lì per lì, l'ha scambiato per Domenico il garibaldino. Adesso osservava l'amico chino sui ghirigori d'inchiostro. Gli anni si vedono anche di spalle. "Quindi anch'io somiglio a mio padre? C'è un tizio che se ne va in giro con la mia faccia?" Scaccia l'immagine. Non ha padre. Si rifiuta di provare nostalgia.

Primo intanto prosegue imperterrito, concentratissimo. La melodia disegna il suo reticolo nell'aria. Non proprio musica, giusto l'idea.

«E lo fai tutti i giorni?» domanda Antonio quando mezz'ora più tardi Primo chiude lo spartito.

«Sempre. Soprattutto se non ho tempo di suonare. Devo tenermi pronto.»

«Per cosa?»

«Per dirigere la banda.» Fa un inchino, poi un gesto come reggesse la bacchetta. «Quando me lo chiederanno». In quel momento ha di nuovo quattordici anni. «*Se* me lo chiederanno.»

«Perché non dovrebbero?»

«Sarebbe la prima volta.»

«C'è sempre una prima volta.»

«La prima volta che lo chiedono a un contadino.»

Dalla cucina arriva rumore di stoviglie smosse.

«Il mondo sta cambiando.»

«Così dicono.»

«Non ci credi?»

Rigovernando, le donne attaccano un motivetto in voga.

«Il mondo non fa che cambiare» risponde Primo. Ripone lo spartito in cima a una pila di scartafacci.

«Insomma non ci credi.»

«Devo crederci. Altrimenti perché esercitarsi?»

«Perché non si sa mai. E perché ti piace.»

«Si vede?»

«Il giusto. È complicato?»

Primo fa un gran sorriso, riapre lo spartito e attacca a spiegare. Questo è il pentagramma, contano i righi ma anche gli spazi. Questa è la chiave di violino, dove termina il ricciolo c'è il Sol, tutto il resto va di conseguenza. Queste sono le note, questo un Do, questo un Mi. Tira fuori dalla pila un altro spartito. Questa ciambellina si chiama "semibreve", la "semiminima" è la cacchetta di mosca con il trattino. Il trattino si chiama "plica". Se la plica ha una coda si chiama "croma", due code "semicroma", poi c'è la "biscroma" e la "semibiscroma". E intanto che spiega, canta, batte il dito sul tavolo, si ferma, conta, ricomincia.

«E hai imparato tutto dà solo?»

Primo fa un gesto come dire "sì, ma che importa", e riparte. La minima dura metà della semibreve e il doppio della semiminima. Questa è una "legatura", bisogna sommare la durata delle note. Questa è una "pausa". Sembra che non succeda nulla ma anche il nulla succede, ha un inizio, una fine. Tre/quarti, due/terzi, quattro/quarti, adagio, andante, mosso, largo. Uno stupefacente spiegamento di forze con un solo obiettivo. «Controllare il tempo» conclude Primo.

Antonio corruga le sopracciglia.

«La vita non la puoi controllare. Invece tutto quello che è scritto sullo spartito, tutto quello che deve succedere, succede. Non è una meraviglia? Non è… consolante?»

Antonio incomincia a capire. Non la musica, l'ossessione. La cella che il suo amico ha scelto.

«E non finisce qui. Puoi ripetere cento volte, e cento volte sarà diverso. Se piove, il clarinetto risponde in un modo. Se fa bello, il suono è un altro. Tutto quello che deve essere, sarà, ma non nello stesso modo.» La cella adatta a uno spirito vagabondo, la gabbia fatta per prendere il volo.

«Ti ho portato un regalo» dice allora Antonio. Lascia la stanza e torna con la tromba di Alessandro Pavia in mano. «Ti ricordi?»

Primo guarda lo strumento, poi apre l'armadio, tira fuori una scatola di metallo del tipo che si usa per i dolci e la svuota sul letto. Uno zufolo di canna, un pacchetto di lettere tenute insieme con lo spago, un album 10×12, una cartolina dal lago Maggiore, un cravattino a farfalla, una pagina del "Corriere delle Valli", una manciata di ance, un sacchetto di biglie. «Questa l'hai scattata tu» dice porgendogli una fotografia.

Si vede Primo Leone bambino. È solo al centro della pedana montata sull'aia e soffia nella tromba di Alessandro Pavia.

Antonio sorride. «Era la prima volta» dice. «Il giorno che il padrone ha fotografato tuo padre.»

«Tienila» dice Primo.

Antonio si avvicina alla finestra, vuole studiare la foto in piena luce.

Bambino con tromba.

O anche, meglio:

Un gioco molto serio.

Immagina sempre didascalie. L'espressione del piccolo musicista gli pare stupefacente. Il futuro già scritto nello sguardo intento. La solitudine esibita e il desiderio, nonostante tutto, di *esserci*. Il tentativo – goffo, commovente, riuscito – di impersonare l'uomo che sarebbe diventato. «Eri già tu» dice.

Vale anche per Antonio? Cosa non darebbe per avere un'immagine di se stesso bambino. A guardarla con l'occhio del fotografo, a etichettarla con la didascalia giusta, forse il destino gli apparirebbe leggibile, lampante.

«Eri già tu, davvero» ripete stupefatto. "Tutto è già scritto" intende. E questo affannarsi a cercare il proprio posto nel mondo, la sensazione che la vita sia un continuo partorirsi, e partorirsi con dolore, non è che un'illusione.

«Tu in formato carta da visita, Primo.»

Chissà cosa aveva visto, nel ragazzino orbo del Pammatone, il fotografo Alessandro Pavia. Quale didascalia aveva immaginato, che cosa aveva indovinato, di lui, quando l'aveva scelto nel mucchio.

«È un brevetto francese. Il padrone l'aveva pagato caro.» Il ricordo lo intenerisce. «Gli altri fotografi l'hanno copiato e basta. Alessandro Pavia è un coglione, dicevano.»

Primo intanto si rigira la tromba tra le mani. Prova i tasti, lucida il bocchino con un fazzoletto, lo avvicina alle labbra. «Un uomo onesto» risponde.

Antonio ci pensa su. Vista con gli occhi di Primo, la vita sembra meno feroce. Sa per certo di aver avuto un buon maestro: la foto che ha in mano, *Bambino con tromba*, ha luce giusta e viraggio da manuale. «Perché non la appendi?» La domanda intera sarebbe: "Perché questa immagine non è appesa in cucina accanto a quella di tuo padre?". Ma è una stupidaggine, Antonio lo sa. Non tutti sgomitano, ciascuno sceglie il proprio spazio. Quello di Primo Leone è una scatola di metallo che aveva contenuto dolci, chiusa nell'armadio di una stanza chiusa a chiave dall'interno e stracolma di spartiti, strumenti musicali, spazzole e zappette per la cerca.

In cucina, le donne continuano a cantare. La cagnetta elude la sorveglianza di Luigina e raspa con le unghie la porta della stanza.

«La mia innamorata» dice Primo. Socchiude la porta e lei si avventa alle sue ginocchia, scodinzolando pazzamente. «E così hai deciso di lasciare Milano e tornare a casa.»

Antonio fatica a rispondere. L'ala degli esposti del Pammatone è "casa"? La soffitta di Alessandro Pavia al numero 4 di piazza Valoria; il buco in vico Indoratori dove si è trasferito mentre lavorava per il subentrante; il divano di madama Carmen; il sottotetto affacciato sul porto che ha potuto permettersi con il guadagno delle prime foto erotiche; il *boudoir* di lady Violet: sono "casa"? «Diciamo che torno dove sono nato. Con Caterina.»

«Gran donna» risponde Primo. Stacca il clarinetto dal sostegno a muro e al suo posto aggancia la tromba. «Grazie, è un bellissimo regalo.» La cagnetta prende a lustrargli lo zoccolo con la linguetta guizzante.

«Com'è avere figli?» domanda di punto in bianco Antonio. Neanche questa è una domanda intera, avrebbe voluto chiedergli com'è essere figlio. La cagnetta intanto si rovescia sulla schiena strofinando le assi del pavimento.

Primo le fa il solletico sulla pancia e lei uggiola di piacere. «Mai pentito. Avete progetti?»

«Caterina non può.»

«Non si può mai sapere.»

«Lei non può proprio.»

«Per te è un problema?»

Con un balzo, la cagnetta si rimette in piedi, si avventa su uno spazzolino da cerca, lo immobilizza con le zampe e comincia a mordicchiare le setole.

«Lo è per lei.»

«Un guaio. E quando partite?»

«Dipende da Teresa. Caterina ha promesso di aiutarla.»

«Allora abbiamo un po' di tempo. Magari lo risolviamo. E tieniti la fotografia. Anche tu eri già tu.»

«Risolviamo cosa?»

La cagnetta si blocca, solleva le orecchie, guarda Antonio poi il suo padrone.

«Il problema di Caterina.»

Ai primi di settembre il bambino si gira per il verso giusto. Teresa sente qualcosa ma non ne fa parola. Trascorre gran parte della giornata in casa. Il mal di testa non le dà tregua. Piedi, mani e volto si gonfiano fino a dolere. Caterina la tiene d'occhio. Un mattino la sorprende a pulire con uno straccio la materassa di meliga che nella notte si è bagnata. «Fammi vedere.» La macchia non puzza di urina. «Hai già i dolori?»

La ragazzina annuisce.

«Da questa notte?»

Non risponde.

«Da ieri sera?»

La ragazzina annuisce di nuovo. È terrorizzata. Una contrazione la obbliga a serrare le labbra. Caterina le appoggia una mano sul colmo del ventre e aspetta che passi. «Metti una camicia da notte pulita. Nient'altro. Poi resta nella tua stanza. Cammina, siediti, sdraiati, è lo stesso. L'unica cosa che non devi fare è andare di corpo. Se senti lo stimolo, chiamami, capito? Torno tra poco».

Gli uomini sono in vigna dall'alba. La luna nuova chiama vendemmia e bambini. In cucina si ritrovano in tre: Luigina, Anita e Caterina. La levatrice assegna gli incarichi. Avvertire i maschi che si tengano a distanza. Scaldare l'acqua finché prende il bollo. Tanta, non solo un pentolino. Teresa partorirà in cucina, quindi lavare il pavimento con acqua calda e sapone. Lavare il ripiano del tavolo. Lavare il ripiano della credenza e ricoprirlo con un telo. Parla serissima. Serve anche un fiasco, una conchetta e un catino. Sciacquare tutto. Per bene. Ancora. Ancora. E biancheria pulita, teli grandi e piccoli, tanti, il più possibile.

«Come, puliti? Ma se intanto...» dice Luigina.

«Di bucato» risponde Caterina.

Luigina alza un sopracciglio. A Borgo di Dentro non s'è mai vista una levatrice tanto fissata col sapone.

Mentre le donne si danno da fare, Teresa ha contrazioni sempre più frequenti. Caterina fa avanti indietro tra la cucina e la stanza della ragazza. La rassicura, la accarezza, le fa buttare giù un bicchierino di marsala. Un'ora dopo, le contrazioni sono vicinissime, meno di tre minuti tra l'una e l'altra. Il bambino ha fretta. La levatrice recupera la sua borsa di cuoio e sistema l'occorrente sul ripiano della credenza. Forbici, forbicine per unghie, lima, spazzola, stetoscopio, termometro, un irrigatore con la cannula, un catetere di gomma elastica, cinque bustine con la scritta ACIDO BORICO. Luigina fa tanto d'occhi.

Sulla stufa, il pentolone d'acqua bolle. Teresa ha una contrazione così forte che il lamento si sente dalla cucina. Caterina riempie il fiasco di acqua calda, scioglie due bustine, rovescia la soluzione nella conchetta e mette a bagno cannula, catetere e forbici. Poi arrotola le maniche del vestito e comincia a lavarsi nel catino, acqua calda e sapone, dito per dito, il palmo e il dorso, il polso, l'avambraccio e fino al gomito. Spazzola le unghie, le rifila con le forbici, le ripassa con la lima e sciacqua di nuovo nell'acqua saponata.

«Adesso voi» ordina a Luigina e Anita.

Luigina vorrebbe dire, ma si blocca. Che ne sa di levatrici

diplomate? Sarà che viene dalla grande città, ma la signorina Colombo non ha molto a che fare con le mammane che conosce lei. Sembra un medico con la gonna.

Teresa ricomincia a lamentarsi. Un suono flebile che somiglia a un miagolio. La levatrice indossa un grembiule con la pettorina, va a confortarla, poi torna in cucina, riempie il catino di soluzione antisettica e tuffa dentro mani e avambracci. Luigina non riesce a trattenersi. «Ma di nuovo?» sbotta.

«Disinfettatevi anche voi» risponde Caterina. Ha un tono sbrigativo, l'espressione contratta di chi ha paura. Luigina se ne accorge subito.

«State bene? Anita, versa anche per Caterina un goccio di marsala.»

Niente marsala, sta bene, non è il primo parto difficile che le tocca. Ma questo le mette addosso un timore inconsueto, come se quello che sta per succedere fosse più grande di lei. «Pazienza e prudenza» risponde. Così diceva la comare Eugenia. Cosa c'entra adesso sua madre? Perché le viene in mente?

La ragazzina è sulla porta. Ha il respiro corto, il viso stravolto. La levatrice dimentica la sua paura e le va incontro sorridendo. La prende per mano, la sorregge fino al tavolo, la aiuta a salire. Anita le porge un cuscino, Luigina le solleva le ginocchia e sistema un telo arrotolato sotto il bacino.

«Va tutto bene, Teresa» dice Caterina cercando il suo sguardo. «Dillo con me. Va. Tutto. Bene.»

«Va. Tutto. Bene» ripete Teresa. È una ragazzina ubbidiente.

La levatrice le lascia la mano e prende posto davanti a lei. Fa un cenno a Luigina, che aggiunga sotto una pezzuola pulita. Un altro cenno ad Anita, che le passi il catino. Sdraiata sul tavolo, minuta com'è, la pancia sembra gigantesca. Una bambina che partorisce il mondo. Un'altra contrazione, lunga, dolorosa. La levatrice aspetta che passi. «Adesso darò un'occhiata» dice. Con un panno lava delicatamente le grandi labbra, tumide, rossastre, l'interno delle cosce, il perineo. Poi comincia l'esplorazione.

Teresa ha gli occhi chiusi, il capo rovesciato indietro. Due grosse lacrime scendono alle orecchie. Caterina raddrizza le spalle. Quello che vede la lascia sbigottita. Possibile che questa ragazza, questa bambina...? «È pronta» sussurra. Luigina porta una mano alla bocca. Anita impallidisce. «Il travaglio è cominciato ieri sera, non ha avvertito nessuno.»

Luigina si china all'orecchio della ragazza. «Sei molto coraggiosa. Molto, molto coraggiosa.» Poi alla levatrice: «Prendo il burro».

Il burro. La comare Eugenia lo usava per aiutare l'espulsione. Di nuovo sua madre. Che cosa le sta succedendo? Da quando la donna l'ha lasciata – l'ha *abbandonata* – alla scuola di ostetricia dove lei ha trascorso la maggior parte del tempo a disimparare le *certezze* – le superstizioni – che la comare Eugenia le ha insegnato, Caterina Colombo si è imposta di cancellarla dalla sua mente. E ci è riuscita. Fino a oggi. «Niente burro. Porta infezione» risponde meccanicamente.

Luigina alza le mani in segno di resa.

Solo una volta, in tanti anni, Caterina ha fantasticato di avere accanto sua madre. Stava per partorire e immaginava che la comare Eugenia si presentasse dicendo: "Lasciate fare a me". Si figurava tutta la scena: lei sul tavolo operatorio, gli studenti di medicina assiepati alle balconate del teatro anatomico, il direttore col bisturi in mano e la comare Eugenia che si faceva largo e la salvava. La fantasia stupida di una ragazzina stupida. Perché adesso la comare Eugenia le invade i pensieri? «Un attimo» risponde a Luigina. Si allontana di qualche passo. Respira. Neanche toccasse a lei partorire.

Guarda le due assistenti che il caso – la Provvidenza, direbbe Luigina – ha messo sulla sua strada. Luigina è una donna forte, Anita le somiglia. Non poteva capitarle di meglio. Guarda poi la ragazzina – la bambina – con le gambe aperte. "Mamma" pensa. Respira ancora, cerca la concentrazione. "Mamma. Mamma." Se solo la comare Eugenia fosse qui. Se la vedrebbero loro due con questo bacino troppo stretto per figliare, le mani gonfie, il volto tumescente.

Intanto arriva una nuova contrazione. Al termine, Teresa fa per sollevarsi. «Devo andare di corpo» piagnucola.

«No» risponde Caterina. Ha di nuovo il controllo di sé.

«Ascoltami. Quando arriva la prossima contrazione, spingi come per andare di corpo. Finché dura, tu spingi. Adesso resta giù e rilassati. Respira. Così.»

Anita asciuga la fronte di Teresa, le sussurra qualcosa all'orecchio e sorride. È una magnifica mora, ma in questo momento è del colore dei teli.

«Preghiamo» dice Luigina.

Caterina neppure la sente. Guida Teresa nelle spinte. La ragazzina è un buon soldato: respira quando le si dice di respirare, spinge quando le si dice di spingere. Luigina e Anita recitano l'Avemaria. Teresa stringe i denti.

Il bambino si muove. Lo sente la madre, ma anche le altre. Scorre lentissimo nella cavità pelvica, costretto tra le ali dell'osso sacro e la cresta del pube. Scivola aprendosi un varco tra le spine ischiatiche, flettendo il collo finché il mento tocca lo sterno. Sfrutta la concavità del sacro, rivolge la faccia al coccige.

«Ci siamo» dice Caterina.

Luigina prega più forte. Senza accorgersi, accorda il ritmo ai respiri di Teresa. Il bambino si muove ed è un avanzare complesso, rotazione e traslazione insieme, una spirale, una vite senza fine. Rivoluzione millimetrica di un pianeta lanciato nello spazio infinitesimo. Luigina attacca il *Salve Regina*. Nel vortice, a una a una le piccole vertebre del collo tornano a comprimersi. Il mento si solleva. Le ossa del cranio, tenere, si deformano. Il cervello si distende, la nuca si assottiglia. Anita trattiene il fiato. Il tempo collassa: da lentissimo, si fa istantaneo. Teresa urla.

«La testa! La testa!» batte le mani Luigina.

Caterina ricomincia a respirare. Sorregge il capo viscido del neonato, ma ha la sensazione che non ce ne sia bisogno. Il bambino persevera in quell'avvolgersi primordiale, preme sul perineo della madre, lo usa da perno per spingere fuori una spalla, asseconda le spire del movimento, libera l'altra spalla, poi il ventre, le braccia, le mani chiuse a pugno, le dita che si aprono, una per una, le natiche incrostate, le gambe, i piedi. La prima aria gli invade i polmoni. Il vagito le ammutolisce.

Maschio.

Piccolo.

Piccolissimo.

Perfetto.

La levatrice è la prima a riprendersi. Pulisce gli occhi al neonato, lo controlla in ogni parte, sente il cuore, taglia il cordone, fa la medicazione, lo appoggia sul seno di Teresa, copre entrambi con un lenzuolo pulito. Lava ancora le mani e siede lì accanto, in attesa.

È stremata.

Teresa ha sempre il terrore negli occhi. Luigina le insegna come farlo attaccare. «Così, ecco, così» dice ma la ragazzina neppure lo guarda.

Non è una lunga attesa. In mezz'ora viene fuori tutto quel che deve. La placenta è intera, sana. Anita aiuta Teresa a scendere, accompagna lei e il bambino nel letto. Luigina si avvicina alla levatrice e l'abbraccia. «Grazie» dice.

«Ha fatto tutto da solo» risponde Caterina.

«Si vede che voleva proprio venire al mondo» dice Luigina. Ha gli occhi che ridono.

Caterina chiude i suoi e rivede la testa piccola, le spalle strette, il corpo lungo e sottile. Lo immagina scivolare come una biscia nelle strettoie di Teresa, affrontare a muso duro le anse impervie di quel corpo acerbo. «Già» risponde. «Costi quel che costi.»

«Che avete? Non siete contenta? Il bambino ha trovato la strada.»

«È come... se sapesse.»

«Sapesse cosa?»

«Che la strada non c'era. È così piccolo. Eppure sano, credetemi. Perfettamente sano.» Lei che conosce per pratica le infinite forme in cui vita e morte s'intrecciano, lei che non si stupisce più di nulla, non si capacita di quel che ha visto.

Luigina fa un gran sorriso. Santi, madonne, miracoli: nel suo mondo interiore ogni cosa ha il suo posto e ogni posto la sua cosa. «Perché vi tormentate se è andato tutto bene?»

Caterina non è convinta. «Il parto non finisce col parto» dice con le parole della comare Eugenia.

Genova può aspettare. Mentre la vendemmia entra nel vivo e il profumo del mosto avvolge cascina Leone, Caterina Colombo fantastica su quello che Antonio Casagrande le raccontava sera dopo sera sul terrazzino di via Meravigli. Gli ulivi, l'ammattonato che precipita a valle, i vicoli, l'odore di pesce, il via vai del porto, i venditori di ricci, lo specchio del mare che inonda di luce la città, lo sfavillare delle facciate e i neri tagli d'ombra, nettissimi. Posto ideale per un fotografo e, spera, per far nascere i bambini.

Luigina intanto ha di nuovo la casa in mano. Obbliga Teresa a rimanere a letto. Per i primi due giorni, sistema Anita sulla porta, di guardia, che non entrino gatti perché il latte andrebbe indietro. Scarta le galline brune, nere e fulve, sceglie la più grassa tra le bianche, le tira il collo, la spiuma, la strina sulla fiamma, la svuota e la cuoce in acqua, sedano, carota e cipolla. Obbliga Teresa a bere il brodo e a mandare giù qualche boccone tenero.

Caterina la visita mattino e sera. Il gonfiore non cala. Il bambino è vivace ma il latte scarso, bisogna integrare. La mattina del quarto giorno Primo molla i filari, raggiunge una cascina poco distante e torna con una capra dalle mammelle turgide. Anita la munge. Luigina scalda il latte, lo allunga con un po' d'acqua, intinge un panno e fa colare il liquido goccia a goccia tra le labbra del bambino.

Provvidenza è provvedere.

Socialismo, la stessa cosa.

I Leone sono pronti a farsi carico della madre e del bambino. Dove si mangia in sei, si mangia in otto, hanno pensato quando il prete ha chiesto loro di nascondere Teresa. E poi si sentono in credito con il Padreterno. Primo, di tre fratelli. Luigina e Domenico, di tre figli. Chi può dire che l'Altissimo non abbia deciso di saldare il conto con qualche anno di ritardo, e nella forma sorprendente di una ragazzetta col pancione?

Teresa però non si riprende. Il mal di testa non l'abbandona mai. Sei giorni dopo il parto, sale la febbre. Caterina chiede a Luigina di chiamare il medico. Teresa sente e comincia a piangere, rifiuta il cibo, allontana il bambino. Niente dottori, si fa promettere.

La vigna tiene gli uomini fuori casa per l'intera giornata, Antonio impara tutto su raccolta, cernita, pigiatura e fermentazione, Anita e Luigina rientrano solo per cucinare, all'ora dei pasti si presentano anche i braccianti. Teresa avrebbe bisogno di tranquillità. Caterina fa trasportare una branda nella camera della ragazza e resta con lei notte e giorno. La convince a bere, a mangiare, ad attaccare il bambino al seno. Se la ragazza è troppo stanca, lo culla lei, lo cambia quando è il momento, gli dà il latte di capra al modo in cui l'ha fatto Luigina la prima volta. Il bambino è un fiore, Teresa sta sempre peggio. Nove giorni dopo il parto ha un mancamento. Si riprende subito, ma la temperatura sfiora i trentotto gradi.

«Lascia che chiami il dottore» dice Caterina stringendole la mano.

Teresa non la ascolta. Guarda il bambino nella culla che Primo le ha sistemato accanto al letto. È sveglio, alza le manine afferrando con le dita chissà quali misteriose creature.

«Tenetelo voi» risponde.

«Ti riprenderai, Teresa. Lascia che io chiami un dottore. Dopo starai bene.»

«Voi non capite. Io non lo voglio.»

Certo che capisce. Succede. L'unica è aspettare. In qualche caso la puerpera ci ripensa e il neonato non va ad aumentare il numero dei mantenuti dalla pubblica assistenza. Quando all'ora di cena Luigina arriva a portare una scodella di brodo con il rosso d'uovo, trova la ragazzina prostrata. «Finita la vendemmia, faremo un signor battesimo, Teresina» dice per tirarla su.

«Lo tiene lei» risponde la ragazza accennando a Caterina.

Luigina equivoca: «Hai scelto una brava madrina. Hai già pensato al nome?».

Teresa chiude gli occhi. La febbre è salita ancora.

La levatrice appoggia una mano sul braccio di Luigina, la richiama fuori dalla stanza. «È molto grave, chiamate il dottore, datemi retta.»

Da dentro arriva un rumore secco, ripetuto. Rientrano al volo, la testiera del letto sbatte contro il muro. La ragazzina ha le convulsioni. Il bambino comincia a piangere. Luigina lo porta fuori, lo affida a Primo, rientra con Anita. Le convulsioni continuano, la ragazza ha la bava alla bocca, le pupille dilatate, Caterina sistema uno straccio in fondo al letto perché non si ferisca sbattendo i talloni sul bordo, Anita prova a fermarle le braccia ma la levatrice la trattiene. «È peggio» dice. I minuti, uno, due, tre, non passano mai.

«Anita, vai a cercare i tuoi fratelli. Che vadano a chiamare il dottore!» dice Luigina.

Primo si affaccia e subito si ritira, che il bambino non veda.

Le convulsioni cessano di colpo. Teresa ha un fremito e una specie di risucchio delle labbra. Caterina le pulisce delicatamente la bocca, avvicina il volto, cerca il battito.

Anita è ferma sulla porta, attonita. «Vai! Di corsa!» incalza la nonna.

Teresa non si muove. Gli occhi sono aperti ma Caterina è sicura che non veda nulla. «Aspetta, Anita» dice.

Pochi momenti sono gonfi di vita come quelli in cui la morte varca la soglia. A bassa voce, sussurrando, bisbigliando è necessario comporre il corpo, prendere le misure per la cassa, avvertire il falegname, il prete per il funerale, scegliere un vestito, acconciare i capelli, intrecciare il rosario alle dita, piangere, pregare e occuparsi anche degli ultimi filari, perché il maltempo minaccia e la vita, della morte, se ne infischia. E prendersi cura del bambino, naturalmente. In tanto sgomento, chi meglio di una levatrice? Genova aspetterà.

Caterina si organizza come fosse ancora alla maternità dell'Ospedale Maggiore. La stanza di Teresa diventa la stanza del bambino, il pavimento lustro, ogni superficie disinfettata. La mattina presto lo visita: occhi, cuore, respiro. Controlla che lenzuolini, copertine e pannolini siano lindi. Se ne fa un cruccio: se necessario, ci pensa lei, alla fonte. Impara a mungere la capra. Lo nutre secondo le consuetudini dell'allattamento ospedaliero. Ritagliando e forando una delle sue cannule di gomma, ricava una specie di tettarella che, collegata a una fiaschetta, simula la suzione. Gli fa fare il ruttino poi lo mette nella culla e si allontana, come ne avesse altri dieci da seguire.

Ma via via che i giorni passano, e la pena per le esequie sbiadisce nel ricordo, e la vendemmia si avvia alla conclusione, Caterina Colombo dimentica a una a una le regole apprese in tredici anni di esperienza più due di scuola. Comincia a trattenersi accanto alla culla finché il bambino non prende sonno. Oppure torna a controllare ogni venti minuti, poi ogni dieci, poi decide che è meglio non lasciarlo solo perché non si sa mai. Fa montare quattro ruotine alla culla per portarselo appresso a prendere aria sull'aia. Non basta. Da Luigina si fa dare una pezza, si costruisce una fascia e se lo lega al petto finendo per averlo sempre addosso. Lo annusa in continuazione, gode di quell'odore tutto particolare che hanno i neonati, rose e latticello, della pelle elastica e sottile, delle manine inconsapevoli, dei piedini turgidi, dello sguardo che si fa sempre più vivo. Se qualcuno lo prende in braccio, sta sulle spine e inventa una scusa per riprenderselo. Un pomeriggio, nella luce di un tramonto spettacolare, Antonio si presenta in cortile con la Jumelle Sigriste e la inquadra con il bambino al collo e i capelli all'aria. Caterina si irrigidisce. «No, lui no. Se vuoi fotografarlo, mettiti la benda.» Genova continua ad aspettare. «Il parto non finisce col parto» ripete lei quando il fotografo le propone di rimettersi in viaggio.

Per il battesimo c'è già un mezzo accordo col prete, si tratta solo di andare in canonica e definire la faccenda. Terminata la mezz'ora quotidiana di solfeggio, Primo affronta la questione con Antonio. «Vacci tu» dice.

Il fotografo non capisce.

«Di solito tocca al padre. Vacci tu, Antonio.»

Antonio Casagrande è interdetto. Primo porta l'indice al

volto, che l'amico rimanga in silenzio, lo prende sottobraccio e lo accompagna in cucina. Fa un cenno come dire "guarda".

Caterina dà loro le spalle. Sulla poltrona, canticchia qualcosa e allatta il bambino con la fiaschetta e la tettarella di gomma.

Antonio resta senza fiato. Sente una fitta, come se la sua donna l'avesse appena messo alla porta. Per la prima volta percepisce la sbalorditiva intensità del momento. «Non avevo capito niente» dice.

«Gli uomini sono duri di comprendonio» risponde Primo. «I bambini invece capiscono subito.» Poi fa ancora un cenno. "Guarda. Guardali."

In quel momento Caterina raddrizza le spalle, sposta appena il braccio che regge il capo al bambino, gli fa una smorfia buffa. Antonio se ne accorge dal modo in cui la guancia le si increspa. Il bambino ha le labbra tese, succhia senza risparmio, gli occhi persi in quelli di lei.

«Meglio se vi sposate. Meglio per il prete, intendo» dice Primo.

Antonio si ritira dietro lo stipite, ha bisogno di respirare, di pensare. Poi torna accanto a Primo. "Guardali, guardali ancora." Lei che allatta, lui che poppa. Dove ha lasciato la Jumelle Sigriste? Vuole fermare l'attimo. A questo servono le fotografie, così l'aveva spiegata sotto il noce a Primo bambino. Li guarda, non riesce a smettere, li guarda e vede se stesso in fila nella stanza del preposto.

"Me. Scegli me."

Sente che qualcosa si scioglie dentro. Vede Caterina che china il capo, che mormora due paroline, e vede anche Alessandro Pavia, orco gocciolante di pioggia, Barbablù, lo vede mentre dice con voce tonante: «Che m'importa del sussidio! Mi serve un assistente, mica la carità!» e poi «Lui. Lui, perdio! Come lo devo dire?».

È un'immagine così nitida e luminosa. Un attimo di improvvisa consapevolezza. Forse da qualche parte, tra Sottoripa e porta Soprana, o magari in mezzo al mare, sul ponte di un bastimento o nella cambusa di un brigantino, o forse tra le rovine di Roma o i banani di Timbuctu o i grattacieli di New York, un tizio va in giro con la sua faccia. Ma che importa? Se c'è una faccia che Antonio Casagrande vorrebbe ritrovare nello specchio ogni mattina è quella di Alessandro Pavia. Ecco com'è essere figlio. Ecco *cos'è*. Un caso. Una benedizione. Appoggia una mano sulla spalla dell'amico. «Sai che ti dico?»

Primo Leone sorride. Chiuso nel suo angolino di mondo, bosco, terra e carta da musica, ha imparato a riconoscere la grancassa del destino che si compie.

Ride anche Antonio. Poi butta fuori un bel vocione: «Dico che mi serve un assistente, perdio!».

Genova, settembre 1906

Elegantissima nel completo sportivo, i guanti con il bottoncino al polso, il casco di pelle e gli occhialoni calzati, alle dieci in punto Rosa Bernard vedova Morel prende posto sul sedile anteriore, accanto all'autista. La vettura scoperta la aspetta in moto davanti all'ingresso principale del Grand Hotel Savoia.

L'anziano *concierge* accompagna lo sportello. La divisa ha un che di rigido, come appesa a una stampella, ma gli occhi si accendono in un guizzo prima di scomparire al chinarsi del capo. La donna si sforza di immaginarlo con tutti i capelli, come doveva essere un tempo, poi gli fa scivolare tra le dita la mancia che, da quando tre giorni prima ha preso possesso di una suite vista mare, non dimentica mai. La incuriosisce, quell'ometto dallo sguardo vispo e cent'anni addosso, ha qualcosa di familiare. Che sia stato un habitué del bordello di vico Falamonica? L'età l'avrebbe. E se l'avesse riconosciuta?

Mentre l'automobile affronta la discesa di via Balbi, Rosa Bernard vedova Morel sorride tra sé. I palazzi incombono con i loro portoni sbarrati, gli stemmi corrosi, le facciate lugubri e silenti. Lampi di sole incendiano i vetri dei piani alti. Che qualcuno la riconosca è una fantasia consueta. Che gusto leggere nello sguardo altrui la marcia trionfale che, dal nero dei vicoli, anzi, da prima, dal puzzo di capra, l'ha portata allo scintillio dei boulevard e adesso di nuovo a Genova, ma come una gran signora.

L'automobile è un modello tedesco, con nome di donna e una cert'aria da mari del Sud. Una Mercedes non avrebbe sfigurato tra le sue Famagosta, Galata e Samarcanda. L'appellativo giusto per una bella mora languida, adatto come un corsetto di pizzo. Anche il clacson di ottone ha il suono cristallino e penetrante di una ragazza che ride. "Arrivo, arrivo." Chissà a chi pensava il progettista, disegnando il tondo perfetto del cofano, le volute morbide dei parafanghi, la curva della capote. Gli ingegneri sono pur sempre maschi, pensa Rosa Bernard vedova Morel.

La vettura raggiunge piazza De Ferrari, costeggia la statua di Garibaldi, imbocca via XX Settembre, supera i carrozzini a cavallo, scarta i carretti a mano, sobbalza attraversando le rotaie dei tram elettrici. La spianata del torrente Bisagno ha l'ariosità di certi slarghi parigini. Arrivati alla foce, Rosa Bernard appoggia una mano sul braccio dell'autista, che si fermi a bordo strada e attenda con l'automobile in moto. Lei scende, avanza fino alla battigia, lascia che la schiuma le sfiori gli stivaletti, sgancia gli occhialoni e si riempie lo sguardo. Poi li riaggancia, fa dietro-front e ripartono.

Per un buon tratto, la strada asseconda la sinuosità della costa. È tutto un cantiere, un tirar su palizzate, un andirivieni di decoratori, stuccatori, mosaicisti. Rosa Bernard vedova Morel si pizzica il labbro inferiore. Nello sviluppo immobiliare della città ha investito parte non irrilevante del suo cospicuo patrimonio. In tanto fervore indovina il futuro: lungo mare, gli stabilimenti balneari con cabine colorate e tende parasole; dal lato opposto, giardini, palme, araucarie, limonaie di vetro e ferro battuto. Dietro, un po' nascoste, ville dalle linee flessuose, balaustre fiorite di arabeschi, pinnacoli svettanti. "La bellezza è una puttana di lusso" pensa. "Va solo coi ricchi."

I poveri abitano più avanti, dove le case tornano sobrie, econome, le facciate stingono, i tetti si abbassano, le finestre rimpiccioliscono e anche la strada stringe e s'inerpica. La

Mercedes che accompagnava il defunto monsieur Morel al ministero è perfetta in pista ma qui sarebbe folle lanciarla, con i ragazzini che giocano a pallone, i gatti, i cani, i muli, i binari del tram, il tram, il mare che appare a ogni svolta e poi svanisce dietro la montagna.

Superato lo scoglio da dove quarantasei anni prima il vero Garibaldi aveva preso il largo con millesettanta volontari, l'automobile raggiunge un pugno di casette assiepate nel tondo di una piccola baia. La donna fa accostare accanto alla bottega di un vinaio, s'infila nell'antro, chiede informazioni e torna con un pezzetto di carta e una mappa disegnata. «*Là-haut dans les montagnes*» fa indicando un viottolo largo poco più della vettura. *Creuza*, in lingua locale.

"*Merde*" pensa l'autista, ma tace. Se può, non parla. Si chiama Jacques, ha ventidue anni, capisce poco, conosce solo il francese, e male. Di italiano, neanche mezza parola. Nonostante tutto, è riuscito a portare da solo la vettura da Parigi a Milano. Sono partiti a tempo, e mentre Jacques alla guida della Mercedes Simplex 28/32 PS raggiungeva Lausanne, filava a bordo lago, risaliva le Alpi, come Napoleone svalicava al Gran San Bernardo, conquistava Aosta e di slancio divorava la pianura, lei si godeva la carrozza ristorante, i divanetti cremisi e la lussuosa cabina dell'Orient Express che dalla Gare de l'Est l'aveva depositata a Milano attraverso il nuovissimo traforo del Sempione, gioiello della tecnica moderna, con le bandiere inaugurali ancora penzoloni e il puzzo di magnetite dello scavo fresco. «*Jacques! Tu m'étonnes!*» l'aveva apostrofato lei trovandolo sfinito ma puntuale sul binario tre della Stazione Centrale.

Adesso lo vede stringere gli occhi, innestare la marcia, serrare le dita intorno al volante e sfidare la *creuza* con piglio guerriero. Bravo ragazzo. Ha un progetto per lui. Ha progetti per tutti, Rosa Bernard vedova Morel.

Dopo la salita mozzafiato, il viottolo riesce in una carrabile che risale ancora la montagna, ma più dolcemente, a tornanti larghi, tra pendii marezzati di elicriso e lentisco, il mare ora alle spalle ora negli occhi. In una decina di minuti raggiungono un borgo. Poche case intorno a una piazzetta, la chiesa, il macellaio, il fornaio, il municipio con il tricolore, la scuola elementare e una terrazza su cui Jacques ferma la vettura. A sporgersi, sembra di essere su un'isola di pietra nel verde argento degli ulivi.

«*Attends-moi*» dice Rosa Bernard. Scende, sgancia di nuovo gli occhialoni, avvicina due contadine che trasportano un cesto di panni, chiede informazioni in genovese stretto.

Le indicano una stradina, e in fondo un cancello dipinto di blu. Lei inforca di nuovo gli occhialoni, risale in auto, «*Au-delà*» dice sbuffando e Jacques riparte. La stradina si rivela un budello. Davanti all'inferriata blu, Rosa Bernard tocca di nuovo il braccio all'autista, poi scende. Si intravede un cortile con un tavolo e una panca. Accanto al montante, c'è una targhetta con due nomi e una campanella. La donna fa per suonare ma poi ci ripensa.

«*Sonnez, Jacques. Sonnez!*» lo incita alzando le mani guantate. La voce gaia del clacson squassa il silenzio. "Arrivo, arrivo."

Nel vicoletto, persiane si aprono a metà, qualcuno sbircia poi si ritira nell'ombra.

«*Encore, Jacques, encore!*»

Da una finestra al primo piano si affaccia Antonio Casagrande. «Desidera?» urla alla vecchia signora vestita da pilota che gesticola davanti a casa. Rosa Bernard non lo sente. Batte le mani al ritmo del clacson e ride. Antonio scende di corsa, attraversa il cortile e al cancello rimane senza fiato. «Madama Carmen? Siete voi?!»

Jacques smette di suonare, lei solleva gli occhialoni sul casco e stende le labbra in un gran sorriso. «Acciughetta! Ma com'è che sei finito in questo posto del cazzo?»

Fino a tre anni prima, Antonio aveva visto il famoso scoglio di Quarto solo in fotografia. Alessandro Pavia ne conservava alcune stampe in una sacchetta di tela e di tanto in tanto le allargava sul bancone della soffitta di piazza Valoria. Aggiungeva poi altre immagini di garibaldini, scegliendo quelli più giovani e in camicia rossa, e le quattro o cinque foto di Garibaldi di cui possedeva anche le negative. «Senza, non si può fare.»

Sistemava tutto in bell'ordine, come una cartomante i tarocchi. Avvicinava uno sgabello, sedeva appoggiando il mento sui pugni, il barbone sontuoso che lambiva il bordo del tavolo. Studiava. Sospirava. Spostava. In silenzio inseguiva il sogno di fare, di quel guazzabuglio, un'immagine unica, con titolo *I Mille pronti a salpare*. Da tirarsi in decine, «centinaia di copie, perdio!», su carta albuminata di grande formato.

«Un fotomontaggio. Scrivi. Due parole attaccate, "foto" più "montaggio"» disse un pomeriggio.

Era la fine di febbraio del 1867. Seduto di fianco al padrone, Antonio appoggiò il quaderno sulle ginocchia e compitò sillaba per sillaba. Non faceva quasi più errori. A quattro mesi dal suo ingaggio come assistente, la scrittura gli sembrava una rete magica che, a gettarla nel gran mare della realtà, era capace di contenere il mondo intero.

«Montaggio con due "g".»

«Cioè un quadro?» domandò il ragazzo pensando alle madonne affollate di angioletti che vegliano sui bastardi del Pammatone.

«Macché quadro!» Il padrone sbuffò: «Ragiona. Secondo te gli angeli esistono? L'aureola? Le alucce?». Strabuzzò gli occhi. L'incredulità in persona. «Guarda queste, invece. Queste sì che sono cose vere e persone vive!» Diede una gran manata sul tavolo e ricominciò a spostare i pezzi. Lo sfondo, per cominciare. Lo *Scoglio di Quarto visto da Ponente*, con la gobba scura del monte di Portofino sul bianco del cielo. In alternativa: lo *Scoglio di Quarto visto da Levante*, con la piccola baia raccolta e subito dietro la città. «Scegli» ordinò.

Antonio temeva il trabocchetto. Fece un cenno in direzione della seconda posa, ma timido, pronto a cambiare idea.

«Giusto. L'inquadratura è più varia, più mossa.» E lo *Scoglio di Quarto visto da Levante* guadagnò il centro del tavolo. «Andiamo avanti. Era notte. La notte tra il 5 e il 6 maggio 1860. Come la facciamo, la notte?»

«Con la luna?» buttò lì Antonio. Un sant'Antonio spettrale, con una grassa luna vibrante che spandeva il suo giallo in un cupo deserto, per qualche tempo gli aveva avvelenato i sogni.

«Mmm. La luna fa il fondo nero. Però non è impossibile. Bravo, ragazzo» e giù uno scappellotto. «Allora senti. Notte. Luna. Sul mare due piroscafi in attesa. "Piroscafo" singolare, "piroscafi" plurale. Scrivi. In attesa, dicevo. Si chiamano *Piemonte* e *Lombardo*. Maiuscolo! A riva, le lance sono pronte a imbarcare gli uomini.»

Il padrone tirò fuori da un cassetto l'immagine di una scialuppa con la schiuma intorno allo scafo e facendola ondeggiare – «*ciaf ciaf ciaf*» – la piazzò vicino a quella dello scoglio di Quarto.

«E Garibaldi?» Antonio cominciava ad appassionarsi.

«Buona domanda. Dove lo piazziamo? Secondo me il generale osserva le operazioni dall'alto, così ha tutto sotto controllo. Tipo qui. *Avanti miei prodi!*»

Sistemato un Garibaldi con il petto in fuori e lo sguardo fiero, il padrone mosse poi le figurine dei volontari come se davvero si slanciassero in mare. «*Avanti! Avanti! Qui si fa l'Italia!*»

Antonio non perdeva una parola. Che meraviglia! Gli tornavano in mente i racconti di padre Lampo. La storia dei *Mille pronti a salpare* lo appassionava come, da bambino, quella di Francesco d'Assisi che predica agli uccelli, che guarisce il lebbroso, che converte il soldano di Babilonia. «E poi?» domandò con il lapis a mezz'aria.

E poi Garibaldi sbarca a Marsala. «*All'armi! All'armi!*»

«E poi?»

E poi Garibaldi guida la carica a Calatafimi. «Ca-la-ta-fi-mi. Scrivi. È in Sicilia. La Sicilia te la ricordi, vero?»

«E poi?»

E poi Garibaldi fa un patto con i contadini.

Che patto? Anche Francesco fa un patto con il lupo di Gubbio: se gli daranno da mangiare, non li mangerà. Ma i contadini? Troppo difficile. «E poi?»

E poi Garibaldi fa un patto col re. «Ma quando lo incontra, il generale su un bel cavallo nero e le froge che sbuffano come mantici, e il re anche lui con un gran cavallo, ma bianco; quando alla fine si incontrano davvero, quello sì è uno spettacolo.»

«Che cosa succede?»

«Eh, cosa succede. Succede che il re porge la mano al generale. "Onore al mio primo soldato!" dice.»

«E Garibaldi?»

«E Garibaldi risponde al saluto ma non si toglie il cappello. Tanto per chiarire.»

«Chiarire cosa?»

«Che lui non si fa comandare da nessuno, neanche dal re.»

Il padrone gesticolava, s'infervorava, faceva le voci di Sua Maestà, del generale, dell'attendente, persino del diabolico primo ministro. Davanti a tanta esuberante *padronità*, Antonio era invaso da una contentezza sconfinata. Storie, sì, ma di cose vere e persone vive. Favole da grandi. Con il polpastrello cercava la cicatrice sulla guancia ("vaffanculo Michele Casagrande"). Una bella barba era quello che gli mancava, ma una cosa era certa: lui, figlio di nessuno, orbo senza speranza e vittima di tutti i *michelecasagrande* che ammorbavano il Pammatone, lui, sì, aveva smesso di essere un bambino. Finalmente!

Anche per questo, quando alla fine di maggio del 1903 li raggiunse la notizia che s'era liberata la condotta ostetrica sulle alture di Quarto, e che il nome della levatrice diplomata Caterina Colombo coniugata Casagrande, già esercente regolare attività tra Sottoripa e porta Soprana, figurava primo nella graduatoria delle aventi diritto, il fotografo Antonio Casagrande non ebbe dubbi.

Non prese in considerazione quello che pazientemente aveva costruito dopo aver lasciato cascina Leone alla fine del 1898. L'attività ben avviata, specializzata in ritratti, gruppi, cataloghi commerciali e servizi giornalistici. Il luminoso atelier in centro, sogno di ogni fotografo che abbia superato i cinquanta, la bella insegna ferro e smalto, le due camere di posa, l'ampio retro per lo sviluppo, l'ufficio dove una segretaria fissava per lui gli appuntamenti. Se al mondo esisteva un posto che per l'orfano del Pammatone poteva finalmente diventare *casa*, quel posto doveva trovarsi a picco sullo scoglio di Quarto. Prima di prendere una decisione definitiva, avrebbe però portato la famiglia in gita.

Prese a nolo un carrozzino, fece il percorso che, tre anni dopo, nel settembre 1906, avrebbe condotto madama Carmen a destinazione, cercò un angolo dove la scogliera si facesse più accogliente, stese una coperta, sistemò il canestro con il cibo, sedette accanto a Caterina, richiamò a sé il bambino e gli raccontò per filo e per segno la straordinaria storia di Giuseppe Garibaldi salpato da Quarto con millesettanta volontari nella notte tra il 5 e il 6 maggio 1860.

«Qui, papà?»

«Proprio qui.»

Ebbe, nel farlo, una piacevole sensazione di ordine e necessità. Come se l'incendio dell'infanzia lontana, anziché piagare il presente, lo riscaldasse.

«Ma tu li hai visti?»

«Mannò, ero piccolo, più piccolo di te» rispose Antonio, poi sorrise allo stupore del figlio. A cinque anni, pensare papà bambino dà la stessa euforia di un gioco di prestigio.

Caterina intanto imburrava il pane. Non prestava attenzione ai discorsi, né sentiva il respiro del mare. Solo, alle spalle, addosso, l'abbraccio delle colline. Viottoli, sentieri, casolari. La condotta ostetrica stava da qualche parte lassù.

«E poi?» ripeteva il bambino.

Marsala e Calatafimi, i contadini e Sua Maestà. Le parole di Antonio risalivano intatte dal pozzo del tempo.

«E poi?»

E poi il mare parlava la sua lingua incantatoria, ma Caterina non si lasciava ammaliare. Nella salsedine avvertiva altri profumi.

«E poi?»

Timo per l'infiammazione della vescica. Lavanda per l'insonnia. Rosmarino in caso di emorragia.

«E poi?»

Ripensò a quando, bambina, accompagnava la comare Eugenia. Pioggia, sole e la pianura sconfinata. Piante diverse, certo, ma lo stesso verde prodigioso. Finiva allora il tempo delle favole, cominciava quello, esaltante, delle *certezze*. «Facciamolo» disse.

Il bambino si zittì. La madre aveva il tono perentorio di quando qualcuno si presentava alla porta a chiamarla d'urgenza.

«Sicura?» Anche il padre si era fatto serio. "Sicura" significava niente più città, cinematografo, caffè-concerto, vetrine, passeggiate sui moli, corse in tramvia, progresso.

Il bambino tratteneva il fiato.

"Sicura" significava lavorare dove nessuno aveva mai visto una levatrice diplomata, solo praticone. E sotto la partoriente si mettono lenzuola sporche, che tanto si sporcano subito. E per dilatare si usano burro e Avemarie.

«Sicura» rispose Caterina.

Mentre Antonio fa segno all'autista perché avanzi nel cortile, Caterina si affaccia col grembiule, i capelli raccolti e il volto acceso di chi ha la pentola sul fuoco. Madama Carmen aspetta accanto al cancello.

«Mia madre ha da fare. Tornate più tardi.» Un bambino la squadra torvo, le labbra a fessura, le ginocchia nere di terra. «Non sapete che è ora di pranzo? Tornate più tardi.»

Madama Carmen resta interdetta. Sgancia gli occhialoni, sfila il casco, toglie anche i guanti.

«Mi avete sentito? Tornate. Più. Tardi.»

«Rosa Bernard» fa lei porgendogli la mano.

Il bambino la ignora e non considera neppure la vettura che tra mille cautele avanza nel cortile. «Fra un'ora» aggiunge, poi incrocia le braccia in un altolà. «DUE ore.»

Madama Carmen non si aspettava la fanfara, ma neanche i fucili spianati. Ritira la mano e infila i guanti nelle tasche dell'ampia gonna da viaggio. «Non sono qui per tua madre. Tu sei Alessandro, giusto?»

Il bambino si rabbuia ancora di più. «Non vi conosco. Come fate a sapere come mi chiamo?»

«Me lo ha scritto tuo padre. Conoscevo bene tuo nonno Alessandro.»

In cortile le manovre continuano, Jacques vorrebbe parcheggiare con il muso rivolto al cancello ma districarsi tra vasi di geranio, panca, tavolo e legnaia non è semplice.

«Non era mio nonno.»

«Strano, perché gli somigli» risponde madama Carmen. «Stessa testa di cazzo.»

Il bambino avvampa. «Io, io...»

«Adesso noi due ripartiamo da capo. *Rosa Bernard*» fa lei porgendogli la destra.

Alessandro fa per stringerla, ma la donna ruota la mano con il dorso in alto. «Alle signore si deve il baciamano, non te l'hanno insegnato?»

Il bambino fa una faccia schifata. Madama Carmen resta seria. «Che vergogna. Sei anni e non sai fare il baciamano.»

«OTTO! Ne ho otto!»

«Allora è davvero gravissimo. Di nuovo. *Rosa Bernard*» e ancora la mano davanti al naso del ragazzino. Il bambino la afferra, appoggia un bacio a labbra tese, poi si pulisce la bocca con l'avambraccio.

Madama Carmen scoppia a ridere. «Guarda che non devi mica baciare davvero. Basta far finta.»

La vecchia l'ha fregato. Alessandro abbassa gli occhi, livido.

«Non fare quella faccia. La vedi la cassa di legno sul sedile posteriore?»

Il bambino alza le spalle.

«Fossi in te, darei un'occhiata.»

Alessandro lancia uno sguardo in direzione della vettura poi torna a fissarsi la punta dei sandali. Non gli interessa l'automobile. Non darà soddisfazione alla vecchia.

«Allora, l'hai vista la cassa?»

«Non sono mica cieco.»

«Dentro c'è un regalo per te.»

«Un regalo.»

«Un regalo.»

«Per me.»

«Per te. Da Parigi.»

«Da Parigi.»

«Ma non puoi vederlo adesso. Ci vuole il buio.»

«Il buio.»

«Smettila di ripetere. Non sei il tipo che ripete.»

Alessandro non sa che pensare. Chi è questa vecchia? Cosa vuole da loro?

Nel frattempo Jacques ha completato la manovra. Spegne il motore, scende, s'irrigidisce sull'attenti davanti al fotografo. «*Merci, monsieur.*»

«Comodo, comodo» risponde Antonio indicando la panca. Questo tizio impettito un po' lo imbarazza e un po' lo diverte.

«Acciughetta! Quanto devo aspettare ancora?» dice madama Carmen. Poi, al bambino: «Da bravo, vai a chiamare la mamma, digli che Rosa... digli che sono qui».

Antonio sente gli occhi inumidirsi quando madama Carmen gli porge entrambe le mani. «Quanto tempo...»

«Vuoi dire che sono vecchia? Ma guardati! Che pancia, che testa pelata.»

«Sono contento di vedervi.»

«Niente smancerie. Sono qui per festeggiare, mica per piangere.»

«Cosa festeggiamo?»

«La serena dipartita di monsieur Morel da questa valle di lacrime.»

«Oh.»

«In una bella giornata di giugno. Confortato dall'affetto dei suoi cari e dell'adorata consorte eccetera eccetera.»

«Mi dispiace.»

«E perché, di grazia? Hai idea, acciughetta, di quanti soldi ho ereditato?»

«Questa è la mamma» interviene il bambino.

Caterina Colombo sorride. «Madama Carmen? Benvenuta. Entrate, stavamo per metterci a tavola. Anche il vostro autista, naturalmente.»

217

«Si chiama Rosa Morel» bisbiglia il bambino.

«Ho più nomi io della Madonna» risponde madama Carmen allargando le braccia ad accogliere Caterina. «Vi avverto. Jacques parla solo francese ma mangia come un cosacco. *JACQUES, NOUS SOMMES INVITÉS À DÉJEUNER!*»

Chi si limita a sbocconcellare qualcosa è madama Carmen. Un pezzetto di pane, mezzo bicchiere di rosso, una pesca tardiva. Liberatasi dell'ingombrante redingote da viaggio, del donnone di un tempo è rimasto poco, come se al crescere degli anni fossero diminuiti gli appetiti. Solo la formaggetta che a fine pasto Caterina porta in tavola sembra interessarla.

«Alessandro si prende cura di due capre. Pulisce la stalla, munge e porta il latte a un pastore. Quando è il momento, accompagna anche le bestie, per il caprone. Così abbiamo sempre formaggio fresco.»

«Posso vederle?» chiede madama Carmen al bambino. «Le capre, dico.»

Alessandro guarda la madre, poi si alza da tavola e si avvia. Gli animali stanno su un terrazzamento cintato che si raggiunge attraverso un sentierino. «Si scivola» dice il bambino.

Madama Carmen avanza come se i piedi dentro gli stivaletti conoscessero la strada. Il bambino la vede carezzare il muso barbuto, passare la mano sul pelo ispido, bisbigliare qualcosa, spingersi col busto oltre la recinzione, strappare qualche ciuffo di erba filacciosa. Le capre mangiano dalle sue mani. «Questa gli fa bene» dice lei.

Alessandro stringe gli occhi. Non è sicuro di potersi fidare.

«Aspetta.» La donna raccoglie la gonna sopra le ginocchia, supera la palizzata, ne fa un gran mazzo, torna dentro, cerca un sasso piatto, ci si accomoda e chiama le capre cantilenando qualcosa che il bambino non riesce a decifrare. Le bestie rispondono, si avvicinano, mangiano ancora. Il bambino sta a guardare per un po', poi decide di dare una spazzata al ricovero di assi che occupa un angolo del terrazzamento. «Al pastore porto anche i capretti» dice.

«Ma preferiresti tenerli.»

«C'è posto solo per due capre.»

Madama Carmen spinge lo sguardo oltre gli ulivi. «Puoi sempre farli arrosto.»

Alessandro scuote la testa.

«Neanche io li mangio» continua lei.

Il bambino si ferma, la guarda e ricomincia a spazzare. «La mamma non aveva il latte. Meno male che a cascina Leone c'era una capra.»

«Per questo non mangi i capretti?»

Il bambino alza ancora le spalle, ma meno brusco. *Forse. Chissà.* D'un tratto vorrebbe mostrarle com'è bravo a mungere, ma non è il momento. «Il latte l'ho portato al pastore stamattina» dice.

Quando lei ha finito con il fascio d'erba, risalgono al cortile, il bambino un passo avanti. Seduta al sole, Caterina legge una rivista di medicina ostetrica. Jacques è in maniche di camicia. Mostra ad Antonio il motore della Mercedes.

«Fotografo!» esclama madama Carmen. «Il sole cala. Prendi l'attrezzatura. Mi serve una foto di Jacques. Cinque stampe. Anche sei.»

Antonio sparisce in casa e torna con la macchinetta al collo. «Jacques, *remets ta veste*» dice madama Carmen. Poi affianca Antonio. «Vedi se riesci a farlo sembrare intelligente» sussurra. Il bambino non perde una sillaba.

«Meglio col cappello allora» risponde Antonio.

«*Le chapeau.*»

La visiera calata sullo sguardo vacuo, dritto come un palo al centro del cortile, Jacques fa una discreta figura. «Le spedirò a certi conoscenti a Parigi» dice madama Carmen. «Voglio trovargli una sistemazione.»

«Allora dovrete cercarvi un altro autista» risponde il fotografo.

«Come sei antico.»

Jacques è sempre immobile. «*Terminé!*» gli dice madama Carmen facendo un segno col braccio.

«Non vorrete...»

«*Terminé, terminé*» ripete madama Carmen e Jacques si rilassa. Toglie il cappello, poi la giacca, poi rotea il capo sciogliendo i muscoli del collo e stira le braccia sopra la testa. Neanche avesse guidato per ore e ore. «Non fare quella faccia, acciughetta. Se ha imparato Jacques...»

Alessandro comincia a capire. Porta una mano alla bocca, incredulo.

«Siete incorreggibile. Ma lo sapete quanti anni avete? Dovreste essere più prudente» ribatte Antonio.

«Volete guidare VOI?» interviene allora il bambino. Gli occhi sono due abissi di stupore.

«La faresti una foto con me?» gli risponde madama Carmen.

Alessandro ci pensa su, poi annuisce. Caterina si alza dalla panca e lascia loro il posto. La donna chiede al bambino di salirle in braccio.

«Non sono mica piccolo.»

«Non avrai mica paura?»

Figurarsi. «Ho solo paura di rovinarvi il vestito» risponde, offeso.

«Sciocchezze. Vieni qui.»

Caterina resta in disparte, fa un segno ad Antonio come a dire "loro, loro". Il bambino si appoggia appena alle gambe di madama Carmen.

«Avanti. Immagina di stare in braccio alla nonna.»

«Siete mia nonna?» dice il bambino voltandosi di scatto.

«Oh Gesù, no! Fai finta!»

Alessandro chiude gli occhi. L'unica nonna che conosce sta sulle pagine del sussidiario, alla pagina delle parole con SC, come SCendere, SCivolo, SCoglio, SCudo e SCarpa. Ha una crocchia di capelli candidi, gli occhialetti tondi e sferruzza una SCiarpa. Non è una nonna, è una *nonnina* tipo quella di Cappuccetto Rosso e madama Carmen non le somiglia per niente.

«Sei capace di far finta? Mi sa di no.»

Certo che è capace. Prende un bel respiro e monta sulle ginocchia di madama Carmen.

«Sorridete, forza» dice il fotografo.

Lento, lentissimo, Alessandro si lascia andare. "Non è poi così male" pensa. Il petto è morbido, accogliente. L'odore è buono, violetta e borotalco.

Lui invece sa d'erba. Ha la pelle tenera dei bambini e, sotto, appena percettibile, l'afrore aspro dell'adolescenza prossima ventura. Madama Carmen ha un brivido, come un piccolo sconquasso silenzioso. Quanto più il figlio di Antonio si abbandona all'abbraccio, tanto più la donna solleva il mento e si irrigidisce. L'ultima volta che ha tenuto in grembo un bambino di quell'età, lei si chiamava solo Rosetta e lui era il fratello minore. È nostalgia, quella che le pizzica la gola?

Il fotografo si sposta in modo da riprenderli di tre quarti. L'acconciatura alta e la posa marmorea gli ricordano le benefattrici del Pammatone. Cerca allora un'angolazione diversa, che la luce le ammorbidisca i tratti, che gli occhi scuri e accesi di Alessandro risaltino sulla blusa chiara di lei. «Fermi» dice quando è sicuro. Infila una mano in tasca, tira fuori la benda, la indossa, inquadra e scatta. Poi scioglie la benda e rientra in casa per cominciare subito lo sviluppo.

Il pomeriggio passa in fretta. Madama Carmen racconta di Parigi, Caterina di Milano, Jacques sparisce per un paio d'ore, torna con le scarpe infangate e un cesto di funghi. Lo offre alla padrona di casa con una tirata mezzo in francese e mezzo in dialetto delle Ardenne.

«Jacques, *tu m'étonnes vraiment*» dice madama Carmen. Poi si rivolge a Caterina. «È un montanaro.»

L'autista fa un inchino e si ritira sulla Mercedes a fumare. Il tramonto deflagra, le ombre si allungano, la brace della sigaretta sembra una stella caduta nel cortile. Antonio torna con una coperta e una lampada a petrolio. «Domani vi porto le stampe al Grand Hotel» dice.

Madama Carmen si alza. «Grazie, acciughetta. È tardi, mi aspettano.» Poi fa un cenno a Jacques. «*Allons-y!*»

L'autista getta la cicca. La donna raggiunge la vettura, dal sedile posteriore recupera il casco, i guanti, gli occhialoni.

Caterina e Antonio si raccomandano, quassù il buio è denso, che Jacques faccia attenzione sui tornanti. Lui forse capisce, con le mani disegna una strada tutta curve, poi una discesa, poi un rettilineo, il mare, la città.

Madama Carmen tace.

Alessandro freme.

«Non vuoi dirmi niente?»

Il bambino deglutisce e con la testa fa segno di no.

«Secondo me vuoi dirmi qualcosa.»

Alessandro la fissa. «Tornate presto a trovarci, madama Carmen» dice.

«Hai carattere. Però accetta un consiglio: se una cosa ti interessa, fatti avanti.» Poi lancia uno sguardo al sedile posteriore. «Jacques ti aiuterà a trasportarla in casa.» E mentre Caterina e Alessandro fanno strada all'autista e alla misteriosa cassa parigina, madama Carmen e Antonio si ritrovano soli accanto alla vettura. «Bella famiglia. Sono felice per te. Lo sapevo che ce l'avresti fatta» dice lei.

«Sapete più cose di me di quelle che so io.»

Dalla finestra aperta si sente Alessandro fischiare di gioia.

«Gli orfani vogliono tutti la stessa cosa.»

Caterina si affaccia. «Troppo! È troppo!» dice.

Madama Carmen finge di non sentirla. «Poche chiacchiere, acciughetta. Dobbiamo parlare di affari. Non crederai che sia venuta fin quassù solo per due foto.»

«Papà, vieni a vedere!» urla Alessandro prima di rituffarsi nella stanza. Jacques ha appena estratto dalla cassa una scatola metallica con una manovella, uno sportellino su un fianco e un grosso tubo simile a un obiettivo sulla faccia opposta. «Una lente?» domanda il bambino.

L'autista sorride e non risponde. Apre lo sportellino. Nella pancia della scatola metallica c'è un fornelletto protetto da un vetro panciuto. Jacques si guarda intorno, cerca qualcosa.

Il bambino lascia la stanza e torna con una bottiglia di alcol. «Bravo» gli sussurra Caterina. Jacques riempie il fornelletto, accende lo stoppino, richiude, direziona il tubo verso la parete più ampia. Un cerchio di luce inghiotte le scansie, le pentole, il vasellame. L'autista estrae poi dalla cassa tre piccole scatole di legno, le impila sul tavolo una sull'altra, raggiunge la finestra e chiude gli scuri. Il cerchio di luce si fa più intenso. Caterina sorride, Alessandro trattiene il fiato.

«Una lanterna magica. Cos'altro regalare al figlio di un fotografo?» dice in quel momento madama Carmen. Nel cortile si è alzata una bava di vento. Antonio la osserva nell'ombra. Non gli è mai sembrata tanto strega. «Perché siete tornata?»

Intanto Jacques estrae dalla prima scatola di legno un telaietto con quattro figure di vetro colorato e lo sistema nell'alloggiamento della lanterna. Enorme, luminosissima, l'immagine di un bambino paffuto sopra un cavallo a dondolo invade la parete della cucina. Caterina batte le mani, Alessandro fa ancora un fischio. Jacques attacca una canzoncina ritmata, parla di *pas*, *trot* e *galop*, e intanto gira la manovella facendo scorrere il telaio. Il bambino paffuto galoppa avanti e indietro, avanti e indietro... Alessandro porta una mano alla bocca, ammaliato. Guarda le scatole impilate, zeppe di vetrini colorati, quattro pose ogni telaio. Dieci, cento, mille figure. Gli manca il fiato. Porge un telaietto a Jacques e la magia luminosa invade di nuovo le pignatte, la caraffa di coccio, il mestolo, il forchettone.

Vulcano con pennacchio. Mare azzurro lacca. Nuvole spumeggianti. Pulcinella mangia una salsiccia.

Un altro telaio.

Il Feroce Saladino affetta i nemici con la scimitarra a forma di mezzaluna. Le teste saltano, una, due, tre.

«Prova anche questo» dice il bambino.

Il leone. La tigre. La giraffa. L'elefante.

«Ancora.»

Jacques continua a canticchiare.

Il Canal Grande. La torre pendente. Il Colosseo. Pompei.

Il soldato con la giubba rossa, la mantiglia azzurra, la divisa candida, il cappotto verde.

Dalla finestra, la luce filtra nel cortile, pulsa come un cuore che batte. Il fotografo guarda verso la cucina. Ha gli occhi lucidi. Madama Carmen strizza l'acconciatura dentro il casco di pelle.

«Ancora, ancora» dice il bambino.

La montagna. Il mare. Il lago. Il fiume.

La tromba. Il tamburo. L'organetto. I piatti.

La bambina sull'altalena coi capelli al vento. Su e giù, su e giù.

Il bambino non ha più parole. Caterina gli appoggia una mano sul capo. Non è mai stato tanto felice.

«Datti pace, acciughetta. Troverà la sua strada. L'abbiamo trovata tutti.»

Le streghe leggono dentro, Antonio deve stare all'erta.

«Parliamo piuttosto del tuo occhio pazzo» prosegue la donna infilando i guanti.

«Cosa?»

«Come farlo fruttare. Domani vieni solo. Mi serve una fotografia come si deve, senza benda. Devo assolutamente sapere quanto mi resta da vivere.»

«Io non...»

«Hai capito benissimo.» Madama Carmen aggancia gli occhialoni, stringe la cintura in vita. «Non mi interessa *come*, quello che vedi puoi tenertelo per te. Mi interessa solo *quando*.»

In cucina, la luce continua a palpitare.

«Devo regolarmi.»

«Regolarvi... per cosa?»

«Ho appena compiuto settantasei anni.»

«Vi credevo più giovane.»

«Sciocchezze.»

«Continuo a non capire.»

«Quanto posso ancora campare? Cinque anni? Dieci? Siamo pessimisti: facciamo quindici.»

Antonio Casagrande continua a guardare verso la finestra. Un nugolo di farfalle notturne danza al ritmo del proiettore. «Non posso aiutarvi. Non sono così...»

«Ti vedo nervoso.»

«Non vorrei che scendessero. Non sono discorsi...»

«Da fare davanti a Caterina? Mi stupisci, acciughetta. Vuoi dire che lei non sa nulla? Che avete dei segreti?»

«Caterina sa tutto.»

«Però non vuole che usi le tue, diciamo così, capacità.»

«Diciamo così, sì. E comunque non posso aiutarvi. Ho solo visioni confuse. Non so dire quando avverrà ciò che vedo.»

Madama Carmen si passa i palmi guantati sulla gonna da viaggio. «Insomma non serve a un cazzo.»

«E poi non è detto che veda qualcosa» aggiunge Antonio. Poi ammutolisce. D'un tratto, non ha nessuna voglia di raccontarle ciò che ha scoperto. E cioè che il suo occhio pazzo ha la vista corta e che vede morire solo chi morirà prima di lui. E se, inquadrandola senza benda, Antonio non vedesse nulla? Considerata l'età di madama Carmen, significherebbe solo una cosa: che al fotografo resta poco tempo. E Alessandro, allora? No, di questo non parlerà, mai e poi mai. Con madama Carmen o con chiunque altro.

«Ascolta, acciughetta» dice lei prendendogli le mani. «Il mio denaro mi supera.»

«Un bel problema» risponde lui, aspro.

«Il denaro è una cosa seria.»

Antonio si sgancia dalla stretta. Pensa al padrone, alla branda fetida del corso di porta Romana, alla spilla del re impegnata al Monte di Pietà.

«Non voglio sprecarlo, acciughetta.»

La guarda. Ha un'urgenza negli occhi, nel tono, che gli cancella l'amarezza. «Godetevi il tempo che vi resta, madama Carmen.»

«Non cogli il punto.»

«Illuminatemi.»

«Ho passato la vita a far soldi.»

«Vi è riuscito alla grande.»

«Se il mio denaro non serve a niente, allora ho buttato la mia vita.»

«Che cosa volete farne?»

«Non ho ancora deciso. Credo una banca.»

«Una banca?»

«Non è una città di prestasoldi?»

«Non vi seguo. Una banca fa soldi. Diventerete sempre più ricca.»

«Non la mia.»

«Una banca in perdita.»

«Non esattamente. Vedi solo una parte della questione.»

«Siete troppo sveglia per me.»

«Una banca riservata alle puttane. Se una puttana ha bisogno di soldi, io glieli presto.»

«E continuerete ad arricchirvi.»

«Ti sbagli. Il mondo adora le puttane, le puttane non bastano mai. I miei soldi sono tanti, sì, ma non infiniti. Non ho tempo di spiegartelo adesso. Devo incontrare un tizio che potrebbe farmi da contabile.»

«Di certo sarà sorpreso.»

«È un'idea da perfezionare. Per questo mi servirebbe il tuo occhio pazzo. Se solo fosse un po' più preciso.»

«Spiacente.»

Alessandro si affaccia alla finestra. «Devi assolutamente vedere questa cosa, papà!» urla nella notte.

«Però Caterina ha ragione. In famiglia, fai bene a usare la benda. Meglio non sapere.»

«Voi dite?»

«Perché rovinarsi la vita? Finché sei vivo, sei vivo. Anche se la Bastarda vince sempre.»

"Non è detto" pensa Antonio. Ma non dice nulla. Madama Carmen non capirebbe.

«Dài papà, vieni, dài dài!»

«*JACQUES, ALLONS-Y!* A domani, acciughetta. Vivi sereno, hai tutto quello che si può desiderare.»

Neanche Caterina capirebbe. Caterina meno di tutti.

«È una meraviglia, papà!»

«La felicità, Antonio. Non senti che ti chiama?»

Nessuno deve sapere. Cercherebbero di fermarlo e sarebbe un inferno.

Più inferno di quel che è già.

È un segreto. Questa è la parte più difficile. Che è un segreto.

Nel chiuso della camera che i Leone avevano loro riservato otto anni prima, Caterina era stata chiara: «Giura che non userai la tua magia con lui».

"Magia." Come dicesse la cosa più normale del mondo. Si era tirata su a sedere, le spalle contro la testiera del letto, i capelli spettinati e la camicia sgualcita dall'amore fatto in fretta, con una furia che in quei giorni decisivi sembrava l'unico modo di stare vicini.

«Giuralo. Altrimenti non lo prendiamo con noi.» La luna le illuminava il collo e il petto. Sembrava una statua.

«Altrimenti il bambino resta qui.»

E Antonio aveva giurato. Perché Caterina voleva il bambino, e Antonio voleva lei. Lei, e il bambino.

La capiva. Caterina sa che cos'è la morte. La incrocia di continuo, non si tira indietro. È coraggiosa. Nel prato alla periferia di Milano aveva insistito, si era messa in posa, aveva chiesto – aveva preteso – la magia. Per sé. Ma quanto coraggio ci vuole per tentare lo stesso incantesimo su un figlio? Si può vivere pensando che lo vedrai morire?

La capisce, ma lei non può capire lui. Caterina non ha il dono. Non può spingere lo sguardo avanti e scrutare quel che li attende. Non deve tenere a bada la tentazione di ficcare l'occhio pazzo nel mirino e guardare. Non sente, ogni mattina al risveglio, ogni notte vegliando, non sente di *dover* guardare il futuro.

Caterina godeva piuttosto di quel loro presente inatteso e stupefacente. Pesava il neonato, lo misurava con il metro da sarta, confrontava i risultati con la tabella ritagliata da una delle sue riviste, annotava i progressi, festeggiava in cuor suo quel miracolo di latte di capra e pappette di verdura. Niente la rallegrava più che passare il polpastrello sul bordo lucido della gengiva, sentire il dentino che spinge e scoprire che s'era poi lacerato in un mare di saliva. Il cuore le scoppiava di felicità a ogni tentativo di mettersi dritto, di fare un passo, di modulare un suono. Era tutta lì, in quel momento di gioia. E Antonio era lì con lei, con loro. Ma era anche altrove.

La prima volta approfittò dell'assenza di lei. Fu un azzardo di cui non smise di pentirsi. Vivevano già a Genova. Caterina sarebbe stata fuori casa molte ore per un parto complicato. Alessandro aveva appena compiuto un anno.

Antonio lo sistemò sul seggiolone, lo assicurò con le cinghie, attirò la sua attenzione con un pupazzetto. Quando il bambino prese a fissare l'obbiettivo, ficcò il suo occhio pazzo nel mirino della Jumelle Sigriste e svenne.

Rimase steso sul pavimento per una mezz'ora, forse di più. Il bambino si era addormentato con la testa ciondoloni e un filo di bava sul corpetto. Antonio non ricordava nulla. Il mal di testa durò due giorni.

Ci riprovò qualche mese dopo, ancora da soli, ancora Alessandro sul seggiolone. Questa volta non perse i sensi ma ciò che vide lo obbligò a distogliere lo sguardo e riprendere fiato. Un lampo di luce aveva attraversato il suo occhio pazzo, che non smetteva di pulsare e lacrimare. Il bambino lo vide malfermo sulle gambe, si spaventò, cominciò a piangere. Al rientro, Caterina li trovò addormentati nel lettone.

Qualcosa aveva visto. Non ebbe pace finché non riuscì a ripetere l'esperimento. La terza volta la visione durò un po' di più. Prima di accasciarsi, Antonio fece in tempo a sentire anche rumore di ferraglia e a vedere qualcosa di rosso acceso. Che cosa, non avrebbe saputo dirlo.

Gli esperimenti proseguirono. Ogni volta che Caterina usciva dicendo «Non aspettatemi, farò tardi», Antonio disdiceva gli appuntamenti e si dedicava alla sua impresa segreta. La situazione cominciò a farsi seria quando Alessandro stava per compiere due anni. Per vendicare i morti di Milano e la vergognosa medaglia al generale Bava Beccaris, l'anarchico Gaetano Bresci aveva appena ammazzato il re Umberto I. Per le strade si respirava un'aria pesante. Caterina era tesa. Il bambino parlava abbastanza bene, avrebbe potuto raccontarle tutto. Antonio decise allora di buttarla sul gioco.

«Il gioco della fotografia?»

«Non vuoi essere il mio assistente?»

«Cos'è "assistente"?»

«Mi aiuti, mi passi le cose.»

Cominciarono a fotografare pupazzetti. Antonio faceva mille moine, Alessandro si ingelosiva, chiedeva di essere fotografato e il fotografo ritentava l'esperimento. Tirò avanti così qualche settimana, poi il gioco della fotografia diventò il gioco del segreto. I pupazzetti non volevano più essere fotografati, bisognava sorprenderli di nascosto e soprattutto non dire niente a nessuno.

«Neanche alla mamma?»

«Neanche alla mamma.»

Insomma, era rischioso. E le visioni sempre più stancanti. Il mal di testa durava giorni e giorni. Prima che Caterina si insospettisse, Antonio decise di sospendere.

Ricominciò appena trasferiti nel borgo sopra Quarto. Caterina visitava i casolari intorno per farsi conoscere e imparare sentieri e scorciatoie. Con la scusa di insegnare al figlio i rudimenti dell'arte, Antonio si procurò una vecchia macchina da piede. Lo usava da modello, s'infilava sotto la capote, sollevava la benda e cercava di resistere alla tempesta di immagini. Non scattava mai, non voleva che Caterina si facesse delle domande. A otto anni, Alessandro sapeva un mondo di cose sul collodio umido, il viraggio e la carta albuminata. «Non è ora di usare una macchinetta moderna?» domandò lei una sera.

Alessandro annuiva vigorosamente.

Come dar loro torto? La macchina da piede finì da un rigattiere e Antonio dovette interrompere ancora una volta gli esperimenti.

Di tanto in tanto, quando il pensiero tornava ad assillarlo, si chiudeva nella camera oscura e alla luce rossa esaminava gli appunti accumulati in quegli anni di tentativi. Aveva stilato due liste cercando di ordinare e per così dire mettere a fuoco la baraonda di sensazioni che lo travolgeva ogni volta che il suo occhio pazzo incrociava lo sguardo del figlio nel mirino della macchina fotografica. La prima lista conteneva impressioni stabili e ricorrenti.

Suoni: ferraglia, urla, uno scampanellio.

Odori: sudore, bosco.

Oggetti: telo rosso che sventola; cicche; una massa indistinta (di corpi?).

La seconda lista raccoglieva dettagli che gli si erano presentati solo qualche volta e sempre in modo confuso.

Suoni: zoccoli sul selciato; qualcuno dice "Sembra vivo" o forse "Pare vivo".

Colori: verde, rosso acceso (come di tramonto?), un fulgore brunito (bronzo?).

Oggetti: scintille, treppiede, boccioli, pietrisco, il numero 39.

Durante le visioni, Antonio aveva la sensazione che un filo legasse immagini, suoni, odori. Una specie di storia, con la consequenzialità bizzarra ma persuasiva dei sogni. Guardando le due liste così, a freddo, nella luce porporina della camera oscura, non percepiva invece alcun collegamento. Lo prendeva allora un grande sconforto.

Chiudeva gli occhi. Sentiva il rosso oltre il velo delle palpebre. Gli sembrava di aver scelto il posto giusto, quello dove l'invisibile si manifesta. Tornava a concentrarsi sulle liste con lo stesso spirito con cui fissava la bacinella di sviluppo. Ma non succedeva niente. Pezzi scomposti, frammenti di un fotomontaggio illeggibile. Sentiva dentro la voce di Pavia: "Cose vere e persone vive!". Una favola da grandi. Ma nera. La sua.

Aria, aveva bisogno di aria.

Il bambino intanto era a scuola, o a giocare in cortile, o in cucina a studiare con la testa sul quaderno, o giù nel recinto delle capre. Non sapeva dove, come, quando, ma Antonio Casagrande era sicuro che l'avrebbe visto morire. Era come se qualcuno gli strappasse il cuore dal petto e lo gettasse nella polvere.

Quarto dei Mille, maggio 1915

La mattina del 5 maggio 1915 il cielo sopra lo scoglio di Quarto è bianco come un sudario. Jacques scruta la nuvolaglia, indeciso se tirar su la capote dell'automobile. Non fa freddo, e madama Carmen ama l'aria addosso, ma lui pensa che non le faccia bene. Non si è ripresa del tutto dal febbrone invernale, la voce di un tempo è ridotta a un sussurro. La pelle, carta velina. Ottantacinque anni non sono uno scherzo.

L'autista stringe gli occhi a fessura. Anche la nonna di Jacques, prima di "volare in cielo" (lui aveva appena messo i baffi), anche *mémé* Louise sfidava la tramontana delle Ardenne a capo scoperto. "E il vento l'ha portata via" conclude tra sé. Poi solleva la capote e la assicura in modo che non si sganci durante la marcia. Dal bagagliaio, estrae un cuscino quadrato e lo sistema al centro del sedile posteriore. Cos'altro? La tela cerata, casomai attaccasse a diluviare e la capote non bastasse. E generi di conforto: un fiasco d'acqua fresca, uno di vino, bicchieri, una pagnotta, un salame. Anche una coperta.

Non ha idea di quanto durerà la cerimonia. Non ha capito bene di che cosa si tratta, anche se madama Carmen gli ha mostrato l'invito che il comune di Genova ha recapitato alla *Gentilissima Rosa Bernard vedova Morel* insieme a una mazzetta di biglietti-omaggio. Nella busta ornata di fregi dorati c'era anche una cartolina. Accanto alla scritta

INAUGURAZIONE DEL MONUMENTO AI MILLE (che madama Carmen ha letto per lui), l'immagine a colori di un giovanetto nudo che sventola un drappo rosso e guida una schiera di... bambini? Soldati? Difficile dirlo. Jacques aveva pensato al pifferaio magico, e che forse sarebbero andati a vedere uno spettacolo.

A ogni modo, lui si fida di madama Carmen. Se lei dice *on-y-va*, si va. Quando c'è un problema, lei ha la soluzione.

Grazie alle foto in posa da autista nel cortile di Antonio Casagrande e alla ridda di commendatizie su carta intestata *Grand Hotel Savoia - Genova*, lei gli aveva trovato un ottimo impiego a Parigi. Ottavo *arrondissement*, gran palazzo sull'avenue George V, famiglia importante, lui banchiere, lei moglie di banchiere, due gemelline con le trecce, una Fiat a quattro marce che sui boulevard filava anche a settanta all'ora, spaventando piccioni e passanti. Si poteva desiderare di più?

Ma il banchiere si ostinava a chiamarlo Gilles, o Gilbert, a volte Joseph; la moglie del banchiere era altezzosa e impaziente; le due gemelline, diaboliche. In capo a tre mesi Jacques aveva cominciato a intristirsi.

Faceva confusione con gli appuntamenti, portava le gemelline alla scuola di danza quando avrebbe dovuto lasciarle dalla modista, non lucidava a dovere i proiettori ottonati, arrivava in scandaloso anticipo o in un ritardo imperdonabile. Ai rimbrotti, opponeva il suo impenetrabile mutismo. Insomma, si era fatto mettere alla porta. Erano i primi di luglio del 1907, l'estate trionfava. Con i soldi della buonuscita in tasca, passeggiando in maniche di camicia sotto i tigli in fiore, per un momento si era sentito l'uomo più felice del mondo.

Una lettera acidula della signora altezzosa aveva intanto messo sull'avviso madama Carmen. Che ficcò un paio di abiti da parata in un baule, prese un treno e tornò a Parigi. La scusa erano certi affari rimasti in sospeso, la verità è che era preoccupata. E se guidare da sola la Mercedes non era difficile, restava comunque una gran scocciatura.

In visita di cortesia a casa del banchiere, domandò dell'autista. In quella specie di reggia, nessuno aveva idea di che fine avesse fatto Jacques. «Jacques, dite? Siete sicura?» Avrebbero giurato si chiamasse Antoine.

"Disgraziati!" pensò uscendo stizzita. Fece il giro delle altre famiglie a cui lo aveva raccomandato. Non si era fatto vivo. Alla fine lo trovò seduto a un tavolo della mensa popolare di rue du Faubourg Montmartre in cui l'aveva scovato molti anni prima, quando a monsieur Morel serviva un autista e madama Carmen non tollerava i damerini che un'agenzia specializzata cercava di rifilarle.

Jacques mangiava chino sulla scodella, al modo che i poveri hanno di concentrarsi sulla zuppa. Era dimagrito, la giacca aveva gli alamari sbrindellati e un buco sul gomito. Quando sollevò gli occhi e se la trovò davanti, arcigna e determinata, le fece un gran sorriso. Aveva anche perso un dente, povero Jacques. Ma aveva conservato la stessa, inconfondibile luce stolida negli occhi.

«*Tu es trop… abelinòu*. Troppo coglione, *mon ami*» gli disse allora madama Carmen. Se lo riportò a Genova. In viaggio, gli comunicò l'intenzione di lasciare la suite del Grand Hotel e trasferirsi vicino al fotografo. Stava per lanciarsi in un'articolata spiegazione sul perché fosse ragionevole andare a vivere in un posto dimenticato da Dio, e su come gli affari non proprio convenzionali della nuovissima banca Morel avrebbero tratto giovamento da una sede opportunamente defilata, quando Jacques la interruppe. «*Bien, madame.*»

Non era mai accaduto. Non l'aveva mai sentito esprimere ad alta voce la sua opinione su ciò che il destino aveva in serbo per lui. Era stupefatta.

Jacques guardava fuori dal finestrino del treno che all'alba avevano preso insieme alla Gare de Lyon. La campagna correva veloce, appena velata da una nebbiolina scintillante. «*Très bien, madame*» ripeté.

Da quel momento, erano passati quasi otto anni. L'abitazione che madama Carmen aveva scelto confinava con quella di Antonio.

Era una casetta a due piani, piuttosto malandata, con un grande cortile davanti e terreno in abbondanza sul retro. I lavori di sistemazione erano durati mesi. Madama Carmen aveva fatto rinforzare il tetto, sostituire le finestre e il portone d'ingresso, ridipingere la facciata. Una squadra di giardinieri aveva trasformato il cortile d'accesso, polveroso e pieno di rottami, in un piccolo parco, con siepi di bosso, vialetti di ghiaia bianca, sedute di marmo, un bersò dai vetri a colori vivaci (ideale per colloqui riservati), un salice piangente, un pergolato di rose rampicanti, una fontana con la vasca mosaicata e un gruppo marmoreo composto da un Nettuno pettoruto e una corona di bagnanti seminude.

Come il parco, così le quattro stanze al piano terreno erano concepite per gli affari. Un ufficetto di mogano per il contabile e tre salottini stile *boudoir*: luci schermate, divani damascati e pesanti tendaggi, in modo che la clientela della banca Morel potesse sentirsi come a casa.

Per sé, madama Carmen aveva riservato le stanze al primo piano, lasciandole spoglie come quando aveva visitato la casa la prima volta. Una camera con l'acquaio, la stufa, un tavolo e due sedie impagliate; un ripostiglio con una tenda di sacco al posto della porta; una cameretta con un letto a una piazza, un tavolino da notte e un grande armadio dove aveva stipato gli abiti. Drappeggi, strass, sete, ricami, guanti e tre o quattro cappelli a tesa larga, di gran moda. Nei giorni di festa, quando nessuno si sarebbe presentato in banca, vestiva invece come una contadina del borgo, con gli zoccoli ai piedi e il fazzoletto in testa.

Dal terreno retrostante, che scendeva scosceso verso il mare, aveva poi ricavato quattro terrazzamenti, il primo dei quali confinava con il recinto delle capre di Alessandro. Con la stessa metodica dedizione con cui istruiva il contabile, esaminava le richieste delle puttane, apriva linee di credito e concedeva prestiti senza interesse, aveva progettato l'orto, il pollaio, la coniglera, il piccolo uliveto, il frutteto con albicocche, pesche, ciliegie e susine. Per la gioia di Alessandro, le capre formavano ormai un vero gregge, con spazi per le gravide, i capretti e il caprone. Jacques abitava in una casetta poco distante e si occupava di tutto: la spesa, le pulizie, la campagna, gli animali e naturalmente la Mercedes. Per la cerimonia, l'aveva lavata con cura, compresi i raggi degli pneumatici, e aveva ingrassato il pellame dei sedili. Non capitava spesso l'occasione: madama Carmen riceveva un mare di gente ma da qualche tempo usciva malvolentieri. Quando l'ultima cliente se n'era andata, quando il contabile aveva raccolto le sue carte e aveva preso la via di casa, saliva a cambiarsi e poi scendeva all'ovile. Di corsa, si sarebbe detto, anche se le gambe non erano quelle di un tempo. Era un correre dello sguardo, l'energia di una bambina che, al suono della campanella, si slancia in strada leggera, immemore della lavagna, del maestro e delle quattro operazioni.

Jacques è soddisfatto. A forza di straccio e acqua saponata, la Mercedes fa ancora la sua figura. La nuvolaglia si muove scomposta, in alto c'è vento. Fa per rientrare in casa a prendere una seconda coperta.

«Dove vai? Siamo già in ritardo» dice madama Carmen affacciandosi alla porta. Dà il braccio a Caterina, l'altra mano stringe un bastone in canna di bambù, sottile e nodoso come le sue dita.

L'autista fa dietro-front, torna alla vettura e apre lo sportello. Poi prende in mano la canna, la passa a Caterina, solleva madama Carmen a due braccia e la accomoda sul cuscino al centro del sedile posteriore. Caterina e Alessandro prendono posto accanto, stringendola, mentre Antonio affianca Jacques sul sedile anteriore.

Madama Carmen si riappropria del bastone e dà due colpetti sul pianale. «Avanti, Jacques. Portaci a vedere 'sto circo.»

Dieci giorni prima, il consiglio comunale di Genova aveva impegnato trentamila lire per l'inaugurazione del monumento ai Mille. Cifra di tutto rispetto, pari a un terzo del costo della statua realizzata dallo scultore Eugenio Barone e destinata allo spiazzo retrostante lo scoglio di Quarto.

La festa, prevista inizialmente per domenica 9 maggio,

venne anticipata a mercoledì 5, cinquantacinquesimo anniversario dell'impresa. Per garantire adeguata pubblicità all'evento, che si voleva imponente, il consiglio deliberò anche la stampa di cartoline promozionali e l'affissione di un avviso murale, tirato in duemila copie. Autorizzò poi il conio di una medaglia commemorativa in tre formati, l'illuminazione straordinaria degli edifici pubblici e delle statue di Garibaldi e Mazzini, la presenza di cori e bande nei quartieri della città e l'organizzazione di un ricevimento per trecentocinquanta invitati da tenersi nella sala del teatro Carlo Felice.

L'area intorno allo scoglio venne messa a soqquadro. Bisognava fare spazio, preparare il terreno per il piedistallo a gradoni di pietra serpentina, spostare persino i binari del tram. L'installazione del gruppo scultoreo richiese sforzi notevoli e segretezza assoluta. Dalla fonderia di Pistoia incaricata del getto nello stampo, arrivò prima la base, con le membra dei volontari di Quarto risorgenti dal blocco metallico. Poi la porzione intermedia, con i dorsi deformati dall'impulso irresistibile della risurrezione, i bicipiti tesi, i palmi stretti all'elsa dei pugnali. Poi fu la volta del gran petto nudo di Garibaldi, con le spalle gigantesche e il volto immobile nell'azzurro, sguardo al mare. Infine giunse la Vittoria. Le braccia della fanciulla, sospese nel vuoto, incoronavano il capo dell'Eroe mentre le ali proteggevano il viluppo dei combattenti. Chili su chili di lega di rame ad alta percentuale di stagno. Quintali di bronzo capace di resistere al salino, alle mareggiate, al sole a picco. Poi l'insistenza dei curiosi, le complicazioni inevitabili, il perfezionismo dell'artista. Insomma, un lavoraccio.

Una volta nascosta la statua sotto una cortina rosso fiamma, gli operai sfruttarono la pendenza naturale della collina per montare le tribune riservate agli ospiti di riguardo. Gli unici che, dalla posizione rialzata, avrebbero potuto ammirare il monumento e, in un colpo d'occhio, lo scoglio-cimelio, l'ardito pontile di trenta metri e il palco d'onore. L'oratore invitato dalla municipalità, il poeta Gabriele D'Annunzio, giunse da Parigi la sera del 4, pronto a concionare dallo scoglio di Quarto e da tutti i palchi, pedane, balconi, pulpiti e cattedre che nei giorni successivi faranno a gara per accoglierlo.

Oltralpe, intanto, la guerra infuriava. Il 28 giugno dell'anno precedente l'erede al trono asburgico era stato assassinato a Sarajevo. L'Austria aveva dichiarato guerra alla Serbia e la Russia era intervenuta a difesa, con il sostegno di Francia e Inghilterra. La Germania era schierata con l'Austria, l'Italia si era dichiarata neutrale Qualche settimana di scontri, si diceva. Si parlava di guerra-lampo.

A metà settembre, i due schieramenti scavavano trincee lungo una linea che dal Mare del Nord raggiungeva la Svizzera. A Oriente, il conflitto dilagava tra il mar Baltico e la Galizia

Le settimane diventarono mesi. In Italia, gli industriali premevano per l'intervento, i padroni dell'acciaio in prima linea. I socialisti e il papa erano contrari. Il Parlamento ribadiva la neutralità, il governo tergiversava. Il 28 dicembre, il giornalista Benito Mussolini tenne un discorso all'Università Popolare di Genova. "Bisogna sguainare la spada e versare il sangue. Perché è il sangue che dà il movimento della storia, il sangue è la tragica necessità della specie umana e il dovere dell'Italia nel momento attuale."

I mesi passarono. Nessuno parlava più di guerra-lampo. In trincea i soldati tossivano al fumo delle stufe. La neve si sciolse in un lago di fango nero. I tedeschi impiegavano gas asfissianti. La primavera esplodeva indifferente allo strazio. La diplomazia italiana, all'insaputa dei deputati, dei senatori e degli italiani tutti, ma con la benedizione del re, prese accordi con una delle parti belligeranti. Questione di giorni, il tempo di dare una spallata al Parlamento.

Le prime cartoline precetto erano già partite quando, all'alba del 5 maggio, seguendo le indicazioni del municipio genovese, davanti a palazzo Ducale si radunarono i veterani, i reduci della campagna d'Africa, le società garibaldine, le associazioni studentesche, i gruppi irredentisti con le bandiere di Trento, Trieste e Dalmazia, le associazioni operaie e quelle politiche. Al porto, le scolaresche salirono sulla nave *Taormina*, diretta a Quarto.

L'appuntamento era alle dieci. Tanta era la calca, che l'avanguardia del corteo raggiunse lo scoglio solo alle dieci e mezzo. Sul palco d'onore, rappresentanti del Parlamento, delle città di Roma, Napoli, Torino, Firenze, Venezia e Pisa, oltre al sindaco, allo scultore e ai cinquanta anziani reduci della spedizione dei Mille.

Il primo cittadino di Sampierdarena, socialista, aveva declinato l'invito perché la manifestazione si preannunciava «spiccatamente interventista». "Grazie per i biglietti ma non ci saremo" aveva scritto Primo Leone ad Antonio. "Di guerra, ci basta quella con la fillossera."

Dal primo anello delle tribune, la vista è sbalorditiva anche per chi, come madama Carmen, ha ancora negli occhi lo spettacolo pirotecnico di Parigi illuminata a giorno. I colori soprattutto: il plumbeo del mare, il grigio luminoso del cielo, il rosso del velame che nasconde il monumento, i gozzi verdazzurri, i cabinati con le vele bianche, i battelli e le altre piccole imbarcazioni lucenti di cromature che sfrigolano al su e giù delle onde. Al largo, la nave *Taormina* con gli scolari nei loro grembiuli bianchi e neri affacciati al parapetto e i due gloriosi piroscafi dei Mille, il *Piemonte* e il *Lombardo*, pavesati a festa. E poi tricolori, vessilli, stendardi, bandiere commemorative.

Madama Carmen stringe la mano libera dal bastone intorno al braccio di Caterina. Jacques è a un passo, pronto a sorreggerla e a riaccompagnarla all'automobile se la faccenda andasse troppo per le lunghe.

Antonio Casagrande e il figlio Alessandro scalpitano. Entrambi portano al collo una piccola macchina fotografica, hanno già scattato qualche posa ma vorrebbero lasciare il posto assegnato e muoversi liberamente.

Caterina lo sa anche senza guardarli, avverte la loro irrequietezza. Così simili, pensa. Il modo di giocherellare con la cinghia dell'apparecchio, di stringere pollice e indice alla base del naso, di trattenere il fiato e poi lasciare andare uno sbuffo di noia.

Ma non si tratta solo dei gesti e della postura. Quelle sono cose che si imitano. Lei che, negli anni, ha imparato a riconoscere madre e padre nei lineamenti stropicciati di ogni neonato, non cessa di meravigliarsi alla miracolosa somiglianza di Antonio e Alessandro. Ciò che la vita non ha concesso, pensa, quei due se lo sono preso a forza. Il taglio delle labbra, la forma delle spalle, persino l'attaccatura dei capelli hanno dovuto piegarsi all'irresistibile desiderio di specchiarsi l'uno nell'altro.

Il ragazzo avrebbe voluto portarsi dietro la cinepresa Pathé che madama Carmen gli ha regalato lo scorso settembre per il suo sedicesimo compleanno, ma il macchinario è troppo ingombrante per muoversi nella calca. Antonio ha promesso che sarebbero tornati un'altra volta. «All'alba, col sole basso. La statua farà una bella ombra lunga. Molto d'impatto.»

«A me interessa solo il tram» dice il ragazzo accennando al binario che corre ai piedi della tribuna. Qui passa la linea Genova-Nervi. Oggi la circolazione è sospesa, ma presto tornerà regolare.

Antonio non risponde. Questa mania di riprendere roba che si muove non gli appartiene. Il cinematografo lo lascia indifferente. Anzi. Della fotografia ama proprio l'immobilità, che è una cosa impossibile nella vita, quella sì una vera magia, perché la vita va, il tempo passa, le cose cambiano, le persone muoiono, la vita non sta mai ferma e il bello è coglierla di sorpresa e inchiodarla lì, a se stessa, per sempre: Primo Leone che a nove anni soffia nella tromba di Alessandro Pavia. Famagosta sensuale e condannata, certo, ma così splendente, e viva, con i seni in boccio e le labbra arricciate in un bacio. E Caterina affacciata sulla sponda del Naviglio Maggiore, Caterina sulla terrazza di via Meravigli, Caterina in un campo di erba medica e trifoglio. Per sempre. Caterina in un eterno mezzogiorno di timo e lavanda. E Alessandro appena nato, appena svezzato, appena sveglio, il primo giorno di scuola, la prima Comunione, in braccio a madama Carmen, in mezzo ai capretti. Per sempre.

«Il tram arriva da ponente. Fa quella bella curva ampia, là nella baia, vedete? Poi la strada sale, ma se mi metto sotto la statua, la motrice dovrebbe restare nell'inquadratura. Non basterà una sola ripresa, ce ne vogliono almeno tre o quattro, da punti diversi.»

Questo è ciò che del cinematografo Antonio più detesta. Che è tutta una finta. Pezzi di vita, moncherini appiccicati che scimmiottano la realtà.

«L'ho già tutta qui, papà» prosegue Antonio toccandosi la tempia. «Due riprese in campo lungo. E due, o tre, di fianco. Poi quelle frontali.»

C'è un mare di gente. I due sono costretti ad alzare la voce. «Immaginate che effetto? Da restare a bocca aperta!»

Preso com'è dalle sue fantasie, Alessandro gli ricorda il padrone. Sul tavolo della soffitta di piazza Valoria, anche lui assemblava pezzi di vita come il dottor Frankenstein parti di cadavere. «Cose vere e persone vive!» insisteva. Ma il fotomontaggio *I Mille pronti a salpare* non avrebbe mai contenuto ciò che veramente era accaduto nella notte tra il 5 e il 6 maggio 1860. Era, al massimo, un gioco da bambini. *Facciamo che io ero Garibaldi, facciamo che tu eri Nino Bixio.*

Di punto in bianco il rumoreggiare della folla diventa boato. «Mi farete da assistente?» urla Alessandro con il riso negli occhi.

Ma la vita devi coglierla sul fatto, pensa Antonio Casagrande. Porta la mano alla fronte. Qualcosa lo infastidisce, un lieve malessere, un mal di testa lì lì per scoppiare.

La moltitudine di pagliette, bombette, panama, cuffie e berretti che, sotto di loro, si stende come un prato fiorito sembra vibrare a un colpo di vento che la divida in due. Passa il poeta, l'unico a capo scoperto in un drappello di cappelli a cilindro e uniformi. C'è trapestio sulla tribuna, tutti si affacciano per vedere meglio e si apre un varco.

«Scendiamo» dice Antonio. Fa un cenno a Caterina sollevando la macchina fotografica. «Aspetta qui» sillaba. Lei rimarrà con Jacques e madama Carmen.

I due guadagnano la spianata tra il palco d'onore e la statua. Alessandro indica i gradoni del piedistallo. Si vanno riempiendo, meglio conquistare un rialzo. Antonio Casagrande raggiunge l'angolo destro, Alessandro il sinistro. È ragionevole pensare che almeno uno dei due riuscirà a inquadrare l'oratore.

Al confine estremo della baia, verso la città, si annuncia intanto la testa del corteo, con la banda e i vessilli che oscillano all'incedere dei portabandiera. Le note della *Marcia Reale* s'intrecciano al chiacchiericcio, allo stridio dei gabbiani, allo sciabordare dell'acqua, finché le sirene delle navi alla fonda non sovrastano gli ottoni. A ondate si levano applausi.

In pochi minuti la fiumana di gente occupa tutta la strada, dilaga, inghiotte ogni spazio libero, il muretto di contenimento della carrozzabile, i binari del tram, il viale che porta alla stazioncina ferroviaria di Quarto, e ovunque si assiepa, sopra, sotto e intorno ad Antonio Casagrande. Lui fa segni ad Alessandro, cenni al palco. «Lo vedi?» urla.

«Lo vedo» annuisce il figlio.

Antonio Casagrande invece è avvolto dalla folla. Il mal di testa aumenta. Sente l'occhio pazzo che pulsa, la benda che stringe. La sfila. Tanto potrebbe fotografare solo spalle, nuche, capelli. Si maledice per aver lasciato la tribuna, forse da lassù poteva venire fuori qualche bella immagine panoramica. Alessandro è in posizione migliore, lo guarda scattare.

Qualcuno chiede silenzio, poi legge il telegramma del re. Antonio non coglie tutte le parole, solo «fatale sponda», «animoso fervore», «glorioso avvenire».

Parla anche il sindaco, ma il discorso si perde nel vento e nel chiasso. Uno squillo di tromba e il drappo rosso scivola ai piedi del monumento. Scattare è impossibile, da quella posizione, proprio sotto. Si sente spingere, protegge a due mani l'apparecchio. Battimani, fischi, di nuovo le sirene e la *Marcia Reale*. Il rumore è assordante.

Il mal di testa è una morsa alle tempie quando Gabriele D'Annunzio scende dal palco, fende la calca e occupa il gradone più alto del piedistallo, protetto da uomini in uniforme molto più alti e grossi di lui. Cinque, sei passi: se non ci fosse tutta quella gente in mezzo, Antonio potrebbe toccarlo.

Intorno al fotografo si fa silenzio. Il poeta è pronto a prendere la parola. Scattare è inutile, non si vedrebbe nulla, i militari proteggono l'oratore in un guscio corrusco di mostrine.

Maestà del Re! Assente ma presente in spirito
attacca il poeta. Poi fa una pausa. Antonio immagina stia girando lo sguardo sulla folla.

Italiani d'ogni generazione, gente nostra, sangue nostro, fratelli.

Un'altra pausa. Antonio si sorprende a trattenere il fiato. Osserva lo spiazzo e le tribune. Lo stendardo degli universitari, il labaro di una società di mutuo soccorso. Occhi attenti, famelici, a centinaia.

Oggi sta sulla patria un giorno di porpora; e questo è un ritorno per una nova partita, o gente d'Italia.

L'applauso è fragoroso. Il poeta attende che si spenga, poi ricomincia.

Se mai le pietre gridarono nei sogni dei profeti, ecco, in verità, questo bronzo comanda. È un comandamento alzato sul mare.

Il mal di testa aumenta d'intensità. Antonio chiude gli occhi, si massaggia le palpebre.

Risorgono gli eroi dalle loro tombe, dalle loro carni lacerate si rifasciano, dell'arme si riarmano, delle lor bende funebri noi rifaremo il bianco delle nostre bandiere.

Il poeta non ha più bisogno di pause. Il fremito della folla non fa che interromperlo. L'aria si va intiepidendo. Un biplano Caproni si abbassa, dal cielo piovono migliaia di foglietti bianchi, sembrano farfalle. Inneggiano a Genova, ai Mille, a D'Annunzio.

I Mille! E in noi la luce è fatta.

L'occhio pazzo comincia a lacrimare, Antonio cerca il fazzoletto, lo preme sulla palpebra, la sente incandescente.

Tutto ciò che siete, tutto ciò che avete, e voi datelo alla fiammeggiante Italia!

Riapre gli occhi. I ragazzi – sono ragazzi – che gli stanno davanti hanno il volto deformato degli invasati. Urlano «Viva l'Italia! Viva la guerra!».

La mano dell'oratore si alza in un gesto sacrale.

Beati quelli che più hanno, perché più potranno dare, più potranno ardere.

Antonio cerca Alessandro. Lo vede scattare, suo figlio ha colto il momento.

Beati quelli che hanno vent'anni, una mente casta, un corpo temprato, una madre animosa.

La folla ha un brivido. Antonio ha l'impressione di sentirlo sottopelle. Ripone il fazzoletto. Prende un bel respiro. Poi, d'istinto, solleva l'apparecchio.

Beati quelli che, aspettando e confidando, non dissiparono la loro forza ma la custodirono nella disciplina del guerriero.

Punta l'occhio pazzo nel mirino, e il mirino sulla moltitudine.

Beati quelli che accetteranno in silenzio l'alta necessità e non più vorranno essere gli ultimi ma i primi.

Non sente più il mare, i gabbiani, le acclamazioni. Solo un lamento. Dall'occhio pazzo gli penetra il cervello.

Beati i giovani che sono affamati e assetati di gloria, perché saranno saziati.

Resiste.

Beati i misericordiosi, perché avranno da tergere un sangue splendente, da bendare un raggiante dolore.

Non sente gli urrà, i fischi di approvazione. Solo urla, bestemmie e il viscido rumore di una baionetta che ruota nel ventre. Resiste. Le braccia protese nell'evviva, le mani strette a pugno, le vede saltar via come schegge sotto la scure. Via i piedi piagati, via i polpacci stretti in luride fasce, via i visceri pulsanti. Resiste ancora. Sente odore di fango, sudore, sangue, merda. La morte è dappertutto.

Beati i puri di cuore!

La testa gli scoppia. Stacca l'occhio pazzo dal mirino. Gli manca il fiato. Si sente piccolissimo, un insetto, una formica. Smette di ascoltare. "Dovrei ucciderlo" pensa. "Farmi largo a gomitate, superare i militari, prenderlo per il collo e stringere. Lui e le sue parole di morte."

L'occhio pazzo riprende a lacrimare.

La folla applaude, i ragazzi si abbracciano, è tutto un alzar di cappelli.

Il fotografo non applaude. Sente addosso lo sguardo severo di un vicino. Forse lo immagina soltanto. Comunque alza gli occhi per sfidarlo, lo prende per il bavero della giacca, gli urla in faccia: «Cieco! Ciechi tutti!». Poi si accorge che Alessandro lo sta osservando e si vergogna. Il chiodo che ha piantato in mezzo alla fronte lo fa vacillare. Il ragazzo fa un cenno come dire: "Che succede?".

Antonio Casagrande lo guarda fisso, poi solleva l'apparecchio, gli punta il mirino addosso e lascia che il turbine di immagini, suoni e odori lo travolga. Urla, sudore, un sinistro suono metallico. Un grumo di corpi. Il telo rosso, lo scintillio del bronzo, il consueto, incomprensibile carnevale che ha visto mille volte inquadrando Alessandro bambino. Ma niente fango, né traccianti, né baionette, né trincee nel destino di suo figlio. Si aggrappa all'idea come a uno scoglio incandescente.

Sorride mentre la visione gli incide nel cervello la sua firmetta di fuoco.

Sorride mentre intorno a lui continuano a schiamazzare. Pensa alla carneficina che li attende. Tutti. Ma non suo figlio.

Zittisce la voce interiore che, vigliacca, insinua la sua domanda viperina: "Sicuro? Sicuro sicuro?".

Non smette di sorridere, lasciando ricadere la macchinetta sul collo, prendendosi le tempie a due mani. Davanti al mistero intollerabile della morte di Alessandro, non si è mai sentito tanto sollevato.

Furono, per il poeta Gabriele D'Annunzio, giornate interminabili. La sera precedente la cerimonia, appena arrivato da Parigi, aveva tenuto un lungo discorso ai genovesi (*La risurrezione della patria si compia!*). Parlò di nuovo al ricevimento organizzato dal municipio di Genova al teatro Carlo Felice (*La sorte d'Italia è oggi nel pugno d'Italia*). Il giorno dopo, 6 maggio, parlò a Palazzo Andrea Doria (*Meglio che prendere la parola, io vorrei riprendere il fucile, o compagni*) e parlò ancora a Palazzo San Giorgio, ricevendo una targa in bronzo, e anche davanti agli universitari genovesi il 7 maggio, e quella volta la targa era d'oro (*Appiccate il fuoco, miei giovani compagni, appiccate il fuoco pugnace. Siate gli incendiari intrepidi della grande Patria!*). Parlò agli esuli dalmati, ricevendo un libro dedicato all'italianità della Dalmazia. Poi partì per Roma, dove arringò la folla il 12, il 13, il 14, il 15, il 16, il 17 maggio e ancora il 20, quando il Parlamento, stretto tra le violenze dei manifestanti interventisti e il re, concesse pieni poteri al primo ministro autorizzando, di fatto, l'entrata in guerra. Parlò per strada, agli studenti dell'Università, nella Casa degli artisti, dalla ringhiera del Campidoglio (*Questo è il vero Parlamento!*), e tutti questi discorsi vennero immediatamente trascritti, ordinati, titolati, impaginati e prontamente stampati dall'editore Treves in un volume di buona tiratura dal titolo *Per la più grande Italia*. Oltre alle parole del poeta, conteneva in chiusura la ben più prosaica dichiarazione di guerra all'Austria, datata 23 maggio e firmata dall'ambasciatore italiano a Vienna, Giuseppe Avarna duca di Gualtieri.

Il poeta, quell'ometto calvo, dal mento aguzzo, con solino e soprascarpe candidi, non ha per nulla impressionato madama Carmen. E poi a Parigi dicevano che non fosse uso a saldare i conti. Il che, per il banchiere che madama Carmen è diventata, non è un gran merito.

Stretta tra Caterina e Jacques, del discorso ha sentito poco. Il senso però le è chiarissimo. Fino a quel momento era riuscita a intercettare e far sparire la corrispondenza in arrivo dal ministero della Guerra francese e indirizzata a Jacques, ignaro di essere stato richiamato al fronte dal suo Paese d'origine almeno tre volte. Ma con l'Italia in guerra, e al fronte a fianco della Francia, madama Carmen non potrà più contare sul placido disinteresse dei compaesani. Quando le prime cartoline precetto raggiungeranno le alture di Quarto, qualcuno farà la spia, la pubblica sicurezza interverrà, spedirà il suo prezioso tuttofare nelle natie Ardenne e di lì al massacro. E madama Carmen non ha nessuna intenzione di cercarsi un altro autista.

Così, il giorno successivo alla cerimonia, manda un biglietto di invito a un alto funzionario della prefettura, cliente affezionato ai tempi del casino di lady Violet. "L'autista che vi reca questa mia resterà a vostra disposizione per l'intera giornata" scrive.

L'alto funzionario non si fa pregare. Madama Carmen lo accoglie al cancello, gli dà il braccio, lo guida nel parco e lo fa accomodare nel bersò a vetri colorati, sui cuscini imbottiti della seduta, davanti al tavolino di ferro battuto con un vassoio d'argento, una bottiglia di cristallo piena a metà di liquido paglierino e due bicchieri. Chiacchierano del più e del meno per qualche minuto.

«E la Svizzera? Ho cari amici lassù. Industriali di Basilea. Ramo farmaceutico. Che mi dite, si manterrà neutrale? Di queste faccende capisco poco» butta lì madama Carmen. Poi offre all'alto funzionario un secondo bicchierino di marsala.

L'uomo sorseggia con piglio da intenditore. «Mah» risponde. Poi tira fuori un fazzoletto di batista e si pulisce i gran baffoni profumati di acqua di Colonia. «La questione è seria» dice. «Richiede ponderazione.»

«Ancora un bicchierino?» Essere serviti, ad alcuni uomini piace almeno quanto istruire le donne, e madama Carmen conosce i vantaggi della pazienza, il potere della gola e soprattutto l'alto funzionario. «Viene dalla Sicilia. Il mio Jacques ne ha già caricata nel bagagliaio una cassa per voi.»

«Jacques?»

«L'avete conosciuto. Si presta gentilmente a farmi da autista, ma è il mio braccio destro. Come farei senza di lui?»

In altri tempi, avrebbe agito diversamente. La guerra è una macchina stampasoldi. Qualche anno prima aveva guadagnato una fortuna investendo nella fabbrica che costruiva i monoplani impiegati nei bombardamenti in Libia. Ma adesso vuole solo salvare Jacques. Per evitare che il suo autista parta per il fronte, è disposta a infilare una sostanziosa mancia nella stessa tasca in cui l'alto funzionario ha appena riposto il fazzoletto. «Fatemi capire. Se la Svizzera rimanesse neutrale, la cittadinanza svizzera garantirebbe...» riprende.

L'alto funzionario è un trombone pieno di sé, ma non è stupido. «Garantirebbe» risponde.

«Fortunato chi ce l'ha!» prosegue lei. Il tono è frivolo, lo sguardo serio.

«*Audentes fortuna iuvat*» ribatte l'uomo, altrettanto serio.

La fortuna aiuta chi osa. Per star nel gran mondo, le era toccato anche impratichirsi di latino

L'uomo la fa poi cadere dall'alto. Le carte giuste, coi bolli giusti, coi tempi che corrono. Le costa quanto un'intera cantina di marsala, ma nel giro di un paio di settimane, a chiunque dovesse presentarsi a chieder conto del suo autista, madama Carmen potrà esibire l'atto di nascita regolarmente rilasciato dall'anagrafe del piccolo comune di Saint-Blaise, cantone di Neuchâtel, Svizzera francese.

La cosa più difficile è fare entrare in testa a Jacques tutta la manfrina. Interrogato, dovrà sostenere di essere nato in Svizzera. Per questo, il mattino dopo la chiacchierata con l'alto funzionario, madama Carmen convoca il suo autista per la prima di una lunga serie di lezioni. Lo fa sedere al tavolino, tira fuori da un cassetto l'atlante su cui, quando andava alla scuola elementare, Alessandro ripassava con lei la geografia, apre il volume sulla carta dell'Europa e obbliga Jacques a mandare a memoria i confini dell'Italia, della Francia, della Svizzera e, per maggior sicurezza, anche dell'Austria e della Germania.

È talmente presa dal suo piano di salvataggio da non accorgersi che Antonio Casagrande è sparito. Di solito passa a salutarla almeno una volta al giorno. Siede con lei sulla panca nel frutteto dietro casa, discorrono del passato, dei clienti di vico Falamonica, dei tipi come l'alto funzionario, della vita parigina.

Il fatto è che la cerimonia di Quarto l'ha prostrato. Una

volta tornati a casa, il mal di testa lo ha obbligato a letto, nella penombra delle persiane accostate. Va avanti così per due notti e due giorni. La febbre stenta a scendere. Di tanto in tanto, Alessandro si affaccia alla porta. Appoggiato allo stipite, resta a guardarlo per lunghi minuti. Caterina è preoccupata ma il fotografo rifiuta di vedere un medico. «Non ti ricordi Milano? È come Milano» dice.

Magari si potesse dimenticare, pensa Caterina. Le capita ancora di svegliarsi di notte, sudata, davanti agli occhi i portici di piazza Duomo e il volto tumefatto di Anna, la sua collega alla maternità dell'Ospedale Maggiore. Il ricordo diventa allora un rimuginare amaro. Impossibile riprendere sonno.

«È come dalla vedova Cantù. Vedrai che passa» dice lui a mezza voce.

Nella notte tra venerdì 7 e sabato 8 maggio si risveglia sfebbrato. E affamato. Caterina è fuori per un'urgenza. Alessandro è sempre lì, allo stipite della porta, e il fotografo ha l'impressione che non si sia mai mosso. «Andiamo a filmare il tuo tram?» domanda.

Fanno colazione che è ancora buio, solo il caffè, e alla svelta. Dopo tre giorni a brodini e uova sbattute, Antonio ha lo stesso poderoso appetito del ragazzo, ma entrambi vogliono raggiungere lo scoglio alla prima luce. Quando depositano l'attrezzatura da ripresa ai piedi della statua, la notte ha appena ceduto a un blu luminescente.

«Non le hanno ancora smontate» dice Antonio riferendosi alle tribune. «Vado. Vieni?»

Il ragazzo fa segno di no con la testa, lo sguardo alla piccola baia da cui salirà il tram in arrivo dalla città.

Con il cavalletto in spalla e la macchina fotografica al collo, Antonio raggiunge le tribune e poi il gradino più alto. Una luna di vetro rovescia intorno la sua pozza di luce. Piccole perle di spuma s'infrangono sullo scoglio esalando afrore di sale e muschio. Anche la collina libera i suoi umori, il suo sentore di foresta mediterranea, terra smossa dagli animaletti notturni, odore dolciastro di boccioli pronti a schiudere.

"Gelsomino" pensa il fotografo. Respira a pieni polmoni. Il primo momento di benessere dopo tanto sfinimento. Poi fissa treppiede e apparecchio. Inquadra la macchia scura della statua e, dietro, lo scoglio opalescente nel crepitio del mare.

In basso, non distante dal binario del tram, Alessandro è una figurina in bianco e nero. Il nero dei capelli, dei calzoni, del gilet con le tasche piene di attrezzi, pinze, forbici, giravite. Il bianco della camicia, della guancia, delle dita che montano il treppiede e fissano la cinepresa. Ha ragione Caterina, è come guardarsi allo specchio, pensa il fotografo. Poi si appoggia al parapetto e aspetta. Il ragazzo sistema il seggiolino, siede, aspetta anche lui.

Il blu denso stinge.

Il silenzio si sbriciola a poco a poco: il verso di un gabbiano, le ruote di un carro, lontane, gli zoccoli di un cavallo. A oriente, sopra il monte di Portofino, il sole è una pennellata rosso fuoco.

Il manovratore Giuseppe Parodi ha preso servizio sulla linea Genova-Nervi in perfetto orario. Gli piace il turno del mattino, l'inizio soprattutto, la partenza da piazza De Ferrari, il primo giro con la carrozza vuota, le signore di Albaro saliranno più tardi, i carbonai anche. Questa è una corsa tutta per lui, come se la macchina fosse roba sua e non della UITE, l'Unione Italiana Tramways Elettrici, e Giuseppe Parodi non fosse lì per la necessità di guadagnarsi il pane, ma per scelta, per la voglia di guidare questa meraviglia di vetro e metallo, il muso verde, le bande gialle, i riquadri rossi. E come se anche la città fosse roba sua, nell'ora che tutti dormono, i palazzi con le persiane chiuse come palpebre, il rumore delle ruote sul selciato, *ciuk, ciuk, ciuk, ciuk*, lo scoppiettio metallico che, una volta raggiunta la costa, s'intreccia con la voce delle onde. Un sussurro, questa mattina, il mare ha il sonno leggero.

E poi gli piace vedere che viene giorno. Quando ha il primo turno sulla Genova-Nervi, Giuseppe Parodi gli va incontro lanciando la macchina anche a dodici chilometri orari, e poi rallentando prudentemente nel saliscendi di Sturla. È proprio come il cinematografo, pensa, prima buio, poi mezza luce, poi lo schermo tutto illuminato. Meglio del cinematografo, perché ci sono anche i colori. Il sole rosso, poi arancio, *ciuk ciuk ciuk ciuk*, poi giallo, poi bianco, *ciuk ciuk*, poi di colpo non lo vede più perché tutto è sole e il manovratore resta abbagliato. Allora stringe gli occhi, abbassa la visiera del berretto e per sicurezza dà un colpo al pedale della campanella. Meglio avvertire, anche se in strada, a quest'ora, non ci sono bambini che sfuggono di mano alle mamme, né ragazzetti persi dietro a un pallone, né passanti distratti, né ritardatari che attraversano senza guardare.

Non c'è un'anima.

Dio che bello.

I minuti spensierati del primo mattino sono l'unico svago in una giornata piena di insidie.

Alessandro è felice. Da tempo sogna di filmare il tram. Sarà perché ci è affezionato. Da quando ha compiuto quindici anni, lo prende almeno due volte la settimana per andare e tornare dal cinematografo. Lo conoscono bene al botteghino dello Splendor di Quarto, dell'Aurora di Sturla, del Cinematografo Reale in centro, del teatro Cines con i suoi duemila posti e l'orchestra da quaranta elementi: una sera, con tutta la famiglia, al Cines ha visto *Cabiria*. Poi è tornato da solo il giorno dopo, e quello dopo ancora e così per una settimana e alla fine la bigliettaia l'ha fatto entrare gratis.

Lo conoscono anche al Fulgor, all'Ideal, allo Stella, all'Apollo di Borgo dei Lanaiuoli, lo conoscono già al nuovissimo Orfeo, e soprattutto al Vernazza, dove ha guardato tre volte *Ma l'amore mio non muore* con la bellissima Lyda Borelli, e poi *Fantomas*, e *Florette e Patapon*, girato a Genova. Al Moderno ha visto le films dal vero delle colonie e ne ha parlato per settimane. Di *Nerone e Agrippina*, visto quattro volte all'Universale, ha assistito alle riprese sulla spiaggia di Pegli, dove la produzione aveva costruito un pontile con due triremi. Il manovratore Giuseppe Parodi lo incontra soprattutto quando gli tocca l'ultimo turno. "Il ragazzo del cinema", lo chiama tra sé.

Mentre all'imbocco della baia il sole abbaglia il conducente, e mentre il ragazzo tiene a bada il batticuore che annuncia il momento della ripresa, Antonio si concentra sulla posa. Alla luce piena, l'inquadratura gli pare perfetta. Vista dall'alto, la statua ricorda davvero, come hanno scritto i cronisti, la prua di una nave pronta al varo. L'ombra lunga verso occidente fa pensare a uno scafo leggero, sospeso, sul punto di spiccare il volo. Però c'è qualcosa che non va.

Non si tratta del *ciuk ciuk ciuk* metallico che lentamente si avvicina, quello non lo sente neppure.

Né sente il chiacchiericcio di due contadine, una giovane e una vecchia, appena scese alla stazione di Quarto e dirette allo scoglio.

Il fotografo stacca gli occhi dal mirino, dalla tasca tira fuori un piccolo cannocchiale e regola la messa a fuoco. Proprio dietro la statua, vede sventolare qualcosa di rosso. Appare e scompare, col vento, rischia di rovinargli lo scatto. Immagina sia un telo impigliato da qualche parte, probabilmente alla pala spinosa di un fico d'India. La discesa a mare ne è piena.

Intanto Giuseppe Parodi lancia la motrice nel tondo della baia. Da vuoto, il tram fila come il vento. Il manovratore lo sa e fa attenzione. Non è poi così difficile deragliare.

Le due contadine si fermano sotto la statua. «Quello è Garibaldi?» domanda la più giovane.

Il ragazzo è soddisfatto. Ha indovinato il punto, la motrice si vede benissimo. Ma la pellicola costa. È indeciso se cominciare già a girare la manovella o aspettare che il muso sia più vicino.

Antonio mette via il cannocchiale. Torna a guardare nel mirino dell'apparecchio sul treppiede. Fuori fuoco, lo straccio rosso lampeggia nell'inquadratura. Forse vale la pena scendere e toglierlo di mezzo. E chiedere a quelle due contadine di allontanarsi di qualche passo. Raggiunge la scaletta delle tribune. Vede il tram. Fa per chiamare Alessandro ma si accorge che il ragazzo è già pronto a riprendere.

«È proprio Garibaldi» risponde la contadina più anziana.

Antonio torna a guardare il tram. Ha appena chiuso la curva alla fine della baia, sta per imboccare la salita. L'occhio pazzo prende a pulsare. In faccia al mare, la statua risplende, il groviglio di corpi bronzei restituisce un brillio caldo. L'occhio spinge senza tregua. Antonio schiaccia pollice e indice sulle palpebre chiuse. La luce inonda il bosco alle sue spalle, spiove tra i rami di un grosso fico contorto, disegna ricami ai suoi piedi. A terra, un mucchietto di cicche. Il *ciuk ciuk ciuk* è sempre più vicino. Cicche. E il telo rosso. Il cuore salta un battito. Un rivolo di sudore scende a ghiacciargli il filo della schiena. La linea Genova-Nervi è la numero 39, come ha fatto a non pensarci prima?

Deglutisce. Dentro di sé vede ciò che mille volte ha visto usando la sua magia su Alessandro bambino. Che ha rivisto pochi giorni fa, inquadrando suo figlio dopo il discorso del poeta. E capisce. Gli manca l'aria. L'odore di sudore che sente, acre di paura, è il suo. Capisce che il tram travolgerà Alessandro. Non sa come, ma sa che succederà. Forse il manovratore farà un errore, forse sarà colpa del ragazzo. Ne è certo.

Soffoca la tentazione di avvertire il figlio. Ha imparato la lezione a Milano. Quando ha messo in guardia la levatrice, quando l'ha indotta a cambiare strada, quando l'ha allontanata da via Orefici, quando l'ha inseguita, quando l'ha spinta in via Torino. E così facendo, l'ha condannata.

Il *ciuk ciuk ciuk* è sempre più vicino.

Avvertire il ragazzo significa perderlo. Non servirebbe, non è servito con Anna, anzi.

«Pare vivo!» dice la contadina giovane.

Antonio ha un singulto. Se li aveva, non ha più dubbi. Di colpo, sa anche cosa deve fare. Scende dalla tribuna e va incontro alla motrice.

Giuseppe Parodi lo vede arrivare, pensa che la strada non è più solo sua, che il suo momento di libertà per oggi è finito. L'uomo avanza a grandi passi. Sembra soprappensiero, non tiene il margine della strada. Come se non avesse visto il tram.

Più a monte, accanto alla statua, anche il ragazzo vede il padre scendere lungo i binari. Solleva gli occhi dalla cinepresa e sbuffa. Fotogrammi da buttare. Ma perché suo padre ha lasciato la tribuna? Lì per lì, pensa che abbia al collo la macchina fotografica, che voglia fotografare il tram anche lui.

Per sicurezza, Giuseppe Parodi dà una scampanellata.

Il ragazzo guarda sulla tribuna, e la macchina di Antonio Casagrande è ancora là, sul treppiede. Allora lo chiama.

Antonio non si volta. L'occhio pazzo pulsa al ritmo dei suoi passi. Guadagna il centro del binario e accelera. Giuseppe Parodi pesta di nuovo il piede sul pedale, scampanellando furiosamente. Antonio riconosce il suono e annuisce tra sé. Il ragazzo molla la cinepresa e si slancia. «Papà, papà» urla.

Antonio accelera ancora, corre incontro al muso verde della motrice. Vede il numero 39, enorme e vicinissimo, poi vede il bambino del Pammatone annegare tra le onde, vede Paolino consumato dalla febbre, Famagosta dal mal francese, Anna presa a fucilate dai soldati, vede i ragazzi che, a giorni, partiranno per il fronte. C'è, in quel che vede, qualcosa di incomprensibile e straziante.

Una cosa del genere, a Giuseppe Parodi non è mai successa. Impreca e aziona il sistema di frenatura. Lo spazio è minimo. Le due contadine gridano. Alessandro si blocca. Il pietrisco esplode in un turbine di scintille, lo stridio metallico ferisce le orecchie.

Da ultimo, Antonio vede la Morte. Lei lo guarda con occhi ciechi di statua muta. Lui capisce perché questo occhio pazzo, questa maledizione, questo *dono*. «Eccomi» le dice. «Lascialo andare, prendi me.»

Quarto dei Mille, al tramonto

Madama Carmen capisce che la guerra è davvero finita quando una prostituta si presenta al cancello di casa sua. Da anni non ne vede una. La guarda con interesse, si affretta a farla accomodare nella stanzetta al piano terreno, l'unica con un tavolino e due sedie scompagnate. Quel che rimane della banca Morel.

La donna ha grandi progetti. Riarredare le cinque stanze su tre piani di cui è tenutaria in vico Lepre, assumere nuovo personale, puntare a una clientela selezionata.

Attraverso il velo della cataratta, madama Carmen assapora la dolcezza del ricordo. Elogia l'iniziativa, incoraggia la donna a pensare in grande, suggerisce alternative. Quando si arriva al dunque, e la tenutaria chiede un prestito, è con rammarico che la congeda dicendo: «Non posso fare nulla, mi dispiace».

Quante ne ha finanziate! E quante ne ha aiutate. Gravidanze sgradite, balie da sostenere, famiglie da mantenere, medici da pagare: la banca Morel prestava denaro alle puttane per qualunque loro esigenza. Il tasso era vantaggiosissimo. L'ordine al contabile era disinvestire poco alla volta il patrimonio di Rosa Bernard vedova Morel, vendere una dopo l'altra tutte le proprietà e con il ricavato aiutare le prostitute. Dalla *maîtresse* alla novellina, l'unico titolo per avere un prestito Morel era fare la vita. E tolte le spese, il piccolo utile derivante dall'interesse non andava reinvestito: il contabile doveva semplicemente finanziare altre puttane, in una catena infinita.

«E se qualcuna non onora il debito?» aveva obiettato l'uomo.

«Pazienza» aveva risposto lei.

«Ma così perderete tutto.»

«Esatto. Ma succederà molto lentamente, perché le puttane sono gente seria. Vi concedo di fissare un piccolo interesse solo perché non so quanto mi resta da vivere, capite?»

La guerra aveva accorciato i tempi. Il contabile fu richiamato e assegnato alla fureria di un reparto del Genio. Invece delle prostitute, cominciarono a presentarsi alla banca Morel madri di famiglia, vedove con gli orfani al collo, donne che, con la tessera annonaria, non riuscivano a mettere in tavola pranzo e cena.

Madama Carmen non disse no. Per avere liquidità da distribuire, vendette i gioielli. Quelli vistosi di quando era lady Violet e quelli raffinati di quando era Rosa Bernard. Tutti tranne uno.

All'inizio del 1916, si presentò anche una coppia di questurini. Madama Carmen tirò fuori il finto certificato di nascita di Jacques. Lo stracciarono davanti ai suoi occhi e portarono via l'autista. Lei lo cercò per mesi. Spese gli ultimi risparmi per ungere ingranaggi e avere informazioni. Ottenne solo un telegramma: *Caduto a difesa della piazzaforte di Verdun.*

Madama Carmen pensò che solo chi perde un figlio prova uno supplizio simile. Azzerò il tasso di interesse a tutte le madri di soldati al fronte e tornò al lutto stretto, come ai tempi del bordello di vico Falamonica.

Alla fine del 1917, cominciarono a bussare alla porta dell'ex banca Morel anche maschi. Gente a cui mancava qualche pezzo, un orecchio, un occhio, una gamba o un braccio. Oppure scemi di guerra.

Madama Carmen ci pensò su e neanche questa volta disse no. Inventò lavoretti per loro. Con quelli meno sciancati, formò una squadra e la impiegò per smontare l'ufficio del contabile. Li pagò con la frutta delle sue piante e i soldi guadagnati rivendendo gli arredi. Il bersò a vetri colorati finì nel giardino del direttore di uno stabilimento che produceva cacciabombardieri. L'uomo le raccontò che il grande poeta Gabriele D'Annunzio – «Lo conoscete?» – stava progettando di umiliare gli austriaci sorvolando Vienna a bordo di uno di questi modernissimi apparecchi. Madama Carmen non rispose.

Anche il parco non esiste più. Vendute le statue, le sedute di marmo, persino il pergolato in ferro battuto. Le rose rampicanti corrono libere scavalcando il muro di cinta. A madama Carmen è rimasto solo l'indispensabile per vivere. E comunque vive di niente: un po' di frutta, qualche oliva, un po' di latte delle capre. Ogni tanto si fa un pianterello, ma dura poco. «È l'età» dice a Caterina asciugandosi gli occhi. La levatrice si prende cura di lei. Controlla che non dimentichi di mangiare, l'aiuta a lavarsi, legge per lei le lettere di Alessandro.

Il ragazzo è diventato un giovane uomo. È partito qualche mese prima, impiegato come mozzo su un mercantile diretto a Southampton. Il progetto è rimanere in Gran Bretagna quel tanto che serve per imparare un po' di inglese e comprare il biglietto per il piroscafo diretto negli Stati Uniti. Ha in tasca un indirizzo. Glielo ha scritto un americano di Los Angeles, sergente del 332° Reggimento Fanteria dislocato all'hotel Miramare, sopra la stazione di piazza Principe. Alessandro si aggirava da quelle parti con la cinepresa, voleva filmare gli americani in libera uscita. Avevano fatto amicizia, era anche lui cinematografista. «Vieni a Hollywood» gli aveva detto.

«Ci andrai?» aveva domandato madama Carmen.

Alessandro non sapeva che cosa rispondere. Sull'atlante di madama Carmen, l'America stava molte pagine dopo l'Italia, dopo la Francia, perfino dopo l'Inghilterra.

«Ci vado» le disse tre giorni dopo. A lei, prima che a sua madre. Madama Carmen sentì qualcosa che si spezzava. Niente lacrime, si impose. Così è la vita. Il giorno della partenza, gli mise in tasca a forza un involto. «Stacci attento. Era di tuo nonno.»

In quel momento, Alessandro fu certo che non l'avrebbe mai più rivista. Si ricordò di quanto era stato scontroso la prima volta, a otto anni. «Non era mio nonno» rispose imitando se stesso bambino. Voleva tornare indietro nel tempo, per lei.

Madama Carmen capì al volo. «Strano, perché gli somigli» rispose. «Adesso però vattene che ho da fare.» Niente lacrime, neppure una.

Il ragazzo le manca. Classe '98, la guerra l'ha mancato per un soffio. Dio sia lodato. Lo immagina a Southampton, bazzicare le stesse viuzze che, cinquant'anni prima, avevano ospitato il vocione tonante e il barbone repubblicano di Alessandro Pavia. Lo vede sul pontile del piroscafo, o seduto al tavolino di una stanza americana in affitto. Lo vede scartare l'involto e riempirsi gli occhi di luce. La spilla del re! Un marsigliese trafficone gliel'aveva proposta quando ancora madama Carmen si chiamava Rosa Morel e splendeva nel gran mondo parigino. Pavia era morto da un pezzo. Lei non aveva resistito, l'aveva pagata la cifra esorbitante che il marsigliese chiedeva. Sorride al pensiero. Immagina il ragazzo perduto in una grande città, un indirizzo in tasca, in spalla quattro stracci, a tracolla la cinepresa Pathé, in tasca la spilla di Sua Maestà, protetta dall'astuccio turchino, che Antonio Casagrande venerava come una reliquia. Per un lungo viaggio serve un talismano potente.

Anche Jacques le manca. Della vita di prima, invece, non sente nostalgia. Spogliata di tutto, si sente libera. Le giornate sgranano una dopo l'altra. Sole, pioggia, vento. Sopporta i dolori dell'estrema vecchiaia. Lamentarsi richiederebbe energie che non ha più. Il momento più bello è il tramonto, quando il fotografo viene a trovarla. Lei lo prende a braccetto e scendono nel frutteto dietro casa. «Attento che sei vecchio» dice lei.

Siedono su una panca, non parlano granché, hanno l'impressione di essersi già detti tutto. Lasciano che il passato torni a visitarli oppure guardano i capretti. Lui continua a fotografare ma si rifiuta di utilizzare le nuove pellicole di cellulosa, resta fedele alle lastre di vetro. «Più stabili» assicura. Anche le nuove carte da sviluppo non fanno per lui. «Troppi grigi» ripete. Lavora alla vecchia maniera, carta albuminata, viraggio, annerimento diretto alla luce del sole. L'idea che si possa fotografare solo schiacciando un bottone, fotografare senza essere fotografi, gli fa scuotere il capo. «E l'incanto, madama Carmen? Dove va a finire l'incanto?»

«Sei vecchio, acciughetta» risponde lei. «Sei peggio del tuo padrone.»

A volte Caterina siede con loro. Ha giornate lunghe. Al capezzale delle partorienti, le capita di rivedere se stessa sul tavolo operatorio dell'Ospedale Maggiore. Oppure riconosce negli occhi di una neonata quelli della figlia perduta. E quando qualcosa va storto, pensa sempre a Teresa, la donna-bambina capace di partorirle un figlio. Una gioia che ha qualcosa di amaro. A volte la sorprendono invece sguardi che immaginava perduti. Col bambino al seno, sfiancate dal travaglio, le puerpere cercano i suoi occhi come altre guardavano la comare Eugenia. Lei fa allora il suo mezzo sorriso, ripone gli strumenti e, in quell'attimo, ha l'impressione di cogliere il senso del suo stare al mondo.

Invecchiare comunque le piace, la fa sentire a posto con se stessa. «Ciò che doveva essere è stato» dice a madama Carmen. Entrambe hanno capito perché Antonio ha cercato di fermare la corsa del tram numero 39. Sono convinte che abbia salvato la vita al ragazzo. Neanche per un attimo hanno creduto a un momento di follia. Spiegazione buona solo per la compagnia dei tram. Il ragazzo, invece, sa che il padre era stato poco bene. Ha pensato a un eccesso dovuto alla febbre. «Fortuna che il manovratore era pronto» ha ripetuto per giorni dopo l'incidente. Se ha intuito la verità, il turbine della giovinezza l'ha trascinata via con sé.

La fortuna non c'entra, pensa Antonio. È convinto che la Morte l'abbia lasciato vincere. Non sa perché sia accaduto, non s'illude che possa succedere ancora. Sa solo che, da quel momento, la sua magia si è perduta. L'occhio pazzo ha smesso di pulsare. Puntandolo nel mirino, non vede più nessuno morire, neppure i malati all'ultimo stadio.

Ma Alessandro è vivo. Per l'orfano del Pammatone, se c'è un senso nel suo stare al mondo è questo. E Caterina è viva anche lei. Seduta sulla panca accanto a madama Carmen, gli stringe la mano. Il ragazzo manca a entrambi. Per sentirlo vicino, una volta la settimana scendono allo Splendor di Quarto e guardano un film. Non importa cosa ci sia in programma. Con pazienza aspettano i titoli di coda e immaginano di trovarci il suo nome.

Se dal mare sale un po' di brezza, il frutteto sembra vibrare di soddisfazione. Madama Carmen pensa che, di tutte le creature, le piante siano le più felici. Non devono andare da nessuna parte. Non conoscono tradimenti, delusioni, ambizioni. Guerre. Quando è l'ora, buttano fuori foglie, fiori e frutti. Non conoscono la morte finché non le coglie. «Beati gli alberi» dice.

«Vi sbagliate» risponde il fotografo.

La vecchia fa spallucce. È un gesto che non appartiene a madama Carmen, e certamente non a Rosa Bernard vedova Morel, ma neanche a lady Violet, a madama Amaranta o a Rosetta La Vedova. Quando, sempre più spesso, Antonio la sorprende a farlo s'intenerisce. La vede come gli era apparsa tanti anni prima, nella cucina di vico Falamonica, al lampo della tempesta. Bambina. Innocente. «Beati gli umani» le sussurra.

«Perché sanno di morire?» insiste lei.

A occidente, il cielo esplode silenzioso.

Caterina si porta la mano di Antonio alle labbra. Pensa alla comare Eugenia oppure alla soffitta di via Meravigli oppure ad Alessandro bambino. «Perché sanno di essere vivi» risponde.

Nota dell'autrice

Trovo sgradevole arrivare in fondo a un romanzo ambientato nel passato e non avere idea di quanto l'autore abbia tenuto conto di quella cosa che, con inevitabile approssimazione, definiamo "verità storica". Ecco quindi un elenco dei testi che mi hanno accompagnato durante la stesura.

Il saggio di Elena Taddia, *La vita appesa a un filo: medicina e bambini esposti nella ruota a Pammatone*, contenuto negli atti del convegno *L'antico ospedale di Pammatone e il suo archivio dimenticato* del 2007, mi ha aiutato a comprendere le condizioni di vita degli orfani nella benemerita struttura genovese. Illuminante, al riguardo, anche il *Rendiconto economico, medico e statistico relativo agli anni 1840-1844* steso dall'allora responsabile del Pammatone, il dottor Ettore Costa, reperibile in rete in versione integrale.

Per farmi un'idea circa il destino dei garibaldini all'indomani della spedizione dei Mille, ho spesso consultato il saggio di Eva Cecchinato, *Camicie rosse. I garibaldini dall'Unità alla Grande guerra*, Milano-Bari, 2011.

Riguardo agli sviluppi della tecnica fotografica ho trovato particolarmente interessanti: Lorenzo Scaramella, *Fotografia. Storia e riconoscimento dei procedimenti fotografici*, Roma, 2003; Italo Zannier, *Storia e tecnica della fotografia*, Milano,

2009; Federica Muzzarelli, *L'invenzione del fotografico. Storia e idee della fotografia dell'Ottocento*, Torino, 2014.

Mi sono innamorata di Alessandro Pavia leggendo lo svelto ritratto che gli riserva Maria Attanasio nel romanzo *La ragazza di Marsiglia*. Era la fine di luglio del 2018 e cominciai a fantasticare sulla possibilità che il fotografo dei Mille raggiungesse Borgo di Dentro per completare la sua stupefacente raccolta con l'immagine in camicia rossa del garibaldino Domenico Leone, il capostipite della famiglia protagonista del mio precedente romanzo *Destino*. Ho cominciato subito a cercare informazioni, a immaginare scene, a intrecciare possibili trame. Esigenze narrative giustificano, almeno ai miei occhi, le non poche libertà che mi sono presa rispetto al saggio biografico che M. Rachele Fichera ha dedicato ad Alessandro Pavia in "Rassegna Storica del Risorgimento" (anno CIV, fascicolo 1, gennaio-giugno 2017). Sul mio tavolo ha stazionato per molto tempo anche la riproduzione dell'*Album dei Mille* che l'Istituto per la storia del Risorgimento italiano di Roma ha pubblicato a cura di Marco Pizzo. Ogni tanto sfogliavo e, davanti a tanta vita, mi commuovevo.

In rete ho trovato la relazione relativa alla morte di Mazzini stesa dal medico Giovanni Rossini nel 1872, mentre *La mummia della Repubblica. Storia di Mazzini imbalsamato* dello storico Sergio Luzzatto (Torino, 2011) mi ha spiegato quel che c'era da sapere circa le esequie e il tentativo di pietrificazione della salma.

Sui fatti di Milano del '98, mi limito a segnalare i testi che mi sono stati più utili: Umberto Levra, *Il colpo di stato della borghesia. La crisi politica di fine secolo in Italia 1896/1900*, Milano 1975; Giovanna Ginex e Carlo Cerchioli, *I fotografi e i fatti del '98 a Milano*, in "Rivista milanese di economia", Quaderni, 9, 1985; Paolo Pillitteri e Davide Mengacci, *Luca Comerio. Milanese. Fotografo, pioniere e padre del cinema italiano*, Milano; Paolo Valera, *Le terribili giornate del maggio '98*, Bari, 1973 (riproduce l'edizione del 1913). Brillante cronista, Valera è stato testimone oculare degli avvenimenti. Gli devo, tra le altre cose, il sinistro *ran ran* delle truppe in manovra. La *Relazione del generale Bava sulla sommossa di Milano del 1898* è reperibile in rete.

Un classico sulla condizione delle levatrici è quello di Claudia Pancino, *Il bambino e l'acqua sporca. Storia dell'assistenza al parto dalle mammane alle ostetriche (secoli XVI-XIX)*, Milano, 1984. La vicenda particolare di Caterina Colombo si intreccia poi con quella del medico ostetrico Edoardo Porro, che a fine Ottocento mise a punto una rivoluzionaria tecnica operatoria. Ho trovato i dettagli nel volume di Paolo Mazzarello, *E si salvò anche la madre. L'evento che rivoluzionò il parto cesareo*, Torino, 2015.

La mia ricostruzione dell'inaugurazione del monumento di Quarto si basa principalmente sul resoconto che ne fece a tutta pagina il "Corriere della Sera" all'indomani dell'evento, e sui contributi di Maria Flora Giubilei e Raffaella Ponte raccolti nella rivista "La Berio" (numero 1, anno L, gennaio-giugno 2010). Mi sono ritrovata a scriverne tra marzo e maggio del 2020, a due anni dall'avvio della prima stesura. Si era in pieno confinamento da Covid-19, la maggior parte dei testi che mi servivano erano materialmente irraggiungibili. Senza la generosa collaborazione di Claudio Risso, bibliotecario della Biblioteca Universitaria di Genova, difficilmente sarei riuscita a completare il lavoro nei tempi concordati con l'editore.

In chiusura, ripeto cosa nota: la vita del romanziere è infestata da fantasmi che vede solo lui, e quindi solitaria. Per questo desidero ringraziare quanti hanno amorevolmente seguito la storia di Antonio Casagrande nel suo farsi, aiutandomi a capire e facendomi sentire meno sola: Paola Bigatto, Stefania Fusero, Francesca Romagnolo, Annalisa Soria e poi Stefano Tettamanti, che è anche il mio agente, ma il posto giusto per lui è tra le righe dedicate agli amici.

Mondadori Libri S.p.A.

Questo volume è stato stampato
presso ELCOGRAF S.p.A.
Stabilimento - Cles (TN)

Stampato in Italia - Printed in Italy